JN120021

How to Choose the Right Words in Business English

ビジネス英語 Word Choice

［類語・類似表現 700］

Z会編集部 Patrick Horckmans

本書を手に取った方へ

技術の急速な進歩により，メールやチャット，電話やWeb会議を通じて，世界中のビジネスパーソンと仕事をする時代になりました。そんな中で英語は，**ネイティブスピーカーのみならず，アジア・ヨーロッパ・中東などの世界中の非ネイティブとのコミュニケーションツール**にもなっています。本書を手に取った方の多くも，そうした環境に身を置いているのではないでしょうか。

本書は，**仕事で必ず使う700語について，類語・類似表現の違いをコンパクトにまとめた1冊**です。ビジネスパーソンに必要な情報を厳選した上，見やすさ・探しやすさにもこだわり，**職場のデスクに置いて，仕事に即活用していただける書籍**となっています。ここでは本書を手に取ってくださった皆さんへ，類語を学ぶことの意義をお伝えします。

似た意味の単語なら，どれを使っても同じ？

「読む・聞く」を中心に行ってきた日本人が，「書く・話す」にシフトする際にぶつかる壁として，**単語の訳を1対1対応で覚えている**ことが挙げられます。同じような意味の単語なら，どれを使っても同じでしょうか？　いくつか具体例を見てみましょう。

① 目上の方に，金曜日の予定が空いているか尋ねたい

「予定が空いている」は **free** なので，Are you free on Friday? と言いたいところですが，これは「金曜日，暇ですか？」という尋ね方です。これでは目上の方に対して，失礼な印象になってしまいます。

→正しい表現は p.213

② ミスの再発防止に全力を尽くすことを伝えたい

「全力を尽くす」は **do my best** なので，I will do my best. と言いたいところですが，これでは確実に再発防止がなされるのか，場合によっては言われた側に不安が残ります。あなたの誠意が正しく伝わらないかもしれません。

→正しい表現は p.233

③ 同僚に「出張のことで相談したい」と伝えたい

和英辞典で**「相談する」**と調べると **consult** が出てきますが，この場面で consult は絶対に使いません。consult は同じ「相談する」でも「専門家に相談する」という意味だからです。同僚は出張の専門家ではないはずなので，他の表現が適切です。

→正しい表現は p.189

これらは日本語で考えると正しそうですが，いずれも伝えたいニュアンスや，場面に沿った意味からは離れてしまっています。これは，英語と日本語には「1対1」のイコールの関係は成り立たないからです。つまり，free, do my best, consult の**「訳語」を覚えていたとしても，本当の「意味・ニュアンス」を理解していないと，書いたり話したりする際に間違った使い方をしてしまうのです。**

ほかにも，**and so on** はよく**「など」**と訳されますが，日本語の「など」がすべて and so on に置き換えられるわけではありません（p.237）。また，「サラリーマン」「アルバイト」のような和製英語のほか，「パンフレット」は pamphlet ではなく **brochure**（p.169），「メリット」は merit ではなく **advantage**（p.325）と言うことが多いなど，本来の英語とは異なる使われ方をされている言葉も多くあります。

違いを知ることは，自然で豊かな表現力につながる

以上のように，単語を「話す・書く」という視点で意識した経験が少ないと，頭に浮かんだ言葉や調べて出てきた言葉をそのまま使い，失礼な表現や，誤った表現をしてしまうことがあります。

類語の意味・使い方の違いを知って，正しく区別すること。そして，日本語を英語に直訳するのではなく，**場面や状況によって，どの単語を使えば伝えたい要**

素を表現できるかを考えること。この点を意識することで，自然な英語にぐっと近づきます。

さらにこのことは，**表現の幅を広げる**ことにも役立ちます。**パラフレーズ（言い換え）**は，読みやすい文章を書いたり，わかりやすく話すための基本的なテクニックです。「とても重要」と言いたいとき，very important を連発するだけでは重要性は伝わりません。**よく使う言葉のバリエーションを増やすことは，説得力にもつながるのです。**

また，「とても」は **very** や **so** で表せますが（p.256），フォーマルな場面で「すごく」と言ったり，友人に「非常に」と言ったりすると不自然なように，**相手や場面によって使い分けるという視点も重要です。**

ビジネスに即活用できる学び方

非ネイティブである私たちは，特異な単語を知っている必要はありませんが，**よく使う言葉に関する一定のルールを押さえておく必要があります。**

本書は**見開きのレイアウト**を採用し，類語の使い分けを一覧表で整理しています。さらに，**イラスト**も交えて１語１語詳しく解説しているほか，**実用的な例文**をあわせて掲載し，使い方が一目でわかるようになっています。また，TIPS には，**コロケーション・和製英語**の解説や，**グローバル・コミュニケーションにおいて気をつけたい事柄**などを掲載しています。

本書には，Z 会のビジネス英語講座で長年指導をされてきた Patrick Horckmans 先生をはじめとする添削者の先生方，そして Z 会編集部の知識と経験が詰まっています。さらに，受講者の答案を分析することで，学習者の**「学校では習わなかった！」「もっと早く知りたかった！」**に応える内容となっています。実際に，本書の企画開発にあたってモニター調査を行った際には，次のような声が寄せられました。

・多用する言葉である割に，**意識的に正しく使えていなかったことを気づかされた。**
・日本語では同じ意味でも，**ニュアンスの違いがまとまっているため，イメージしやすかった。**
・これまでインターネットで確認していたが，**一冊にまとめられていると復習もしやすく，困ったときにすぐ確認できる**ので良い。

膨大な辞書やインターネットから必要な情報を探すのは一苦労ですが，本書をデスクに置いておけば，迷った表現をパッと確認できます。本書を通して，皆さんが英語の類語・類似表現に対する理解を深め，仕事で活躍するための英語力を向上させるお手伝いができることを願っています。

2020年3月　Z会編集部

本書の利用法

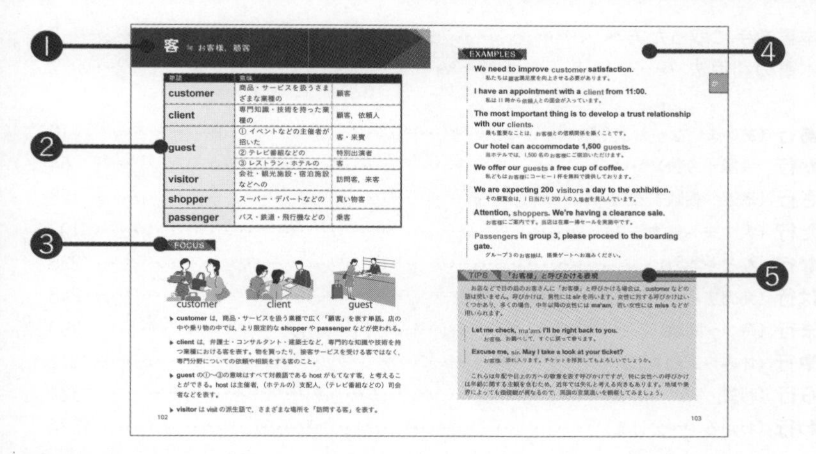

客 ≒ お客様，顧客

単語	意味	
customer	商品・サービスを扱うさまざまな業種の	顧客
client	専門知識・技術を持った業種の	顧客，依頼人
guest	① イベントなどの主催者が招いた	客・来賓
	② テレビ番組などの	特別出演者
	③ レストラン・ホテルの	客
visitor	会社・観光施設・宿泊施設などへの	訪問客，来客
shopper	スーパー・デパートなどの	買い物客
passenger	バス・鉄道・飛行機などの	乗客

FOCUS

▶ **customer** は，商品・サービスを扱う業種で広く「顧客」を表す単語。店の中や乗り物の中では，より限定的な **shopper** や **passenger** などが使われる。

▶ **client** は，弁護士・コンサルタント・建築士など，専門的な知識や技術を持つ業種における客を表す。物を買ったり，接客サービスを受ける客ではなく，専門分野についての依頼や相談をする客のこと。

▶ **guest** の①〜③の意味はすべて対義語である host がもてなす客，と考えることができる。host は主催者，（ホテルの）支配人，（テレビ番組などの）司会者などを表す。

▶ **visitor** は visit の派生語で，さまざまな場所を「訪問する客」を表す。

102

EXAMPLES

We need to improve customer **satisfaction.**
私たちは顧客満足度を向上させる必要があります。

I have an appointment with a client **from 11:00.**
私は 11 時から依頼人との面会が入っています。

The most important thing is to develop a trust relationship with our clients.
最も重要なことは，お客様との信頼関係を築くことです。

Our hotel can accommodate 1,500 guests.
当ホテルでは，1,500 名のお客様にご宿泊いただけます。

We offer our guests **a free cup of coffee.**
私どもはお客様にコーヒー 1 杯を無料で提供しております。

We are expecting 200 visitors **a day to the exhibition.**
その展覧会は，1 日当たり 200 人の入場者を見込んでいます。

Attention, shoppers. **We're having a clearance sale.**
お客様にご案内です。当店は在庫一掃セールを実施中です。

Passengers **in group 3, please proceed to the boarding gate.**
グループ 3 のお客様は，搭乗ゲートへお進みください。

TIPS 「お客様」と呼びかける表現

お店などで目の前のお客さんに「お客様」と呼びかける場合は，customer などの語は使いません。呼びかけは，男性には **sir** を用います。女性に対する呼びかけはいくつかあり，多くの場合，中年以降の女性には **ma'am**，若い女性には **miss** などが用いられます。

Let me check, ma'am. **I'll be right back to you.**
お客様，お調べして，すぐに戻って参ります。

Excuse me, sir. **May I take a look at your ticket?**
お客様，恐れ入ります。チケットを拝見してもよろしいでしょうか。

これらは年配や目上の方への敬意を表す呼びかけですが，特に女性への呼びかけは年齢に関する主観を含むため，近年では失礼と考える向きもあります。地域や業界によっても価値観が異なるので，周囲の言葉遣いを観察してみましょう。

103

❶ 見出し語

該当ページで取り上げる日本語を示しています。≒ で結んでいる語とあわせて p.373 以降の日本語索引から検索できます。

❷ 表

使い分けを一覧表で整理しています。掲載している語句は，p.360 以降の英語索引から検索できます。

❸ FOCUS

❷で取り上げた語句について，意味・使い方・ニュアンスを詳しく解説しています。語句の持つイメージや，場面・状況を表すイラストを掲載している項目もあります。説明文中の *do* には動詞の原形が，*one's* には所有格の代名詞が，A には名詞相当語句が入ります。また，S は主語，V は述語動詞を示しています。

❹ EXAMPLES

❷の語句を使った例文を掲載しています。ビジネスシーンでそのまま使える実用的な例文を通して，語句の使い方を確認できます。

❺ TIPS

間違いやすいコロケーション・和製英語や，グローバル・コミュニケーションにおいて気をつけたい事柄など，現場で役立つプラスαの解説を掲載しています。

目次

Column

あ 行

あいまいな ≒ 漠然とした，不明瞭な

単語	意味	言い換え
vague	① 詳細がわからず，考え・言葉・態度などがはっきりしないこと	漠然とした
	② 形がはっきりしないこと	ぼんやりした
obscure	① 複雑なこと	意味不明な，わかりにくい
	② 色・形が不明瞭なこと	不鮮明な
ambiguous	表現・態度などが多義的なこと	どちらとも取れる

FOCUS

- **vague** は，考え・言葉・態度・輪郭・形状などが「ぼんやりしている」という意味の語。「漠然とした」という意味に近い。細部がはっきり定まっておらず，情報が伝わってこない様子を表す。
- **obscure** は，「複雑なために理解しづらく，はっきりしない」という意味の語。「色・形がぼやけた」という意味のほか，an obscure designer（無名のデザイナー）のように「世の中によく知られていない」という意味もあわせ持つ。
- **ambiguous** は，2つ以上の解釈ができる状態を指す語で，表現や立場などが「どちらとも取れる，はっきりしない」という意味。ambiguous は vague, obscure と異なり，「姿・形がぼんやりした」という意味で使うことはできない。

EXAMPLES

At the moment I only have a vague idea of the number of prospective participants.
現時点では参加予定者の人数が**漠然と**しかわかりません。

The contract is vague as far as deadlines are concerned.
その契約書は，締切日に関して**あいまい**です。

For some obscure reason, the sales of EX-D have declined in recent years.
どういう訳か，EX-D の売上は近年減少してきています。

Details of the circumstances remain obscure.
状況の詳細は**よくわからない**ままです。

I'm afraid we will have to reconsider the phrase because it sounds ambiguous.
申し訳ありませんが，その言い回しは**あいまい**に聞こえるので，再考しなければならないと思います。

The recruiters' attitude was ambiguous; I have no idea whether they will hire me.
採用担当者の態度は**どちらとも取れて**，私を採用してくれるかどうか見当がつきません。

TIPS 状況に応じた使い分けのヒント

上の例文では，「複雑そう」という意味を込めて for some **obscure** reason，「自分が合格なのか不合格なのか，彼の態度はどちらとも取れてわからない」という意味を込めて the recruiters' attitude was **ambiguous** としています。

では，「彼はこの問題についてあいまいな態度を取っている」と言う場合はどうでしょう。使い分けにあたっては，それぞれの核となる意味を考えてみましょう。

◆「彼」が立場を明確に示していないので，はっきりしない場合
He takes a vague attitude to this problem.

◆「彼」の言動がどちらの立場にも取れる場合
He takes an ambiguous attitude to this problem.

会う

単語	意味	
meet	人と	約束して会う，初めて会う
see	面識のある人と	会う
meet with	人と公式に	会談する，会合を持つ
come across	① 人に	偶然出会う
	② 物事を	偶然見つける
run into	① 人に	偶然出会う
	② 困難・問題に	出くわす

FOCUS

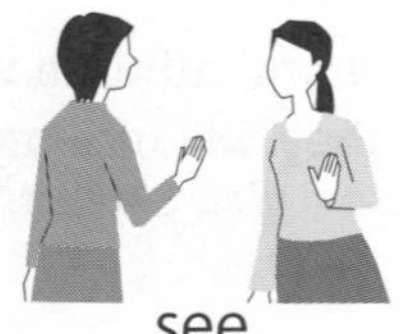

- **meet** は「会う」を表す一般的な語で，特に初対面の場合や，約束して会う場合に用いる。「偶然会う」という意味で meet を使う場合は，happen to meet のように「偶然」を表す表現とともに使うのが自然。
- **see** は「面識のある相手に会う」ことを表し，二度目以降に会う場合に用いる。相手を見かけただけの場合にも使うことができる。
- **meet with** は「相手と話し合うために面会する」場合に用いられ，面会を設定し，事前準備をしっかりとするイメージの語。ビジネス上の会議・面談といった場面から，「大統領が天皇陛下と懇談する」といった場面までを表すことができるフォーマルな表現。
- **come across** と **run into** は「偶然人に出くわす」の意味ではほぼ同義だが，run into のほうがよりくだけた表現。「困難・悪天候に出くわす」という意味では run into を使う。

EXAMPLES

When are you scheduled to meet Ms. Higgins?
いつヒギンズさんとお会いする予定ですか。

You look familiar! Have we met before?
どこかでお見かけした気がします。以前お目にかかったことがあるでしょうか。

I have a suggestion regarding quality control. Can I see you sometime later today?
品質管理についてご提案があります。今日このあとお会いできますか。

Wouldn't it be more productive to meet with the new client in person?
その新しいお客様と直接お会いするほうが有意義ではないでしょうか。

I came across [ran into] our previous manager at the regional conference.
その地域会議で，前の部長に偶然お会いしました。

The engineers ran into technical trouble while designing the new device.
エンジニアたちはその新しい機器の設計中に技術的な問題に出くわしました。

TIPS 人と会った際のさまざまな挨拶

初対面の挨拶は **Nice to meet you.** が定番ですが，ビジネスシーンでは **I'm pleased [It's a pleasure] to meet you.** もよく使われます。「お会いできて嬉しい〔光栄〕です」という意味の少し改まった表現です。初対面の人との会話を終えて別れる前に言う **It was nice meeting you.**（お会いできて良かったです。）も覚えておくと便利です。

二度目以降は see を使うという原則から，面識のある相手には **Nice [It's nice] to see you again.**（またお会いできて嬉しいです。）がぴったりです。

誰かに久しぶりに会ったときは，**How have you been?**（お元気でしたか？）と聞いてみましょう。「（会わない間）どうしていましたか」という意味で，誰にでも使える挨拶です。返事は Good! や Fine. のような一言でも良いですし，もっと気持ちを込めたいときは，**Couldn't be better!**（最高です！）という表現があります。「これ以上良い状態はあり得ない（つまり今が最高）」ということです。

明らかな ≒ 明白な

単語	意味	言い換え
clear	さえぎるものがないこと	明快な，明瞭な， 澄んだ，開けた
obvious	誰でも見てすぐわかること	明白な
evident	目に見える証拠があること	明白な
apparent	① 外見からすぐわかること	明白な，明瞭な
	② 見かけ上の	うわべの

FOCUS

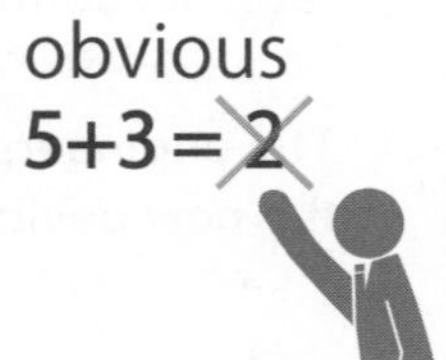

▶ **clear** は「明らかな」を表す一般的な語で，他の３つの語と多くの場合交換可能。さらに「音や声が明瞭な」「液体が澄んだ」「視界が開けた」「道をさえぎるものがない」など，広く「明るい・澄んだ・開けた」状態を表す。

▶ **obvious** は「誰の目にも間違えようのないほど明白な」という意味の語。反意語は obscure（複雑でわかりにくい）。

▶ **evident** は名詞 evidence（証拠）の派生語で，「証拠に基づき明らかな」という意味の語。

▶ **apparent** は appear（…に見える）と関連があることに気づくと，「目に見えて明らかな（疑いがない）」という意味が理解しやすい。叙述用法でも限定用法でも，通例「明らかだ」という意味で用いられるが，限定用法にのみ「見かけ上の，うわべの」という意味があり，an apparent risk（見かけ上のリスク）のように使われる。この場合の反意語は actual（実際の）。叙述用法・限定用法については p.332 を参照。

▶ いずれの語も，〈It is clear that SV.〉で「…ということは明らかだ」という意味を表す。また，いずれも後ろに -ly をつけると「明らかに」という意味の副詞になる。

EXAMPLES

The secretary's notes of the meetings are always clear and precise.
その秘書の会議メモはいつも**わかりやすく**正確です。

It has become clear [obvious] to the board members that they would not easily reach a conclusion.
容易には結論に至らないことが，経営陣には**明白**になってきました。

It is only obvious that Sarah was recommended for a promotion.
サラが昇進の推薦を受けたのはどう見ても**明らか**です。

As is evident from the chart, sales in Europe are especially brisk.
この図表から**明らかな**ように，ヨーロッパでの売上が特に好調です。

The drawback to the software has been evident since its latest update.
最新のアップデート以来，そのソフトウェアの欠点が**明らかに**なっています。

It was apparent that we had no chance against our largest competitor.
当社が最大の競合相手にかなう見込みがないのは**明らか**でした。

TIPS 「明らかな」に関するコロケーション

「明らかな●●」と言う場合に，よく使われる言葉の組み合わせ（コロケーション）を紹介します。たくさんの言い回しに触れ，ニュアンスを掴んで使い分けましょう。

- ☐ a **clear** [an **obvious**] example（わかりやすい例）
- ☐ a **clear** [an **obvious**] reason（明確な〔明白な〕理由）
- ☐ a **clear** recollection（明確な記憶）
- ☐ a **clear** plan（明確な計画）
- ☐ a **clear** answer（明確な回答）
- ☐ a **clear** understanding（明確な理解）
- ☐ an **obvious** truth（明白な真理）
- ☐ an **obvious** lie（明らかな嘘）
- ☐ an **obvious** mistake（明らかなミス）
- ☐ an **obvious** difference（明確な違い）
- ☐ without **evident** cause（明確な原因のない）
- ☐ as is **evident** from A（A から明らかなように）

明らかにする ≒ 公表する

単語	意味	
disclose	秘密にされていたことを	暴く，公表する
reveal	知られていなかったことを	明らかにする
make known	（人に）事を	表明する，知らせる
identify	① 同一人物だと〔身元を〕	確認する
	② 問題の本質を	明らかにする，特定する
clarify	状況・問題・立場などを	明確にする

FOCUS

▶ **disclose** は，秘密にされていた事実や名前を一般に知らせるという意味のやや堅い語。意図的に隠されていた事実を明らかにする場合に多く使われる。

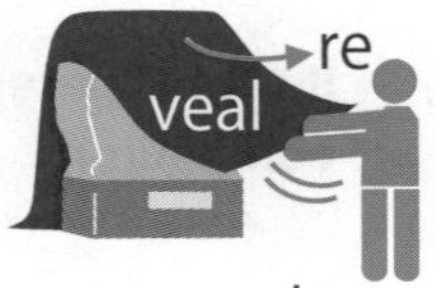

▶ **reveal** は，秘密に限らず，今まで知られていなかったことを明らかにするという意味。「調査・実験によって新事実が明らかになる」という文脈でもよく使われる。

▶ **make known** は reveal よりくだけた表現で，「人に事を知らせる」と言う場合は〈make known ＋物事＋ to ＋人〉と表す。

▶ **identify** は「身元や出処を明らかにする」「同一人物であると確認する」という意味。身分証明書を意味する ID は，identification の頭文字。さらに identify a cause（原因を特定する）のように「問題の本質・起源を特定する」という意味も持つ。

▶ **clarify** は「はっきりさせる」という意味の語で，clarify issues（課題を明らかにする），clarify *one's* position（自分の立場を明確にする）のように使われる。

あ

EXAMPLES

The information in the agreement may not be disclosed to any third party.
同意書に記載の情報は，第三者に明かしてはいけません。

A.S. Inc. disclosed a vulnerability in their software.
A.S. 社は，自らのソフトウェアの脆弱性を公表しました。

The journalist did not reveal the source of his information.
そのジャーナリストは情報源を明らかにしませんでした。

The spokesperson made known the decision taken by the general assembly.
広報担当者が，総会で決定された内容を明らかにしました。

No single cause for the data errors could be identified.
そのデータエラーの原因は１つも特定することができない可能性があります。

Could you clarify yourself a bit, please?
もう少し明確にお話しいただけますか。

TIPS 「明らかになる」の２通りの言い方

①「誰が明らかにしたか」「何によって明らかになったか」を示す場合

⇒ disclose や reveal を使い，後ろに that 節・wh- 節を置きます。reveal は〈reveal ＋ 物事 ＋ to be ...〉で「物事が…であると明らかになる」という使い方もできます。

A recent survey reveals that open office spaces decrease output.
最近の調査では，仕切りのないオフィスは生産性を低下させることが明らかになっています。

The survey revealed focused online commercials to be the most productive.
その調査で，集中的なオンライン CM が最も有効だと明らかになりました。

② 単に「…ということが明らかになる」と言う場合（情報源を示さない）

⇒ p.14～15 で扱った形容詞を使い，〈It has become [became] clear that SV.〉（…ということが明らかになっている〔なった〕。）という言い方ができます。

It has become clear that open office spaces decrease output.
仕切りのないオフィスは生産性を低下させることが明らかになっています。

扱う① ≒ 処理する，操作する，対応する，取り扱う

単語	意味	
handle	① 仕事・問題・人などを〔に〕	取り扱う，対応する
	② 機械・道具を	取り扱う，操作する
deal with	① 仕事・問題・人などを〔に〕	うまく扱う，対応する
	② 人・会社と	取引する
take care of	仕事・問題・状況などを	処理する，責任を持って引き受ける
address	困難な状況・問題などに	取り組む，対処する

FOCUS

- **handle** は「手で直接扱う」が原義で，問題や困難な状況を「取り扱う」ことや，日常的な仕事を「遂行する」ことを表す。また，「物を取り扱う，操作する」という意味も表せる。
- **deal with** は handle とほぼ同様の意味で使える。「問題を解決するために必要な行動をとる」という意味があるので，扱いにくい案件や人に，手腕や権威をもって対応する場合には deal with が適している。また，「会社などと取引する」という意味もある。
- **take care of** はくだけた言い方で「責任を持って引き受ける，処理する」ことを表し，deal with や handle の代わりに用いることができる。
- **address** は改まった語で「困難な状況・問題などを解決するために必要な対策を講じる」ことを表す。深刻な問題に「本腰を入れて取り組む」と言う場合に使われる。

EXAMPLES

I do not understand how you can handle such a demanding task.
あなたがどうしてそれほど困難な仕事に対処できるのかわかりません。

The forklift is easy to handle once you get used to it.
一度慣れてしまえば，そのフォークリフトを操作するのは簡単です。

It can be hard to deal with error messages if you are not computer literate.
コンピューターに詳しくなければ，エラーメッセージに対処するのは大変でしょう。

I feel Mr. Evans can be difficult to deal with.
エヴァンズさんは扱いにくいところがあると感じます。

We have dealt with Alex Corp. for many years.
当社は長年にわたってアレックス社と取引があります。

Ms. Williams will take care of my correspondence while I am on the business trip.
私の出張中は，ウィリアムズさんが私の代わりに対応してくれるでしょう。

Maintenance had to address the issues resulting from the power failure.
保守部門は停電によって起こった問題に対処しなければなりませんでした。

TIPS　対処できる〔できない〕ことを伝える表現

handle は can と結びつき，「問題・仕事にうまく対処できる〔できない〕」という観点から述べる際によく使われます。また, manage もよく使われる便利な表現です。manage with A（A を使って何とかする），manage without A（A なしで何とかする），manage to *do*（何とか…する）などもあわせて覚えておきましょう。

I can handle it. Leave it to me.
（私が）対応できます。お任せください。

I do not think I can handle it.
それは私の手に余ると思います。

I can probably manage without a dictionary.
辞書がなくても何とかできそうです。

扱う② ≒ 処理する，操作する，取り扱う

単語	意味	
deal in	商品を	取り扱う，取引する
treat	人や物事を…として	扱う，みなす
cover	特定の問題・分野・範囲を	対象とする，含む
operate	機械・装置などを	操作する，運転する
process	（コンピューターで）情報を	処理する，扱う

FOCUS

- **deal in** は，「店や会社が商品を取り扱う」という意味で使われる。deal in cosmetics（化粧品を取り扱う）は，化粧品の流通・販売を行っているということ。
- **treat** は，「大切に扱う」「冗談として扱う」など，人や物事を「どのように扱うか」に焦点を当てる語。treat A as B（A を B として扱う）のように使われたり，kindly（優しく），carefully（注意して），with respect（敬意をもって），like family（家族のように）のような副詞（句）とともに用いられることが多い。
- **cover** は，調査・報告・書籍などが「特定のテーマ・問題・分野などを取り扱う」という意味がある。また，規則・補償などが「特定のケースを対象にする」という意味もある。
- **operate** は，コンピューターなどの機械や装置を「操作・操縦・運転する」ことを表す。名詞 operation「（機械・システムなどの）作動，操作」とセットで覚えておきたい。
- **process** は主にコンピューターで文書やデータなどの「情報を処理する」ことを表す。

EXAMPLES

The store deals in a wide range of audio equipment.
その店は幅広いオーディオ機器を**取り扱って**います。

All customer information should be treated as confidential.
すべての顧客情報は対外秘で**扱われ**なければなりません。

Sales representatives have a tendency to treat new customers differently from regular ones.
営業担当者は，新規顧客を既存顧客とは違った**扱いをする**傾向があります。

All recent trends were covered in his presentation.
彼のプレゼンテーションで最近の傾向がすべて**取り上げられ**ました。

This travel insurance does not cover flight delays.
この旅行保険は，航空機の遅延は**対象となって**いません。

Does anyone know how to operate this shredder?
誰かこのシュレッダーの**操作**方法がわかりますか。

The program uses a new technique to process the data without delay.
そのプログラムはデータを遅延なく**処理する**新しい技術を用いています。

TIPS 「〇〇を扱う会社です」という言い回しに注意

同じ単語でも，組み合わせる前置詞によって意味が変わるものは多くあります。**deal with** と **deal in** はいずれも日本語の「扱う」に当たる意味がありますが，**deal in** は本項で確認した通り，「商品の流通・販売を行う」と言う場合に使います。販売を担う小売業者はもちろん，生産者から商品を仕入れて店などへ卸す卸売業者にも使われます。ただし，生産・製造を担っている場合は **produce** や **manufacture** (p.210) を使いますので注意しましょう。

The company mainly deals in office furniture.
その会社は，主にオフィス家具を**取り扱って**います。

The company mainly manufactures office furniture.
その会社は，主にオフィス家具を**製造して**います。

集める，集まる ≒ 集合する

単語	意味	
collect	別々の場所から人・物を	選んで集める，（趣味で）収集する
gather	散らばっている人・物を	かき集める
assemble	人・物をある目的のために	集合させる，招集する
get together	人が	集合する

FOCUS

collect

gather

- **collect** は「別々の場所から，基準に沿って取捨選択して集める」，**gather** は「近くに散らばっているものをかき集める」という意味が基本となっている。この違いから，「趣味の収集（コレクション）」や「ゴミ収集」には collect しか使えない。一方，「情報・証拠を集める」という意味では，両方とも使用可能。
- **collect** と **gather** には「人・物が集まる」という自動詞の用法もある。
- **assemble** は，人や物を組織的に集めるという意味があり，「家具などを組み立てる」の意味もある。
- **get together** は「人が集まる」ことを表すくだけた表現。get together with friends（友達と集まる），get together soon（近いうちに集まる）のように使われる。関連して，get-together は「懇親会，パーティー」を意味する名詞となる。

あ

EXAMPLES

We need to collect more data for the annual report.
年次報告書に向けてもっとたくさんのデータを集める必要があります。

What day is the garbage collected?
生ゴミの収集は何曜日ですか。

Let me first gather my notes and other belongings.
先に私のメモや身の回りのものをまとめさせてください。

The stockholders gathered outside the venue before the general meeting.
株主たちは総会の前に会場の外に集まりました。

The area managers were assembled at the urgent meeting.
地域マネージャーたちは緊急会議に招集されました。

Our section is getting together on Friday after work. Are you coming?
金曜日の仕事のあとに私たちの課で集まるのですが，あなたも来ますか。

TIPS 会議やイベントで使える表現

会議やイベントでの「お集まりいただきありがとうございます」という挨拶では，下のように come が使われます。

Thank you for coming in such great numbers.
これほど多くの方にお集まりいただきありがとうございます。

開始・集合時刻について案内する際は，以下のような主語をとった文にすると丁寧です。Please come ... のような Please を使った命令文は，相手に指示するニュアンスがあるので気をつけましょう。Please make sure to *do* ... は，「必ず…してください。」と注意を促す場合に使います。

The workshop is scheduled to start at 11:00.
研修会は 11 時に開始予定です。

Attendees are expected to be seated 10 minutes before the start of the lectures.
ご出席される方は，講義開始の 10 分前までにご着席ください。

Please make sure to arrive at the airport two hours before departure.
出発の 2 時間前には空港へ到着するようお願いいたします。

誤った ≒ 勘違いした，間違った

単語	意味	言い換え
wrong	① 物事が事実・基準と異なること ② 人が道徳的に正しくないこと	間違った
mistaken	事実と異なる認識をしていること	間違った， 勘違いした
incorrect	事実・基準と照らして正確でないこと	不正確な
false	虚偽または誤解に基づき，話などが事実に反していること	嘘の

FOCUS

- **wrong** は right の反意語で，wrong date（間違った日付），wrong number（間違い電話）など，「間違った」の意味で日常的に使われる語。②の「道徳的に間違っている」という意味は他の 3 つの語にはない。
- **mistaken** は mistake（思い違いをする）の過去分詞で，不注意や思い違いをして間違った場合に使われる。やや堅く，wrong より当たりの柔らかい表現。
- **incorrect** は「事実・基準と照らして不正確な」を表す語。多くの場合 wrong と交換可能だが, より堅い語。incorrect data（不正確なデータ）のように, 計算・解答・データなどが正確でないことを述べる際によく使われる。
- **false** は「話・情報などが間違った・事実に反する」という意味があるが,「人をだます，嘘の」という意味を含む語となる。例えば wrong [incorrect] answer は単に「間違った答え, 不正解」の意味なのに対し, false answer は「虚偽の回答」という意味になる。

EXAMPLES

I'm sorry, I guess I dialed the wrong number.
すみません，間違った番号にかけてしまったようです。

The independent investigation did not see anything wrong with the data.
その独自調査では，そのデータには何も間違いはありませんでした。

The latest data showed that the previous analysis was partly mistaken.
最新のデータにより，前回の分析が一部誤っていたことがわかりました。

The auditors showed some incorrect figures in the cash transactions.
監査役たちは現金取引においていくつかの数値が誤っていることを指摘しました。

If you enter a wrong [an incorrect] password three times, the system gets locked.
誤ったパスワードを 3 回入力すると，システムがロックされます。

The fire alarm rang, but it proved to be a false alarm.
火災報知器が鳴りましたが，誤報だったことがわかりました。

Unfortunately, a lot of false information can be found on the internet.
残念なことに，インターネット上にはたくさんの誤った情報が見られます。
※近年では Internet が普通名詞化し，小文字で表記されるようになってきている。

TIPS　相手を尊重しながら間違いを指摘する

wrong は直接的な印象があるので，相手の誤りを指摘するときには **mistaken** がよく使われます。A のように断定的に言うのは失礼な印象を与えかねないので注意が必要です。根拠を示したり，**seem to be**（…であるようだ）を使って，推定として伝えられると良好なやりとりができるでしょう。「恐れ入りますが」に当たる **I'm sorry but**, や **I'm afraid** をつけるとさらに丁寧な印象になります。

A: I think what you are saying is wrong.
あなたのおっしゃっていることは，おかしいと思います。

B: I'm sorry, but from the data I collected, your opinion seems to be mistaken.
すみませんが，私が集めたデータによると，あなたの見解は間違っているようです。

誤り ≒ 欠陥，間違い，ミス

単語	意味	
mistake	意見・判断・行為などの	間違い，勘違い，誤解
error	行為・計算・システムなどの	間違い，手違い，エラー
fault	① 機械・システムの	欠陥，不具合
	② 人の	落ち度，過失
defect	機械・商品・制度の機能を不完全にする	欠陥，傷
flaw	① 議論・計画・機能の本質的な	不備，欠陥
	② 物の	傷，ひび

FOCUS

- **mistake** は careless mistakes（ケアレスミス），spelling mistakes（スペルミス）のように，不注意や知識不足による誤りを表す。

- **error** は「正しく行われなかったこと」に焦点が当てられ，a medical error（医療ミス）のように，問題を引き起こす比較的重要な誤りには error が使われることが多い。また，コンピューター・システム関連のミスには error を使う。

- 人によるミスについては多くの場合交換可能だが，**error** はやや堅い語で，**mistake** はより日常的な語。

- **fault** は「欠ける」が原義で，「機械・システムなどの欠陥，不具合，故障」など，本来あるべきものが欠けた状態を表す。人の「落ち度，責任」という意味でもよく使われる。

- **defect** は「機械・商品などの欠陥」を表す際によく使われ，何らかの原因によって元の機能が不完全になった状態を指す。

- **flaw** は物事の完全さを損なう「不備，欠陥」を表す。defect が「原因を特定して，修正することが可能な不具合」を指すのに対して，flaw は「物事に内在する，本質的な欠陥」を表す。

あ

EXAMPLES

Don't worry. Anyone can make a mistake.
心配しないでください。誰にでも間違いはあります。

I have been trying to stop making typing mistakes [errors].
私は入力ミスをしないように気をつけています。

The error message reads, "404 not found."
「404 not found」というエラーメッセージが表示されています。

Mr. Higgs had a traffic accident, but it was not his fault.
ヒッグスさんは交通事故に遭いましたが，彼に過失はありませんでした。

Manufacturers are liable for defects in their products.
メーカーは製品の欠陥について法的に責任を負っています。

Have you been able to pinpoint the cause of the defect yet?
もう不具合の原因は特定できているのですか。

The engineering team found a fundamental flaw in the software.
技術チームが，そのソフトウェアに根本的な欠陥を発見しました。

We cannot overlook the major flaws in the plan.
その計画の重大な不備を看過することはできません。

TIPS 互いのミスをカバーしあう

仕事のミスは，互いにカバーしあって，気持ちよく仕事がしたいものです。ミスした相手を励ますときは，**It's not your fault.**（あなたのせいじゃないですよ。）といった言い回しができます。反対に，自分がミスをしたときや迷惑をかけたときは，**I'm sorry. It's my fault.**（すみません。それは私のせいです。）と伝えることができます。

また，下のミスを伝える例文では，slip（つるっと滑る）や，creep（こっそり忍び寄る）という動詞を使っています。「うっかり」「意図せず」というニュアンスで，このような言い方もできます。

I'm afraid an error has slipped into the file I attached yesterday.
恐れ入りますが，昨日添付したファイルに間違いが紛れ込んでいました。

A minor mistake has crept into the data you submitted.
あなたが提出したデータに，ちょっとした間違いがありましたよ。

ある，いる ≒ 存在する

単語	意味	
be	相手の知っている〔特定の〕人・物事が	～にある，いる，起こる
there is [are]	相手の知らない〔不特定の〕人・物事が	～にある，いる，起こる
have	機能・性質・役割・時間などが	ある
exist	人・物が（特定の状況に）	存在する，実在する

FOCUS

▶ **〈主語＋ be 動詞〉**は，相手が知っている人・物事や，the / this / my などがついていて互いに共通認識のとれるものについて，**「それがどこにいる〔ある〕か」**を示す場合に使う。そのため「ある, いる」の意味では基本的に，後ろに場所を表す〈前置詞＋名詞〉や副詞（there など）を伴う。

▶ **there is [are]** は，相手が存在を知らない人・物事や，不特定のものについて，**「それがある〔存在している〕」**ことを知らせる場合に使う。there is [are] の後ろには，the / this / my などがついた名詞や，固有名詞を置くことはできない。理由については TIPS を参照のこと。

▶ **have** は「持っている」が原義だが,「時間がある」「～な人がいる」「能力・特徴がある」「考えがある」など，日本語の「ある，いる」に当たる意味でよく使われる。

▶ **exist** は「存在する，実在する」を意味し，やや堅く，主に書き言葉で好まれる。

EXAMPLES

あ

The bank is around the corner.
その銀行は角を曲がったところにあります。

My office is on First Avenue.
私の職場は一番街にあります。

Ms. Sakai is in the Tokyo office today.
サカイさんは今日は東京事務所にいます。

There was a lot of traffic, but I managed to arrive ahead of time.
渋滞していましたが，何とか定刻より前に到着できました。

There will be an official reception after the speech.
スピーチのあとに公式の歓迎会があります。

I don't have a lot of time today to answer your questions.
今日はあなたの質問にお答えする時間があまりありません。

We have three brilliant data scientists in our research facility.
当研究施設には，3名の優秀なデータ・サイエンティストがいます。

Data kept on a cloud server is likely to exist for many years.
クラウドサーバーに保管されたデータは，何年もの間存在し続ける傾向にあります。

TIPS 〈主語＋ be 動詞〉と there is [are] のよくある間違い

be 動詞は，「ある，いる」の意味を表す際，a [an] などで始まる**「不特定のもの〔相手が知らないもの，共通認識のないもの〕」**を主語にすることはできません。これは，英語には「既に知られている情報は文頭に置き，これから新たに述べる情報は文末に置く」というルールがあるためです。したがって，1つ目の例文の主語を a bank とするのは誤りで，「銀行がある」と伝えたい場合は There is ... を使います。

× ***A bank is around the corner.***
○ **There is a bank around the corner.**

同様に，*There is **my office** on First Avenue.* も誤りです。there is [are] は相手の知らないもの・初めて話題にのぼるものが「あります，存在します」と言うための表現で，「私のオフィス」という**特定のもの**の場所を示すのには使うことができません。

案内する ≒ 誘導する

単語	意味	
show	① 人を場所まで	連れて行く
	② 人に場所を	案内する，見せて回る
guide	人を	案内する，誘導する
lead	人・集団を	先導する，誘導する
escort	① 人・乗り物を	護衛する
	② 人を	～から…に送り届ける

FOCUS

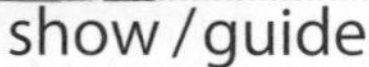

show / guide　　lead

▶ **show** は「見せる」が原義で，付き添って歩いたり地図を描いたりして，道順などを示すことを表す。〈show ＋人＋ to ＋場所〉（人を場所まで案内する），〈show ＋人＋ around ＋場所〉（人に場所を見せて回る）がよく用いられる。

▶ **guide** はその場所に詳しい人が同行して案内することを表す語で，旅行者に解説しながら案内する場面でよく使われる。道順だけでなく，手順などの説明・案内にも使われる。

▶ **lead** は先頭に立って人をある場所まで連れて行くことを表す。show, guide, lead は「場所まで案内する」という意味では共通して使うことができるが，lead には「場所を案内して回る」という意味はない。

▶ **escort** は「守りながら送り届ける」という意味の語で，大統領・大統領車両の護衛といった場合にも使われる。

EXAMPLES

Let me show you to the waiting room, sir.
お客様，待合室までご案内いたします。

The sales manager showed the foreign visitors around the plant.
営業部長は海外からのお客様に工場を案内しました。

She kindly guided us around the city.
彼女は快く私たちに街を案内してくれました。

It is our responsibility to guide users through the installation process.
利用者をインストール手順の最後まで導くことは我々の責任です。

The personnel manager led the new recruits onto the stage and introduced them.
人事部長はステージへ新入社員を誘導し，彼らを紹介しました。

In countries where security is poor, foreign staff are sometimes escorted to the workplace.
治安の悪い国では，外国人職員は職場まで護衛されることもあります。

TIPS 来客を案内する表現

This way, sir [ma'am / please]. こちらへどうぞ。
⇒ This way.（こっち）だけではぶっきらぼうな印象なので，男性には sir，女性には ma'am をつけましょう。あるいは男女・年齢に関係なく please でも OK です。

Please have a seat. I'll be right back.
どうぞおかけください。すぐに戻って参ります。
⇒ right は「すぐに」の意味で，相手のところに自分がまた戻って来る場合に使える表現。まだ対面しておらず「すぐに伺います」と言う場合には **I'll be right there.** が使えます。

Here is the meeting space. The bathrooms are over there.
こちらが会議スペースです。トイレはあちらにございます。
⇒ Here is ～. は目の前のものを指しながら「こちらが～です」と言う表現です。少し遠くにあるものは be over there（～はあちらです）を使います。

This is where the annual conference will be held.
こちらは年次会議が行われる場所です。
⇒ This is where ... は場所の用途を伝えるのに応用がきき，where の後ろを we have lunch とすれば「昼食をとる場所」となります。

行く ≒ 出かける，訪問する，見舞う

単語	意味	
go	人・車などが	行く，出かける，去る
visit	人・場所を	訪れる，訪問する，見舞う

FOCUS

▶ **go** は自動詞なので，「（場所）**に**行く」と言う場合，go **to** A と to が必要なことに注意。there（そこに），home（家に）のような副詞が後ろに来る場合，to は不要。自動詞・他動詞については p.322 を参照のこと。

▶ 覚えておきたい **go** のコロケーションとして，go for lunch（ランチに行く), go for drink（飲みに行く), go for a walk（散歩に行く）などは **for** を，go on a trip（旅行に行く），go on vacation（休暇に出かける）などは **on** を使う。また，「…しに行く」と言う場合は go ***doing*** とする。

▶ **visit** は「人・場所を訪れる」の意味で，短時間・長時間いずれの訪問にも用いられる。「A を訪ねる」と言う場合は他動詞として使うので，to や in などの前置詞は不要。「どこを訪ねたか」を聞く疑問文は，正式には **What** did you visit? だが，話し言葉では where を使う人もいる。

▶ **visit** は直接「人」を目的語にとることにも注意。日本語ではよく「祖父の家に行った」のように言うが, visit my grandparents' *house* と言うと,「家（建物）を見ることが目的」のように聞こえる。邸宅が記念館にでもなっていない限り，visit my grandparents と言うのが自然である。

EXAMPLES

Do you go to work by bus, or do you drive?
お仕事にはバスで行っていますか，それとも自分の車で行っていますか。

When you go there, you must try the restaurant.
そこへ行く際は，ぜひそのレストランへ行ってみてください。

Are you going out for lunch today?
今日は外にランチを食べに行くつもりですか。

We had planned to go hiking, but the trip was canceled because of the bad weather.
私たちはハイキングへ行く予定を立てていましたが，悪天候のため旅行が中止になってしまいました。

I visited a few temples in Kyoto while I was on a business trip there.
京都に出張中，いくつかのお寺を訪れました。

My co-worker has been hospitalized, so I visited her last weekend.
私の同僚が入院しているので，先週彼女のお見舞いに行きました。

What museums are we going to visit?
私たちはどの博物館に行く予定ですか。

TIPS 「行く＝go」とは限らない

「行く」は go，「来る」は come と訳されることが多いですが，英語では「相手のところに行くこと」は come と言います。go は「自分や相手のいる場所から離れて，別のどこかへ行く」ことを表します。

例えば下の会話で I'm **going**! と言うと，相手のいる場所とは別の場所へ行ってしまうことになり不自然です。

Dinner's ready! － I'm coming! （夕ご飯できたよ！―今行く！）

さらに「歓迎会に行きますか」と尋ねるとき，次の A と B ではニュアンスが異なります。A は話し手自身が「行くか行かないか決めかねている」感じがするのに対し，B は「（自分は行くけど）あなたも行きますか？」という言い方になります。

A: Are you going to the welcome party?
B: Are you coming to the welcome party?

以前の ≒ 前回の，前の

単語	意味	言い換え
previous	時間・順序が前であること	先の，直前の，前回の
former	時間的に過ぎ去ったこと	元の，かつての
earlier	時間的に前であること	より早い時期の，先の，初期の

FOCUS

- **previous** は（今話題になっていることよりも）時間や順序が前のことを指す。the previous year（前年），the previous e-mail（先ほどの〔前回の〕Eメール）のように〈the previous ＋名詞〉とすると，1つ前のものに特定される。

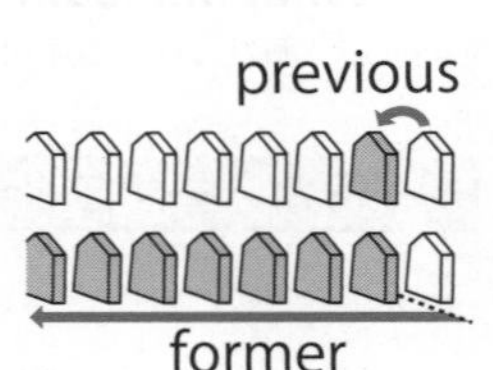

- **former** はやや堅い語で，時間的に過ぎ去って，過去や昔のものとなっている地位や役割，国家の体制などについて多く用いられる。

- 〈the previous ＋名詞〉は「直前の，1つ前の」ものに特定されるが，〈the former ＋名詞〉は単に「元の，かつての」ものを指す。例えば the previous manager は「前部長（＝1つ前の部長）」だが，the former manager は「元部長」の意味で，1つ前なのか2つ前なのかは特定されず，かつての部長のうちの1人を指すことになる。

- **earlier** は時間的に前のことを指す。「より早い，早めの」という意味以外に，時を表す名詞や作品・段階などを表す名詞とともによく使われ，「初期の」「先の」という意味を表す。earlier model（初期モデル），earlier stage（初期段階），earlier study（先行研究）など。

EXAMPLES

Our previous boss now works for an automotive company.
私たちの前の上司は，今自動車会社で働いています。

Can you show me the financial report for the previous year?
前年の会計報告書を見せてもらえますか。

Ceylon was the former name of Sri Lanka.
スリランカはかつてセイロンという名前でした。

Former participants will enjoy the efforts made to improve the course.
この講座の改善に全力を尽くしたので，以前参加してくださった方々は楽しんでくれるでしょう。

I decided to take an earlier train because of the atrocious weather forecast.
ひどい天気になるという予報だったので，早めの電車に乗ることにしました。

The building was renovated at an earlier stage in the development.
その建物は開発の初期段階で改修されました。

TIPS previous と former を使った役立つ表現

「前回の～と同じだ」「前回の～より…だ」のように言う場合，**the previous one** がよく使われます。one が直前の名詞を受けて,「前回のもの」という意味を表します。下の例文では，the previous one が the previous update を指しています。

The update has fewer bugs than the previous one.
今回のアップデートは前回のものよりバグが少ないです。

また，the former / the latter の組み合わせで,「前者（の）／後者（の）」という対の意味を持つことも覚えておくと便利です。

Although the former alternative is less expensive, the latter would be more realistic.
前者の代替案のほうが安価ではありますが，後者のほうが現実的でしょうね。

今 ≒ 現在

単語	意味
now	今，現在
at the moment **at present**	① ただいま ② 現時点では
currently	現在は，現時点では
just	たった今，ちょうど今

FOCUS

- **now** は表す時間の幅が広く，文脈や話者の感覚によって，「今この瞬間」を指すこともあれば，「今週，今月」など広い意味の「今」を表すこともある。

- **at** には「点」のコアイメージがあり，**at the moment** は now より短い時間を表したいときに使える。「ただいま，今この瞬間」のほか，「(先のことは不明だが) 今のところ，現時点では」の意味も持つ。**at present** はより改まった表現。
- **currently** は他の表現と言い換えられるケースが多いが，過去の情報を更新するイメージで，「最近は，最新情報として」のニュアンスを含む。now, at the moment は文末に置かれることが多いのに対し，currently は通例，一般動詞の直前，助動詞・be 動詞の直後に置く。いずれも，強調するときは文頭に置くこともある。
- **just** は通例現在形では用いられず，現在完了形・過去形とともに，「たった今…（したところだ)」の意味で使う。

EXAMPLES

We are working on it now.
我々は今それに取り組んでいるところです。

I'm really busy now. Can I call you back tomorrow?
今はすごく忙しいので，明日こちらから電話をかけ直しても良いですか。

I'm sorry, but she's tied up at the moment.
申し訳ありませんが，彼女はただいま手が離せません。

At present we are still gathering information.
現在も依然として情報収集を行っているところです。

I heard Peter is currently living in London.
ピーターは今，ロンドンに住んでいるそうです。

I have just finished reading the report he wrote.
彼の書いた報告書をちょうど今読み終わったところです。

TIPS 「今」を表すさまざまな表現

「今は，とりあえず，当面の間」を表す **for now** も，ネイティブスピーカーがよく使う表現です。「現状のままで良い」というニュアンスを込めた言葉です。

I suggest that we leave the document for now, and correct it later if necessary.
その書類はとりあえずそのままにしておき，必要があればあとで修正しましょう。

何か大きなチャンスを前に，「今しかない」と強調したり，「やれるのは今のうちだ」と背中を押すときは，**It's now or never.** が使えます。また，**now that SV** は「今や（今はもう）…なので」と理由を表す接続詞として使われます。

It is by far the best job offer you got, even considering that you will have to move. It's now or never!
引っ越しが必要だとしても，君はダントツですごい仕事の内定をもらったんだ。これを逃す手はないよ！

Now that Jennifer is on maternity leave, we will have to shoulder some of her tasks.
ジェニファーは産休中なので，我々で彼女の仕事を分担しなくてはなりません。

受け取る ≒ 受け入れる

単語	意味	
receive	差し出された物事を	受け取る，受領する
get	差し出された物事を	受け取る，もらう
accept	提案された物事を	（快く，納得して）受け入れる
take	① 差し出された物事・提案された物事を	受け取る，受け入れる
	② 授業・試験などを	受ける

FOCUS

▶ **receive** は，手紙・お金・注文など，さまざまなものを受け取ることを表し，主に書き言葉で用いられる。提供されたもの・送られてきたものを受動的に受け取ることを意味する。
例）receive an invoice（請求書を受領する），receive a permission（許可を受ける）。

▶ より日常的な語として，話し言葉では **get** がよく使われる。

▶ **accept** は提案された物事に対し，「積極的に相手の好意に同意して受け入れる」ことを表す。receive が単に受け取る行為を表すのに対し，同意して受け入れる場合に使われる。
例）accept an offer（申し出を受け入れる），accept an advice（助言を受け入れる）。

▶ **take** は「提案を受ける」の意味では accept と置き換え可能で，よりくだけた語。「講座や試験を受ける」という意味もあり，take a course，take a test のように使う。

EXAMPLES

Have we received payment for the shipment from our client?
取引先から発送代金を受け取りましたか。

I noticed a mistake in the invoice we received from the transportation company.
運送会社から受け取った請求書に間違いがあるのに気づきました。

I got two concert tickets. Would you like to come?
コンサートのチケットを２枚もらったんです。一緒に行きませんか。

Harry got a job as an accountant with ABC Inc.
ハリーはABC社の会計士としての仕事に就きました。

We should accept [take] their offer since it looks ideal.
申し分のない内容のようですから，彼らの提案を受け入れたほうが良いと思います。

I would like to take a day off so I can take the CPA exam.
公認会計士の試験を受けたいので，１日休みをいただきたいのですが。

Ms. Jones recommended that I take a course in Spanish.
ジョーンズさんが，スペイン語の講座を受けるように勧めてくれました。

TIPS　accept を使った謝罪・感謝・お祝いの表現

accept に関連してぜひ使いこなせるようになりたいのが，**Please accept (my [our] ...)** の表現です。後ろに感情を表す名詞を置いて，「(〜の気持ち) をどうぞお受け取りください」という意味を表し，丁寧な謝罪や感謝の表現として使うことができます。appreciation 以外は**通例複数形にする**ことも覚えておきましょう。

◆ **apologies**（謝罪，お詫び），**sympathies**（お悔み）
⇒「心より，深く」を表す sincere(st) や deep(est) を前に置くと，より強い気持ちを表現できます。

Please accept our sincere apologies for the misunderstanding.
このたびの行き違いについて深くお詫びいたします。

◆ **appreciation**（感謝），**congratulations**（お祝い）
⇒ 強調するには sincere(st) や warmest を前に置きます。

Please accept my sincere congratulations on your promotion.
このたびのご昇進，心よりお祝い申し上げます。

疑う

単語	意味	
doubt	①…ではないと	思う
	②人・物事の信憑性を	疑う，信用しない
suspect	①…である〔ではないか〕と	思う
	②人・物事の信憑性を	疑う，信用しない
	③人に	容疑をかける

FOCUS

▶ **doubt** は信憑性・正当性や価値など，さまざまなものを「疑う，信用しない」と言う場合に使われる一般的な語。**suspect** との根本的な違いとして，doubt は「…ではないと思う」という意味なのに対し，suspect は「…であると思う」という意味を表す。このことにより，後ろに節が続く場合には正反対の意味になることに注意。

◆ I doubt that ...：…**ではない**と思う（＝ **don't** think that ...）
◆ I suspect that ...：…**である**と思う，**ではないか**と思う（＝ think that ...）

▶ **suspect** は，マイナスな内容を言う際に使われることが多いが，単にあまり確信のないことについて話す場合にも使われる。

▶「人を疑う，話の信憑性を疑う」という意味では，doubt [suspect] her（彼女のことを疑う），doubt [suspect] the truth of the story（その話が真実か疑う）のように，両者は同様に使うことができる。

▶ **suspect** には，「犯罪などの嫌疑をかける」という意味があり，この意味は doubt にはない。

EXAMPLES

Henry doubts whether he passed the test.
ヘンリーは自分が試験に合格できたかどうか疑問に思っています。

Everyone in the office doubts that the price revision will increase sales.
職場の誰もが，価格改定で売上が増加するとは思っていません。

I doubt the weather will clear up any time soon.
もうすぐ天気が良くなるとは思えないですね。

The way she talked made me suspect her real intentions.
彼女の話し方で，私は彼女の本音を疑わしく思いました。

I suspect that the client got stuck in traffic congestion.
そのお客様は交通渋滞に巻き込まれたのではないかと思います。

I suspect you have a case of the flu.
あなたはインフルエンザにかかっているのではないかと思います。

Everyone suspects that the new product will sell well.
皆，その新製品はよく売れるのではないかと思っています。

TIPS doubt の使い方のポイント

doubt は，I doubt it.（そうは思いません。）や I doubt her story.（彼女の話は信用できません。）のように言う場合以外は，普通後ろに that 節 や whether [if] 節を続けます。例えば「～の効果を疑う」と言う場合，suspect は the effectiveness of ～ と名詞句を目的語にとりますが，doubt は次のように that 節で内容を表すのが自然です。

I doubt that herbal medicine is effective.
私は植物療法の効果に疑いを持っています。

また，doubt を使った表現として，**No doubt!** があります。「疑問の余地がない」ということで，「もちろん」「間違いありません」という強い確信を表します。

Do you think it will rain later today? – No doubt!
今日このあと雨が降ると思いますか。一間違いないですね！

選ぶ ≒ 選択する

単語	意味	
choose	2つ以上の選択肢の中から	選ぶ〔決める〕
select	3つ以上の選択肢の中から	慎重に考えた上で選ぶ
elect	重要な役職に就く人を	投票などで選抜する
pick	2つ以上の選択肢の中から	選ぶ
decide on	2つ以上の選択肢の中から	慎重に考えた上で選ぶ〔決める〕

FOCUS

- **choose** は「選ぶ」の最も一般的な表現で，2つ以上のものの中から「良いものを判断して選択する〔それに決める〕」ことを表す。
- **select** は choose より改まった表現で，通例3つ以上の多くのものの中から，「慎重に比較して最良のものを選りすぐる」という意味。そのため，過去分詞 selected は「厳選された」という意味になる。
- **elect** は「正式な投票で人を重要な役職に選ぶ」ことを意味する。
- **pick** は choose, select よりくだけた表現で，多くの選択肢の中から1つを選び出すことを表すが，慎重に選ぶ場合にも重要でないものを気軽に選ぶ場合にも用いられる。
- **decide on** は2つ以上の選択肢の中から慎重に考えた上で選び，それに決めることを意味する。

あ

EXAMPLES

Choose from a variety of gifts in our online catalog.
オンラインカタログにあるさまざまな贈り物の中から選んでください。

Thank you for choosing the latest NEDI PC.
最新の NEDI のパソコンをお選びいただきありがとうございます。

First, select the size, then the color.
最初にサイズを，そのあとに色を選んでください。

The panel selected her as the winner of this year's photo competition.
審査員団は彼女を今年の写真コンテストの優勝者に選びました。

The citizens elect a governor every four years.
住民は 4 年に一度知事を選出します。

Pick your words carefully in front of the audience.
聴衆の前では慎重に言葉を選びなさい。

Our chief is expected to decide on the countermeasures by the end of the week.
今週末までに，課長がその対応策を決めることになっています。

TIPS 「選ぶ」に関係する名詞

choice には「選ぶこと（≒決めること），選択（≒決定）」という意味があります。一方，**option** は「選択可能な手段」の意味があり，何かを自由に選択できる場面でよく使われます。標準装備以外で選択できる付属品や機能のことを日本語でも「オプション」と言いますね。**alternative** は「代替案」の意味で，「二者択一」のニュアンスがあり，どちらか一方を選ばなくてはならない場面でよく使われます。

Businesses may be faced with the difficult choice of how to accommodate the needs of their employees.
企業は，従業員の要望にどのように対応するかという難しい選択に直面するかもしれません。

Can I cancel my order? — You have two options.
注文をキャンセルできますか。—2 つの方法からお選びいただけます。

We can see no alternative but to find another supplier.
別の供給業者を探す以外に，代替案は見当たりません。

得る ≒ 獲得する，入手する

単語	意味	
get	物事を	手に入れる
obtain	物事を	努力して手に入れる
acquire	① 知識・技術などを	努力して身につける
	② 土地・企業など高価なものを	獲得する，買収する
gain	必要なもの・有益なものを	獲得する
procure	入手困難なものを	苦労して調達する

FOCUS

- **get** は「得る」という意味の最も一般的な語で，「買う」「取ってきてもらう」「獲得する」「受け取る」など広く「得る」行為を表す。「努力して手に入れる」というニュアンスはなく，ややくだけた表現で，主に話し言葉で使われる。
- **obtain** は正式な要請・学習・調査などにより物事を「入手する」という意味の語で，「努力して（入手困難なものを）手に入れる」場合に用いる。
- **acquire** は「知識・技術などを身につける」という意味のほか，「企業を買収する」「土地や財産を獲得する」という意味を表す語。
- **gain** は gain a broad view（広い視野を手に入れる），gain a large share（大きなシェアを獲得する）のように「必要なものや有益なものを獲得する」という意味で使う。
- **procure** は，入手困難なものを「苦労して手に入れる」という意味の語。名詞 procurement は物資などの「調達」を意味する。

EXAMPLES

When did you get your driver's license?
いつ運転免許をとったのですか。

We definitely need another strategy to get results.
結果を得るためには別の戦略が絶対に必要です。

Ms. Thompson obtained an MBA from Stanford University.
トンプソンさんはスタンフォード大学でMBAを取得しました。

The first step in obtaining a patent is to conduct a patent search.
特許を取得する第一のステップは，特許調査を行うことです。

Mr. Sugawara acquired a good knowledge of English while he was working in the U.K.
スガワラさんはイギリスで働いていたときに豊富な英語の知識を習得しました。

Our decision to acquire the pharmaceutical company was the right one.
その製薬会社を買収するという当社の判断は正しいものでした。

I have been involved in the project and gained a broader view.
私はそのプロジェクトに携わり，より広い視野を得ました。

Its high standard of craftsmanship helped the foreign company gain trust with its customers.
高い水準の職人技が，その外国籍企業が顧客の信頼を得るのに一役買いました。

How did you procure a ticket for such a prominent orchestra?
それほど有名なオーケストラのチケットをどのようにして入手したのですか。

延期する ≒ 延長する，遅らせる

単語	意味	
postpone	予定・計画を	延期する，後ろ倒しにする
put off	① 予定・計画を	延期する，後ろ倒しにする
	② 物事を	後回しにする
delay	① 物事を	適切な時期まで遅らせる
	② 飛行機・列車などを	遅らせる
extend	期限などを	延ばす，延長する

FOCUS

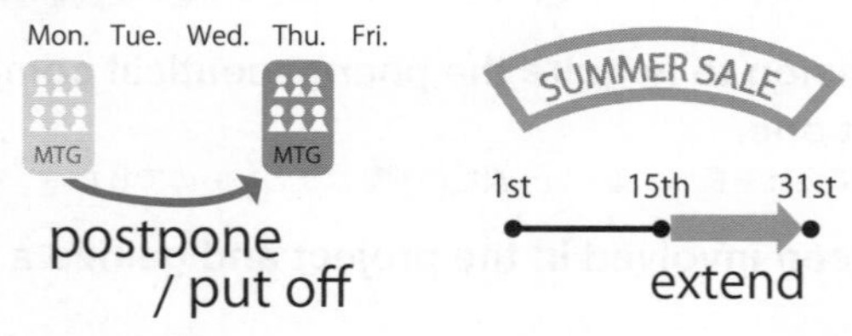

▶ **postpone** と **put off** は，計画されていたイベントや行動の日程を後ろにずらすことを表す。

▶ **put off** はとりわけ，何か問題がある場合や，今やりたくないという理由から，計画やなすべきことを後ろ倒しにすることを表す。postpone や delay はやや堅い表現なので，日常場面では put off がよく使われる。「～まで（延期する）」は until を使って表す。

▶ **delay** は，適切な時期が来るまで待つ〔物事を行わない〕こと，つまり，物事を意図的に遅らせたり先延ばしにすることを表す。また，悪天候で飛行機などを遅らせる場合にも delay をしばしば受動態で用いる。

▶ **extend** は期限などを延ばすことを表し，extend *one's* visa（ビザを延長する），extend the deadline（締切を延ばす）のように使う。

EXAMPLES

I guess the event will be postponed due to the inclement weather.
そのイベントは悪天候のため延期になると思います。

The product launch was postponed because of a delay in the production.
その製品の発売は生産工程の遅れが原因で延期になりました。

The client put off his visit until next week.
そのお客様は訪問を来週に延期しました。

There is no point in putting off dealing with our problems until the deadline.
期限まで問題の対処を後回しにしたところで，どうにもなりません。

The train was delayed by about 10 minutes.
その電車は10分ほど遅れました。

The accident further delayed the construction.
その事故で工事がさらに遅れました。

Is there any chance of extending the deadline by a few days?
締め切りを数日延ばすことは可能ですか。

TIPS 日程調整に関する表現

日程の延期を伝えたり，日程を再調整する際に使える表現を紹介します。

◆ **indefinitely**：無期限に

I'm afraid the project will have to be postponed indefinitely.
そのプロジェクトは無期限に延期としなければならないでしょう。

◆ **TBC (to be confirmed)**：確認中の，調整中の
tentative：仮の，暫定の

date: March 22 (TBC) 日付：3月22日（調整中）
date: March 22 (tentative) 日付：3月22日（仮）

◆ **reschedule**：スケジュールを再調整する

The chair has set a tentative date for the meeting, but we can reschedule it.
議長が会議の日付を暫定的に決めましたが，再調整できますよ。

終わる，終える ≒ 終了する

単語	意味	
end	① 物事が	終わる
	② 物事を	終わらせる，終える
finish	① 物事が	終わる，完了する
	② 物事を	…し終える，仕上げる
be over	出来事・期間などが	終了している，済んでいる
close	① 会議・議論・取引などが〔を〕	終わる〔終える〕，打ち切る
	② 契約・商談を	まとめる
conclude	会議・講演などを	終える，締めくくる

FOCUS

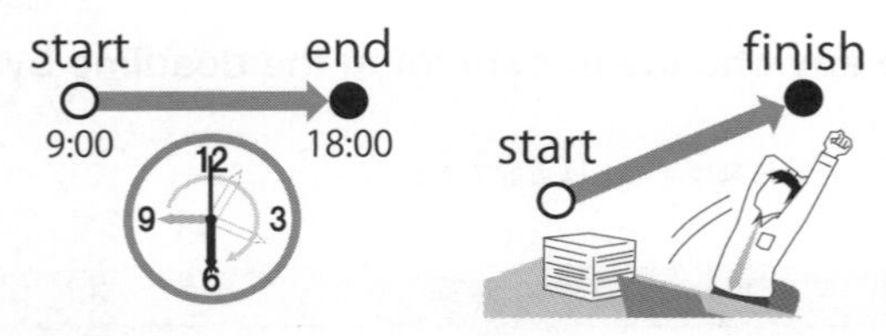

▶ **end** は一定期間行われていたことが「終わる」ことを表す。目標の達成度合いは関係なく，その状態や活動が単に「終了した」ことを意味する。イベントなどの終了については end を使うのが一般的。

▶ **finish** は end とほぼ同じ意味で使うことができるが，end よりも物事を「やり遂げて終える」「完了する」ことに焦点を当てた語。

▶ **be over** はある出来事が「終わって済んでいる」状態を表す。

▶ **close** は「閉じる」が原義で，「閉会する，打ち切る」などの意味で使われる。「無事終える」という意味を含むこともあり，close an account with A は「A との取引をやめる」という意味なのに対し，close a deal with A は「A との商談をまとめる」という意味になることに注意。

▶ **conclude** は話・講演などを「締めくくる」という意味もあり，conclude with A（A で締めくくる），conclude by *doing*（…して締めくくる）がよく使われる。

EXAMPLES

The exhibition held in March ended in failure for a variety of reasons.
3 月に行われた展示会は，さまざまな理由で失敗に終わりました。

Conventional TV dramas end with a cliffhanger to ensure a large viewership.
典型的なテレビドラマは，視聴率を稼ぐために続きが気になる終わり方をします。

By when do you think you can finish the report?
いつまでに報告書を終えられると思いますか。

Put the book back on the shelf as soon as you have finished reading it.
その本を読み終えたらすぐに，棚に返しておいてください。

I am glad the task will be over before long.
その仕事がまもなく終わるので嬉しいです。

On the last day, the conference closed at five in the evening.
その会議は，最終日は夕方の 5 時に終了しました。

The author concluded his speech by mentioning a possible sequel to the story.
その著者は，その物語の続編の可能性に言及してスピーチを締めくくりました。

TIPS 「終わり」を表す名詞

end は beginning の対になる語で，一般的な物事の「終わり」を意味します。**ending** という語もありますが，こちらは特に本や映画などの「結末，終わり方」を指す場合に用いられます。「今週末までに」という期限を表すには，前置詞 **by** を用います。**until** との違いは p.356 で確認しましょう。

☐ by **the end of** this week [month]（今週末〔今月末〕までに）
☐ at **the end of** a hallway（廊下の突き当りに）
☐ at **the end of** a process（手順の最後に）
☐ at **the end of** a book（本の巻末〔最後，結末〕に）

finish は名詞としても使われますが，試合や競争などの「フィニッシュ，ゴール」の意味でよく使われます。また，仕事などの「仕上げ」という意味もあります。演劇や音楽，イベントなどの「最後（の盛り上がり）」は **finale** で表すことができます。

おかげで

単語	意味	
thanks to A	A（人・物事）の	おかげで，せいで
make A *do*	A（人・物事）が	…するのを可能にする
make A B	A（人・物事）を	B（の状態）にする
enable A to *do*	A（人・物事）が	…するのを可能にする
owe A to B	A（物事）は	B（人・物事）のおかげである

FOCUS

▶ **thanks to** は後ろに具体的な人や物事を表す名詞を伴い，「～のおかげで」という意味を表す。肯定的な意味のほか，「～のせいで」という否定・皮肉の意味も表せる。

▶ 動詞 **make** や **enable** を使うと，「主語のおかげで～が…する〔できる〕」という内容を表すことができる。目的語の後ろの動詞が，make の場合は原形，enable の場合は to *do*（不定詞）であることに注意。

▶ **make A *do*** は人を主語にすると，I made him organize his desk.（私は彼に机を片付けさせた。）のように「強制的に…させる」の意味を表すが，物事を主語にすると強制の意味合いはなく，原因・理由・手段などを表す。そのため，「主語が A に…させる」，つまり「主語のおかげで A が…する」という意味を表す。

▶ **make A B** の B には名詞または形容詞が入り，「A を B（の状態）にする」という意味を表す。したがって，これを使って「主語のおかげで A が B の状態である〔になる〕」という意味を表すことができる。

▶ **owe** は，owe A to B で「A は B のおかげである」という意味を表す。A には a lot，a great deal など程度を表す語句を入れることもできる。

あ

EXAMPLES

Thanks to all of you, we have made a breakthrough in the negotiations.
皆さんのおかげで，交渉の突破口を開くことができました。

Our products are selling well thanks to the good reviews.
良いレビューのおかげで，当社の製品はよく売れています。

High product reliability has made the company stand out from its competitors.
製品の高い信頼性によって，その会社は競合他社より抜きん出ています。

The good reviews have made our product range a bestseller.
良いレビューのおかげで，当社の取扱製品は非常によく売れています。

The good weather enabled us to enjoy the barbecue.
天気が良かったので，バーベキューを楽しめました。

The company owes its success to its excellent training program.
その会社の成功は，優れた研修プログラムのおかげです。

TIPS 「おかげさまで」は英語で何と言う？

日本語では特定の人・物を示さずに，「おかげさまで」と言うことがありますね。英語では，**fortunately [luckily]**（運よく，幸運なことに），**thankfully**（ありがたいことに）などの表現でそのような意味を表すことができます。なお，fortunately はやや堅い語で，日常的には luckily が使われます。

You all worked very hard, and fortunately [thankfully], we have made a breakthrough in the negotiations.
皆さんには一生懸命力を尽くしていただき，おかげさまで交渉の突破口を開くことができました。

Fortunately [luckily], the weather cleared up on the day of our launch event.
おかげさまで，当社の製品発表会の日は晴れました。

教える

単語	意味	
teach	学科・クラス・人などを	教える
show	人に物事を	やって見せる， 具体的に教える
tell	人に情報を	口頭や文面で伝える
train	（仕事に必要な）技能を	教育する，訓練する
lecture	大学・セミナーなどで	講演をする

FOCUS

show

tell

- **teach** は必要な情報を与え，学習・習得の手助けをするイメージの語。「教師が授業を行う」以外にも,「言語や運動・運転などの技能を教える」「経験が教訓・学びを与える」などの意味でよく使われる。
- **show** は「見せる」が原義で，口頭でのみ教えるのではなく，「実際にやって見せたり，図や言葉で示す」ことを表す。
- **tell** は「情報を伝える，知らせる」の意味で，口頭や文面で情報を教える場合に用いる。「知らせる」の意味でも取り上げているので，p.166 を参照のこと。
- **train** は，特定の仕事や活動に必要な技能について「集中的に訓練し，習得させる」ことを意味する。
- **lecture** は，大学やセミナーなどで，特定のテーマについて話を聞きに来る人々に対して「講義・講演を行う」ことを表す。ただし「講演する」は lecture を動詞ではなく名詞として使って give a lecture と表すことが多い。

EXAMPLES

Mr. Hamilton teaches a course on informatics at the University of St. Andrews.
ハミルトンさんはセント・アンドリュース大学で情報科学の講義を担当しています。

Can you teach [show / tell] me how to use this software?
このソフトウェアの使い方を教えてもらえますか。

I will show you the way to the bank on your map.
銀行への行き方を地図でお教えしましょう。

Can you show [tell] me how to change the aspect ratio on the projector?
プロジェクターの縦横比を変える方法を教えてもらえますか。

The students always pay attention to the lectures the professors give.
学生たちはいつも教授の講義を注意深く聞いています。

Financial institutions train the recruits on various topics such as internet security.
金融機関はインターネットの安全性などのさまざまなトピックについて，新入社員を教育しています。
※近年では Internet が普通名詞化し，小文字で表記されるようになってきている。

TIPS 「研修」は英語で何と言う？

社員研修等の教育・訓練の場面で相性が良いのは **train** です。「研修」は **training** と言います。その他にも，一定期間の計画やカリキュラムが組まれたものは **program** や **course** で表すことができます。新入社員への説明会など，新しい環境へ適応してもらうための「導入説明会」は **orientation** とも言います。

☐ **in-house training**：社内研修，企業内研修
☐ **hands-on training**：実習，実地研修
☐ **on-the-job training**：（特定の業務を覚えるための）研修，実習
☐ **induction training [course / program]**：導入研修

なお，教える人は **trainer**，教わる人は **trainee** と言うことも覚えておきましょう。employer-employee，interviewer-interviewee の関係と同じで，「…する人」を **-er** で表すのに対し，「…される人」は **-ee** で表します。

同じ ≒ 相当する，同等の

単語	意味	言い換え
same	種類・性質・数量などが同じこと	同様の
identical	あらゆる点でまったく同じこと	同一の，一致する
equal	数量・規模・能力などが同じこと	同等の
equivalent	価値・量などが同じこと	同等の，～相当の

FOCUS

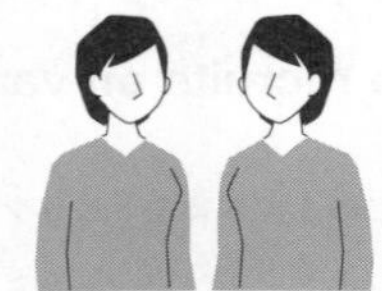
idetical twins

equal

▶ **same** は different（異なる）の反意語で，種類・性質・数量など，さまざまなものが同じであることを表せる。「～と同じ」は as で表す。

▶ **identical** はより厳密に「あらゆる点で一致する」「違いがない」という意味が強調される。「一卵性双生児」は identical twins と表すことを覚えておくと，ニュアンスがわかりやすい。same と交換可能な場面も多いが，より堅い印象を与える。「～と同じ」は to で表す。

▶ **equal** は「同等の」という意味で，数値化できたり，何らかの尺度で測ることのできるものに用いる。「A と同じ」は equal **to** A で表す。

▶ **equivalent** は equal と同じ語源を持つ，より改まった語。value（価値）のつづりの一部が隠れていることに気づくと，「～と等価の，～相当の」という意味も理解しやすい。「A と同等の」は equivalent **to** A と表すが，名詞で「～と同等のもの，～に相当するもの」という意味もあり，その場合 equivalent **of** A とする。

あ

EXAMPLES

Can you prepare two boxes of the same dimensions?
同じ寸法の箱を２つ用意してもらえますか。

The features of this PC are about the same as the competitor's latest model.
このパソコンの特徴は，競合他社の最新モデルとほぼ**同様**です。

The tests may not be identical, but the results overlap considerably.
これらの試験は**同一の**ものではないかもしれませんが，その結果はかなり共通しています。

Please make sure that the poster is identical in size to the sample I gave you.
ポスターのサイズが，お渡しした見本品と**まったく同じ**大きさであるようにしてください。

Our company provides equal employment opportunities without discrimination.
当社は差別なく**均等な**雇用機会を提供しています。

I believe some regulations are equivalent to censorship.
何らかの規制は検閲と**同等**だと考えます。

TIPS same の使い方のポイント

same は前に副詞をつけて **exactly** the same（まったく同じ），**nearly** the same, **about** the same（ほぼ同じ）などの使い方ができます。また，通例 *a same* とは言わず，次の場合を除いて，same の前に the が必要です。

① **Same here.** 私も同じです。 ② **Same to you.** あなたも（ね）。

Me, too. / You, too. はカジュアルですが，上記はどんな相手にも使えるより丁寧な表現です。①はレストランで「私にも同じものをください。」と言うときにも使えます。Have a nice weekend!（良い週末を！）などと言われたとき，さらりと②のように返せると良いですね。

ちなみに「A と同じ」は the same **as** A で表しますが，to と間違いやすいので注意が必要です。上記の Same **to** you. は，「あなた**に対して**も同じことが言える」という意味で to が使われています。

思う ≒ 考える

単語	意味	
think	…だと	思う，考える
believe	…だと	信じる，確信する
suppose	主観に基づいて…だと	思う，推察する
guess	根拠はないが…だと	なんとなく思う
feel	感覚的に…だと〔である〕	思う，気がする

FOCUS

- **think** は「思う」という意味の最も一般的な語で，「…だと思う」「…しようと思っている」というように，自分の頭で考え，自身の意見を持つことを表す。
- **believe** は，ある程度自信を持って「…だと思う，信じる」という意味を表し，think よりも強い意見やフォーマルな場面での主張に用いる。他人の見解を表す際や，深刻で重要な話題について述べる場合にもよく使われる。
- **suppose** は「…だろうと思う」のような主観的な推察を表し，think より確信がなく，主張をやわらげたい場合に使える。
- **guess** は「根拠なく思う」という意味で,「なんとなく」のニュアンスの強い語。
- **feel** は他の語と異なり，体や心の感覚に基づいて，控え目に印象を述べる場合に使われる。
- いずれの語も I think that SV. のように後ろに that 節をとることができるが，that を省略するとややカジュアルな印象になる。
- 「…ではないと思う」と言う場合，not などの否定語の位置に注意。原則として，否定語は that 節内ではなく主節に置く。2 つ目の例文で言えば，*I* ***think*** *this color* ***does not*** *suit* ... よりも **I do not think** ... とするのが普通。

EXAMPLES

I think it is wiser to wait until the maintenance crew arrives.
メンテナンス作業員が来るまで待ったほうが賢明だと思います。

I do not think this color suits our new line.
この色は私たちの新しい製品ラインに合わないと思います。

Insiders believe that the stock market will rebound after the extended weekend.
関係者たちは，株式市場は連休明けに回復すると考えています。

Scientists believe that the novel approach can be applied to the recycling of plastics.
科学者たちは，その斬新な方法がプラスチックのリサイクルに応用できると考えています。

I suppose we should cancel the meeting and reschedule it later.
その会議は取りやめて，後日再調整したほうが良いだろうと思います。

I guess we reached the right decision.
我々は適切な判断に行き着いたみたいですね。

I felt the manager sounded optimistic in his speech.
私は，そのスピーチで部長は楽観的に話していると感じました。

TIPS　I think と in my opinion の違い

自分の考えを伝える表現でまず思い浮かぶのは **I think ...** ですが，対抗意見が出ている状況で，「(～という意見もあるが) 自分の意見としては」と切り出す際には **in my opinion** が使えます。**as far as I am concerned**（私としては），**as far as I know**（私の知る限りでは）などもほぼ同様に使えます。

I understand the reasoning behind your viewpoint, but in my opinion, ...
そちらの立場の背後にある考え方は理解しましたが，私としては，…

また，自分の意見を述べる際は，根拠を明確にすることも忘れないようにしましょう。出典を示すには，**according to the newspaper**（その新聞によれば）や **the report says** that SV（その報告によれば…ということだ）などの表現が使えます。

主な ≒ 主要な

単語	意味	言い換え
main	全体の中で中心的であること，最も重要性が高いこと	大きな，中心的な，主要な
major	他より規模が大きいこと，重要性・深刻度が高いこと	大きな，主要な，重大な
leading	最も成功していること，先頭に立っていること	一流の，主役の，大手の
chief	（人が階級内で）最重要であること	主要な，第一の
principal	（客観的事実として）主要であること	主要な，第一の

FOCUS

▶ **main** は「全体の中で最も中心的であること，重要であること」を表し，最も一般的に使われる。

▶ **major** は「重大な，深刻な」というマイナスの意味をあわせ持ち，この意味では main より major のほうが堅い印象となる。major の反意語は minor（比較的重要でない，ささいな）。

▶ **leading** は動詞 lead（集団を率いる，先頭に立つ）の派生語で，主に人や集団に用いられる。「抜きん出た，先頭で他を引っ張る」という意味で，leading company（大手企業），leading light（組織内の重要人物，リーダー的存在）のように用いられる。

▶ **chief** は主に書き言葉で用いられるやや堅い語で，特に chief executive officer（＝ CEO，最高経営責任者）のように組織上の重要人物を指す場合によく使われる。

▶ **principal** はさらに堅く，議論の余地のない客観的事実を述べる際に多く使われる。

EXAMPLES

What is the main reason behind your proposal?
ご提案の主な根拠は何でしょうか。

Mining, agriculture and hydropower are the three main industries in this region.
採鉱，農業，水力発電がこの地域の三大産業です。

According to this pie chart, flooding is a major cause for concern.
この円グラフによると，洪水が主な心配の種ですね。

The blackout triggered the shutdown of a major part of the train line.
その停電が，その路線の主要部分の運休を招きました。

Professor Hallaway is arguably a leading authority in astrophysics.
ハラウェイ教授は天体物理学の第一人者と言って良いでしょう。

The two leading firms adopted different strategies on their road to success.
その２つの一流企業は，成功への道のりにおいて異なる戦略を採用しました。

The chief corporate adviser dissuaded the board from seeking a merger.
最高顧問は経営陣に吸収合併を思いとどまらせました。

The principal cities are linked by a high-speed train service.
主要都市間は高速列車で結ばれています。

TIPS 「主な」に関するコロケーション

よく使われる言葉の組み合わせ（コロケーション）を紹介します。迷ったときは，より幅広くカバーできる main を選ぶと間違いありません。何かを要望したり主張したりするフォーマルな場面では，ニュアンスによって使い分けると良いでしょう。

☐ the **main [major]** problem（主な問題）
☐ the **main [major]** concern（主な関心事）
☐ the **main [principal]** purpose（主な目的）
☐ the **main [major / principal]** reason（主な理由）
☐ the **main [major / leading / principal]** cause（主な原因）

およそ ≒ だいたい，約

単語	意味
about	約，だいたい，頃
around	約，だいたい，頃
approximately	概ね，ほぼ，前後
roughly	ざっと，だいたい
A or so	Aかそこら

FOCUS

▶ **about** と **around** は，around のほうが意味する範囲が多少大きいという傾向はあるものの，数値・金額・時間などを表す際は，多くの場合交換可能である。またこれらはおよその数を表す語なので，about $1,500 や around 300 participants のように，通例キリの良い数と一緒に用いられる。

▶ **approximately** は，about，around よりも「誤差が少ないほぼ正確な数」というニュアンスを含む。about や around には他にもいろいろな意味があるが，approximately には「およそ」という意味しかないため誤解を生じにくい。そのため，特に書き言葉や改まった文脈では approximately が好まれる。

▶ **roughly** は「正確ではない概数」であることを暗に示し，「ざっと〜くらい」という意味合いの語。

▶ **or so** は「はっきりとは言えないが，言及している数よりも少し多い」ことを表すくだけた表現。上記の他の語はすべて about 10 minutes のように数値の前に置くが，こちらは 10 minutes or so（10分かそこら）と後ろに置くことに注意。

EXAMPLES

My co-workers are all about my age.
同僚たちは皆だいたい私と同じくらいの年齢です。

Can you make it for dinner around 7:30?
7時半くらいの夕食に間に合いますか。

This bus will take you to the airport in approximately 30 minutes.
このバスは約30分で空港に到着します。

Transport fees will amount to approximately 2,000 euros.
交通費は約2,000ユーロになります。

The sporting event attracted roughly 10,000 visitors over three days.
そのスポーツイベントには3日間でおよそ10,000人が訪れました。

I guess it takes 20 minutes or so.
おそらく20分程度かかると思います。

TIPS 「ちょうど，きっかり」を表す表現

「およそ，だいたい」に対して，数量・時刻などが「ちょうど，きっかり」と言う場合，**exactly** や **just** が使えます。 just はより日常的な語で，下の2つ目の例文のように「運よく」というニュアンスを表すこともあります。より堅い表現としては **precisely** という語もあります。

The room measures exactly [just] 14 meters in circumference.
その部屋は周囲の長さがぴったり14メートルです。

We arrived just in time for the bus.
私たちはそのバスにちょうど間に合うように到着しました。

時刻についても **exactly [just]** 3 o'clock のように使うことができますが，時刻には **sharp** もよく使われます。3 o'clock **sharp**（3時ちょうど）のようにキリの良い時刻と一緒に用いられ，時刻の後ろに置かれます。また，「時間に遅れずに」というニュアンスでは **promptly** が用いられます。

We reached the client promptly at 9:00 A.M.
私たちはその依頼人のところへちょうど午前9時に到着しました。

Column 1

「予定」を表す will / be going to

予定を表すのに最もよく使われるのが，will と be going to です。まずはこの 2 つをしっかり区別しましょう。

◆自分の予定を伝える場合

その場で思い立ったこと → **will**
前もって考えていたこと → **be going to**

下の例文の A は「迎えに行こう」という意思を，B は「迎えに行くつもりだ」という予定を表しています。状況によってはどちらを使っても構いませんが，「10 時に着くのなら私たちが迎えに行きますよ」のように，話の流れで思い立った場合には A が自然です。B は「事前にそうしようと考えていた」というニュアンスになります。

A: We will pick you up at the station.
私たちがあなたを駅に迎えに行きます。
B: We are going to pick you up at the station.
私たちがあなたを駅に迎えに行く予定です。

◆他の人・物事の予定を伝える場合

人・物事の単純な未来 → **will**
人が前もって考えていたこと → **be going to**

意思や意図にかかわらず，「そうなる」という単純な未来を表す場合は，will を使います。be going to は「主語の意図」を表すので，自分以外が主語の場合も，「人が…するつもりだ，…しようと考えている」という意味を表します。

The price of the XD-model will increase next month.
XD モデルは来月値上げされます。
They are going to raise the price of the XD-model.
彼らは XD モデルを値上げするつもりです。

will にはこの他に，話し手の推量を表す用法もあります（p.190 を参照）。

か 行

会議 ≒ 打ち合わせ

単語	意味	
meeting	何かを議論するための	会議，打ち合わせ，会合
conference	大勢の人が集まり数日続く	組織的なイベント
convention	同じ関心を持つ組織の	大規模でフォーマルな会合

FOCUS

meeting

conference
/convention

- **meeting** は最も一般的な語で，何かを話し合ったり決めたりするためのさまざまな会合を表す。a sales meeting（営業会議），a committee meeting（委員会），a staff meeting（職員会議）のように比較的小さい規模の会議，打ち合わせを指すことが多い。
- **conference** は，大勢の人が特定の話題について議論したり，講演を聞いたりするようなイベントで，通常数日間続くものを指す。
- **convention** は共通の関心を持った人が集まる，組織・政党などにおける大規模でフォーマルな集まりを表す語。a sales convention（営業会議）と言うと，日常的な打ち合わせではなく，各組織の代表者が集まる大規模なものが想起される。
- 他に会合を表す語としては，**gathering**（主に家族や友人などの集まり，懇親会）や **assembly**（特定の目的を持つ人の集会・会合を表すやや堅い語）などがある。

EXAMPLES

か

A staff meeting is held every Tuesday morning.
職員会議は毎週火曜日の午前に行われます。

How did your presentation at the sales meeting go?
営業会議でのプレゼンテーションはどうでしたか。

The international conference of world leaders took place behind closed doors.
各国首脳による国際会議は，非公開で行われました。

The conference includes lectures on various topics and features smaller workshops.
その研究会にはさまざまなトピックの講演があり，小規模な講習会を呼び物にしています。

More than 2,000 shareholders attended the annual convention held last week.
2,000 人以上の株主が，先週行われた年次総会に出席しました。

Is there anything else we need to prepare for the sales convention?
営業会議に向けて他に準備が必要なものはありますか。

TIPS 会議に関する表現

◆議題：agenda, item

⇒ 議題は agenda，１つ１つの項目は item で表されます。

Let's move onto the next item on the agenda.
議題の次の項目に移りましょう。

◆議事録：minutes

⇒ 会議の正式な議事録は minutes と言います。常に s がつくことに注意しましょう。「議事録をとる」は keep [take] the minutes，「議事録を回覧する」は circulate the minutes と言います。また，record（記録）を使って records of the meeting とも言います。内容をその会議内にとどめておくことを「オフレコにしてください」と言いますが，これは「議事録には書かないでくださいね」ということ。英語でも This is off the record. のように言います。

◆決定事項：decisions　　宿題，やるべきこと：action items

⇒ 議事録には日時，場所，メンバー，議題と討議内容，決定事項，今後やるべきことなどを漏れなく記載します。

会社 ≒ 企業，法人

単語	意味	
company	物やサービスの提供を行う	会社
corporation	複数の子会社を持つような	法人，大企業，株式会社
firm	① 特定のサービスを提供する	（小規模な）会社
	② 2人以上の合資の	商会，事務所
office	仕事を行うための	事務所，営業所，会社，勤務先

FOCUS

▶ **company**（略称は Co.）は，組織としての「会社」を表す一般的な表現。our company（当社，弊社），his company（彼の勤めている会社）のように日常的に使う語。General Motors Company（ゼネラルモーターズ社）のように社名としても使用されている。

▶ **corporation**（略称は Corp.）は，「法人」に当たる語で，個別の会社を指す場合は主に複数の子会社を含む大企業に使われる。Microsoft Corporation（マイクロソフト社）など，広く社名としても使われている。なお，日本では「株式会社」を表す語として Co., Ltd. がよく使われるが，アメリカでは，Inc. を使う企業が多い。

▶ **firm** はより規模が小さく，サービス等の提供を行う会社を表し，a law firm（法律事務所），an accounting firm（会計事務所）のように使われる。

▶ **office** は「働く場所」を表す語。「会社〔仕事〕に行く，出社する」は go to the office で表せる。

EXAMPLES

The company concerned is renowned for innovation.
当該の会社は，革新性で名を挙げています。

A party to inaugurate the new building was held under the auspices of the company.
その会社の後援で，その新しい建物の落成式が行われました。

SDE Corporation was established in the 1920s.
SDE 社は 1920 年代に創立されました。

There are many loopholes in the corporation tax for multinational enterprises.
多国籍企業への法人税には多くの抜け道があります。

Tax accounting firms help small and medium-sized companies with their tax returns.
税務会計事務所は中小企業の税申告を手助けしてくれます。

The office I work for mainly deals in import furniture.
私の勤務先では主に輸入家具を扱っています。

The cafeteria is open to office workers during lunch hours.
その食堂は，昼食時に会社員向けに営業しています。

TIPS 日本人ならではのミスに要注意！

日本人は I work **at** ... と言いがちですが，at は work at home（在宅で勤務する），work at a plant（工場に勤務している）のように「場所」を伝える場合にしか使いません。勤務先を伝える際は **for** を，職種や役職を伝える際は **as** を用います。業務内容は **be in charge of**（p.200）で伝えることができます。

I work for an import and export company.
私は貿易会社で働いています。

He works as a check-out clerk at the supermarket.
彼はそのスーパーのレジの店員をしています。

ちなみに，サラリーマンや OL は和製英語なので要注意です。英語では **an office worker** や **an employee** と言います。ただし，自己紹介では普通 *I'm an office worker.* とは言わず，勤めている会社や，従事している業務を，上記のような表現を使って紹介します。

回答する ≒ 答える，対応する，返信する

単語	意味	
answer	人・質問・メール・要請・電話・問題などに	答える
reply	人・質問・メール・要請などに	考えた上で返事をする
respond	人・質問・メール・要請などに	応答する

FOCUS

- **answer** は「答える」の最も一般的な表現。呼びかけや，質問，指示などに，言葉や行動で応答･回答することを表し，会話，文章ともに日常的に使われる。「呼びかけに答える」「電話に出る」「(数学などの) 問題に答える」という意味では answer が使われ，reply や respond は使われない。
- **reply** は answer より改まった印象で，質問や要請などによく考えて返答することを表し，比較的書き言葉で多く用いられる。
- **respond** は reply よりさらに堅い語で，質問や要請，批判などに「反応する」というニュアンスを含み，「迅速に応答する」「相手に呼応する」というような場合に適している。
- reply と respond は「A に答える」と言う場合，**reply [respond] to A** のように to をつけることに注意。
- **answer** と **reply** は名詞も同じつづりだが，respond の名詞は **response** である。

EXAMPLES

Can you answer the phone for me, please?
代わりに電話に出ていただけますか。

I hope this will answer your needs.
こちらであなたのご要望にお応えできると良いのですが。

I am still waiting for their answer to my inquiry.
まだ問い合わせに対する回答を待っているところです。

The matter is not urgent. You may reply whenever it is convenient for you.
この件は緊急ではございません。ご都合の良いときにお返事いただければけっこうです。

Thank you for your swift reply. I forwarded it to the other members immediately.
早速のお返事ありがとうございます。すぐに他のメンバーに転送いたしました。

If R.S.V.P. is written on an invitation, it means you are requested to respond [reply].
招待状に R.S.V.P. と書かれていたら，要返信という意味です。

The ambulance immediately responded to the emergency.
その救急車は緊急事態に迅速に対応しました。

TIPS　返事を催促する場合の言い回し

返事を促したり，仕事を催促したりするのは，言い回しが難しいものです。単にプレッシャーをかける言い方ではうまくいきませんし，「まだ間に合う」とぎりぎりまで待ってしまうのも良くないでしょう。「忘れているかも」と思ったら，早めにリマインダを送るようにしましょう。

メールの場合，見落とされないようにわかりやすい件名をつけることが重要です。

Response required: delivery of EZ2089
要返信：EZ2089 の納品について

また，クッションになる表現を入れて，相手の状況に配慮することを心がけましょう。もちろん，要件や期日を明確に示すことも忘れずに。

I understand how busy you are, but I would appreciate it if you could reply to the request that I sent on September 6th.
お忙しいところ恐れ入りますが，9 月 6 日にお送りした依頼についてお返事いただけるとありがたく存じます。

メールを返すのにも多少の時間がかかりますから，普段から付き合いのある相手なら，場合によっては電話のほうが親切かもしれません。相手に応じた振る舞いができると良いですね。

概要 ≒ 要約

単語	意味	
overview	話・状況・計画・問題などの	概観，全体像
outline	話・状況・計画・問題などの	概略，大筋，骨子
summary	話・状況・計画・問題などの	要約，抜粋

FOCUS

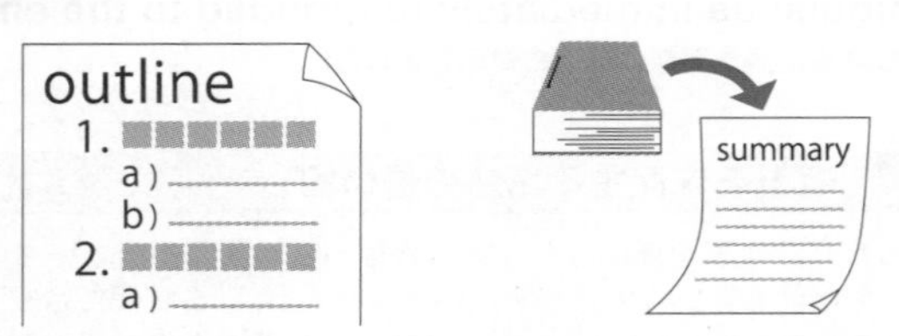

- **overview** は計画･問題などの全体像を大まかに示す短い説明を表す。over(真上) と view（眺め）から成り，物事を上からざっと見渡すイメージで，日本語の「概観」に近い語。

- **outline** は out（外側）と line（線）から成り，「輪郭」「略図」などの意味がある。話の詳細を省き，重要な部分や基本の部分だけを短くまとめた説明を表す。主要なポイントを箇条書きにして，流れに沿って物事の大筋・骨組みを示すイメージの語。

- **summary** は話や文書，計画，調査・研究結果などの詳細を省き，要点だけを短くまとめた説明を表す。日本語の「要約」に近い語。

- **outline** が一般に草案の段階での「概略，骨組み」を指し，そこに詳細を加えていくイメージがあるのに対し，**summary** は，すでにまとまった話や文章などになっているものから詳細を取り去ってコンパクトにした「要約, 抜粋」のイメージがある。

EXAMPLES

The brochure gives an overview of all the subsidiaries.
そのパンフレットでは，すべての子会社の概要が説明されています。

The overview of the movie includes lines from major scenes.
その映画のあらすじには，主要な場面のセリフが含まれています。

The personnel manager gave a brief outline of what the job involves.
人事部長は，仕事内容について簡単に概略を説明しました。

I need to review the outline of my presentation.
プレゼンテーションの骨子を再検討しなくては。

The following summary of the survey will help you grasp the idea behind our next step.
以下の調査の要約は，我々の次のステップの背後にある考え方を理解するのに役立つでしょう。

Please find the attached summary of the opening speech.
開会挨拶の要約を添付しましたので，ご確認ください。

Can you provide a catchy summary to attract a wider readership?
より幅広い読者をひきつけるために，印象的な要約を掲載していただけませんか。

TIPS 「概要」に関するコロケーションと関連語句

これらの語と結びつきの強いコロケーションを押さえておきましょう。形容詞では，**brief**，**simple**（簡潔な），**clear**（わかりやすい）などとよく一緒に使われます。

また，「概要を説明する」と言う場合は **give** がよく使われます。**explain** を使うと，説明者自身がその概要を作成したことが暗示されます。また，「誰に」を表したいときは，〈provide ＋人＋ with an outline〉のように表現できます。

その他に関連する語句として，人物紹介・企業紹介には **profile** がよく使われます。「プロフィール」ではなく「プロゥファイル」に近く，発音にも注意が必要です。また，詳細が決まっていない，おおまかなアイディアや計画は **rough idea [plan]** のように表現できます。

買う ≒ 購入する

単語	意味	
buy	主に日用品や安価なものを	買う
get	主に日用品や安価なものを	買う
purchase	主に大きなものや高価なものを	購入する
acquire	高価なものや入手困難なものを	入手〔取得〕する

FOCUS

- **buy** は買い物全般に使われるが，日常的な買い物に多く用いられる。
- **get** は話し言葉で buy の代わりによく使われるが，くだけた表現のため，改まった場面や書き言葉には適さない。
- **purchase** は改まった語で，ビジネスシーンでよく使われる。大量または高額の買い物や，交渉や正式な手続きを経て購入する場合に適している。
- **acquire** は「獲得する」のニュアンスを含み，不動産や会社，高級品など高価なものや入手困難なものを取得する場合に使われる堅い語。

EXAMPLES

I need to buy a new pair of dress shoes for the presentation.
そのプレゼンテーションのために，新しい革靴を買わなくては。
※ dress shoes：スーツやドレスなどの服装に似合う靴

Why don't we buy the manager a birthday present?
私たちで部長に誕生日プレゼントを買いませんか。

I just got this magazine on my way home.
さっき帰り道でこの雑誌を買いました。

Can you get me a pair of scissors from the stationery store?
文具店ではさみを買ってきてもらえませんか。

Which supplier do we purchase the copy paper from?
どの業者からコピー用紙を購入していますか。

Movie tickets can easily be purchased in advance online.
映画のチケットはオンラインで事前に簡単にご購入いただけます。

A majority stake in the firm was acquired by ABC Inc.
その会社の過半数株がABC社に取得されました。

TIPS 購入金額・購入場所・購入方法の表現

「買う」に関連した表現を押さえておきましょう。

- ☐ buy A **for** $25（Aを25ドルで買う）
- ☐ buy A **at** a supermarket（Aをスーパーで買う）
- ☐ buy A **at a** 10% **discount**（Aを10%割引で買う）
- ☐ buy A **from** MPA Inc.（AをMPA社から買う）

- ☐ buy **online**（オンラインで買う）
- ☐ buy **in cash**（現金で買う）
- ☐ buy **with** a credit [debit] card（クレジットカード〔デビットカード〕で買う）
- ☐ buy **with** a gift card [voucher]（商品券で買う）
- ☐ pay **with** Amazon Pay（Amazon Payで支払う）
- ☐ pay **by bank transfer**（銀行振り込みで支払う）

I am planning to buy the item at a 10% discount.
私はその商品を，10%引きで購入しようと思っています。

I purchased the files online for about $2 for a pack of ten.
私は，10個入りのファイル1パックを，オンラインで約2ドルで購入しました。

確認する ≒ 確かめる，目を通す

単語	意味	
check	物事を（見たり聞いたりして）	調べる，確かめる，点検する
confirm	① 物事が思っている通りであることを	確認する
	② 物事が本当に正しいことを	確認する
verify	調査・実験・検証などによって，物事が正しいことを	確かめる，証明する
make sure	…であることを	確かめる，確実にする
look over	資料などに	ざっと目を通す
go through	資料などに最初から最後まで	念入りに目を通す

FOCUS

▶ **check** は，「何かを見たり，誰かに聞いたりして確認する」という一般的な語。「資料や数値が正しいか点検する」という意味もある。**confirm** は，根拠となるものに立ち返って，本当に正しいか確認することを表す。いずれも that 節や if [whether] 節を伴って，「…であることを確認する」「…かどうか確認する」という使い方ができる。「人に物事を確認する」は〈check [confirm] ＋物事＋with 人〉と表す。

▶ **verify** は confirm より客観的で,「思っている通りか」という予想は含まず,「調査・実験などによって，物事が正しいことを証明する」という堅い語。

▶ **make sure** は「確実にする」が原義。〈make sure that SV〉で「…であることを確かめる」という意味。「that 以下の内容に間違いがあれば修正し，正しい状態にする」という意味合いを含む。

▶ **look over** はざっと目を通して確認するという意味。over には「真上を通り過ぎる」イメージがある。**go through** はまとまった資料などを最初から最後まで，念入りに見ていく場合に使う。through には「最初から最後まで通り抜ける」イメージがある。

EXAMPLES

I need to check the balance of my bank account.
銀行口座の残高を確認しなくては。

Can you check if the insurance policy covers natural disasters?
その保険証券が，自然災害を補償対象としているか確認してもらえますか。

I'm calling to confirm our appointment next week.
来週の予約について確認するためにお電話しました。

Re-enter the new password to confirm it.
確認のため，もう一度新しいパスワードを入力してください。

Would you mind verifying whether the figures in this chart are correct?
この表の数値が正しいかどうか，確かめていただけないでしょうか。

Make sure that all the lights are off at night.
夜間はすべての電気が消灯していることを確認してください。

I need a few minutes to look over the schedule.
スケジュールを確認するのに数分かかります。

The attorney went through the details of the contract.
その弁護士が契約書の詳細に目を通しました。

TIPS confirm のニュアンス

最近はオンライン上のログイン画面などで，**confirm password** という表現をよく目にします。これは「パスワードが本当に正しいか確かめる」ということ。また，注文・予約などの確認メールは **a confirmation e-mail**。これも「注文・予約の内容が正しいか確認する」ためのものです。いずれも「この内容で間違いない」という最終確認をするものです。

上の3つ目の例文は，「予約が思っている通りで正しいか，念のため確認したい」ということですね。confirm の「念押し」のニュアンスが掴めましたか？ 単なる確認は check，念のための確認は confirm，より堅い文脈では verify も使いこなせると良いですね。

貸す，借りる ≒ レンタルする

単語	意味	
lend	物品・金銭を	無料で一定期間貸す
rent	① 家・部屋・土地を	一定の金額で（長期間）貸す，借りる
	② 車・建物・衣装などを	有料で短期間貸す，借りる《米》
hire	車・建物・衣装などを	有料で短期間貸す，借りる《英》
borrow	物品・金銭を	無料で一定期間借りる
lease	車・建物・土地・設備などを	有料で一定期間（企業・組織に）貸す

FOCUS

lend

rent

- **lend** と **borrow** は物品や金銭など移動できるものを一時的に無料で「貸す，借りる」を表す。金銭は利子がつく場合にもつかない場合にも使える。
- **rent** は家・部屋・土地などを長期間有料で「貸す，借りる」ことを表す。「アパートやマンションの一室を借りる」は rent an apartment。また，衣装・会場・DVD など，日本語で「レンタル〇〇」というようなものを，有料で短期間「貸す，借りる」ことを表す。日本語の「レンタカー」は，rent a car から来ている。
- アメリカ英語では貸借の期間に関係なく rent を用いるが，イギリス英語では通例長期間は **rent**，短期間は **hire** を用いる。
- **lease** は lease a copy machine（コピー機をリースする）のように，法的契約を結び，建物や設備などを有料で賃貸することを表す。

か

EXAMPLES

Would you lend me the notes on your original report?
あなたの元々の報告書のメモを貸していただけませんか。

I rent the room because I have been transferred for just one year. Ｉ年間限定の転勤なので，その部屋を借りています。

The resort hotel hires out pleasure boats to its guests.
そのリゾートホテルは，宿泊客にレジャー用のボートを貸し出しています。

You can rent ［hire］ the dress and pumps by the hour.
時間単位で，そのドレスとパンプスを借りることができます。

Many people borrow money from the bank when they buy a house. 多くの人は，家を買う際に銀行からお金を借ります。

Laptops can be borrowed for in-library use only.
ノートパソコンは，図書館内での利用に限り借りることができます。

The property is leased on a five-year term.
その土地は，5 年単位で貸し出されています。

TIPS 「貸す」と「借りる」は同じ単語？

日本語では「貸す」と「借りる」は正反対の意味ですが，英語では同じ語を使って表現します。どちらの意味かは，文脈によってある程度判断できます。

The owner rents me this house for 60,000 yen per month.
大家さんが／私に／この家を月 6 万円で →**「貸している」**の意味だとわかる。

You can rent a car for $90 a day.
あなたは／車を／Ｉ日 90 ドルで →**「借りられる」**の意味だとわかる。

下の例文のようにどちらともとれる文脈で「貸す」という意味を明確に表したいときは，**rent out**，**hire out** とすると誤解がありません。日本語でも「貸し**出す**」と言うことがありますから，out の「外へ（出て）」というイメージと合致しますね。

We are renting a car for $90 a day.
私たちは／車を／Ｉ日 90 ドルで →「貸している」か「借りている」か**不明**。

We are renting out a car for $90 a day.
私たちは／車を／Ｉ日 90 ドルで →**「貸し出している」**の意味だとわかる。

可能な ≒ 可能性のある，できる

単語	意味	言い換え
able	能力的・状況的に（何かをすることが）可能なこと	…することができる
capable	何かをするのに必要な能力・資質があること	…することができる
possible	物事が実現する可能性があること	起こり得る，可能性のある
feasible	計画・アイディア・方法などが実現可能であること	実行可能な，見込みのある

FOCUS

▶ **able** は持っている能力や，そのときの状況から考えて「（通例人が）何かをすることが可能だ」という意味で，be able to *do* と to 不定詞を伴う。

▶ **capable** は「何か難しいことや職務などを行うのに十分な能力・資質がある」という意味で，be capable of *do*ing と〈of + 動名詞〉を伴う。able が通例人を主語にするのに対し，capable は人も物も主語にすることができる。

▶ **possible** は「何かを実行･達成することが（わずかでも）可能だ」という意味。人を主語にできないことに注意。It is possible for A to *do* ... で「A は…することが可能だ。」を表すが，客観的で堅い印象になるため，can *do* や be able to *do* で表すのが一般的。ただし，疑問文の Is it possible for you to *do* ...?（…していただくことは可能ですか。）は丁寧な依頼表現としてよく使われる。

▶ **feasible** は計画やアイディア，方法などが実現可能なことを表し，それが「目的にかなっている」あるいは「うまくいきそうだ」という含みがある。

EXAMPLES

How is Ms. White able to handle such a workload?
ホワイトさんはどうしてこれほどの仕事量をこなすことができるのでしょうか。

Visitors are able to experience life in the Arctic region.
来館者は，北極圏での生活を体験することができます。

We were not able to go home by subway due to the blackout.
停電のため，私たちは地下鉄で家に帰ることができませんでした。

Only Professor Wilton's team is capable of making such a discovery.
それほどの発見ができるのは，ウィルトン教授のチームだけです。

Is it possible for you to work the night shift next Monday?
来週の月曜日に，夜勤をお願いすることは可能ですか。

It should be possible in theory.
それは理論上は可能でしょう。

The new approach makes it feasible to shorten the manufacturing process.
新しい取り組みのおかげで，製造工程を短縮することが可能になります。

TIPS be able to と can の違い

be able to *do* は「(実際に) …することができる」ことを表し, can は「…できる (可能性がある)」ことを表します。この違いは，現在形ではほとんど意識する必要がありませんが，過去形では注意が必要です。次の例文を見てみましょう。

We were able to go home after the heavy rain.
私たちは大雨のあと，家に帰ることができました。⇒**実際に家に帰った。**

We could go home after the heavy rain.
私たちは大雨のあと，家に帰ることが可能でした。
⇒（帰ろうと思えば）帰ることが可能だったが，**実際に帰ったかどうかは不明。**

つまり，過去形で「(実際に) …できた」と言う場合は，必ず **was [were] able to *do*** を使います。ただし,「…できなかった」という否定文では could not も was [were] not able to *do* も使うことができます。例えば EXAMPLES の 3 つ目は，We **were not able to** go ... の代わりに We **could not** go ... と言うこともできます。

なお,「困難を伴って何とか…できた」と言う場合には，**manage to *do*** がよく使われます。

We managed to go home after the heavy rain.
私たちは大雨のあと，何とか家に帰ることができました。

考え ≒ アイディア，意見

単語	意味	
idea	頭に浮かんだ	考え，案，思いつき
opinion	自分の判断に基づく	意見，持論
view	自分の立場からの，主観的な	見解，見方
thought	熟考の結果としての	考え

FOCUS

idea

opinion

- **idea** は「頭に浮かんだ考え」全般を表し，アイディア，提案，思いつき，意見，考え方，意図，心当たりなど，幅広い意味で使うことができる。

- **opinion** は「意見」を表す最も一般的な語。特定の問題や話題について，自分の判断に基づいて持っている考えを表す。in my opinion（私の考えでは）の使い方についてはp.57 を参照。

- **view** は「眺め，視界」という意味もあるように，「自分の立場から見た場合の意見，見解」を表す。opinion よりも主観的・個人的な判断・主張と言え，深刻度・重要度が高いことについて比較的よく用いられる。

- **thought** は，「ぱっと思いついた考え」を表す idea よりも知的･理性的で，「よく考えた結果，思い浮かんだ考え」であることを表す。一時的な考えを表すので，長期にわたって持っている主張や持論を表す場合は opinion が適している。

EXAMPLES

I just came up with a good idea for the reception.
たった今歓迎会の良いアイディアを思いつきました。

I like the idea of having the weekend off.
週末を休みにするという考えは良いと思います。

We should ask an expert for their opinion on the matter.
この件について専門家に意見を求めたほうが良いと思います。

In my opinion, chartering a small aircraft may turn out to be less expensive.
私の考えでは，小型の航空機を借りるほうが結局は安く済むかもしれません。

The accountant seems to have a favorable view of the future.
その会計士は，今後について好意的な見方をしているようです。

The members exchanged views regarding the principles of advertising.
メンバーたちは広告の基本方針に関して意見を交換しました。

After much thought, we concluded that we should hire the new recruit.
よく検討した結果，新しい社員を雇うのが良いという結論に達しました。

TIPS　idea の意味は「アイディア」だけではない

日本語の「アイディア」は「思いつき」や「(新しい・面白い) 発想，工夫」といった意味で使われることが多いですが，英語の idea は「考え，意見」や「案，計画」，「認識，理解」などの意味で，幅広く使うことができます。

We could spend hours discussing ideas about artificial intelligence.
人工知能について意見を交換するのに何時間もかけかねません。

Most employees support the idea of flexible work shifts.
ほとんどの従業員が，柔軟な交代勤務制という案を支持しています。

We welcome the idea of a ban on smoking in the workplace.
私たちは，職場を禁煙にしようという計画を歓迎します。

The lecture will give you an idea of the scale of the company.
その講義を聞くと，その会社の規模について理解できるでしょう。

関係のある ≒ 該当の，関与している

単語	意味	言い換え
related	2つ以上の人や物が互いに関係していること	関連した
concerned	人や物が何かに関与していること，関心があること	関係している，関心がある
involved	人や物が活動・出来事などに関わっていること	参加している，関与している

FOCUS

▶ **related** は「関係のある」を表す最も一般的な語。(be) related to A で「A と関係がある，関連している」という意味を表す。have a relationship with A もよく使われる。なお，動詞 relate は「関連づける」という意味で，relate A to [with] B で「A を B と関連づける」という使い方ができる。

▶ 動詞 concern には「物事が〜に関係する，影響を与える」という意味があり，**concerned** は (be) concerned with A で「A に関与している，A に関心がある」ことを表す。定型表現として，as far as A is concerned（A に関する限りでは，A について言えば），To whom it may concern（(メールの冒頭で）ご担当者様，関係各位）などがある。

▶ **concerned** は名詞の後ろに置いて，people [parties] concerned（関係者，当事者）や all concerned（関係者全員）のような使い方ができる。EXAMPLES の 4 つ目や，p.67 の EXAMPLES の 1 つ目を参照。

▶ **involved** は「参加している」「巻き込まれる」などの意味があり，(be) involved in [with] A で，「活動や出来事などに関わっている」ことを表す。

EXAMPLES

Exhaust gases and global warming are closely related to each other.
排出ガスと地球温暖化は，互いに密接に関連しています。

Actually, I have a question related to your speech.
実は，あなたのスピーチに関する質問があります。

The statistics concerned with demography have to be taken seriously.
人口統計学に関するその統計データは，深刻に捉える必要があります。

The parties concerned resolved their argument amicably.
関係者たちは，論争を平和的に解決しました。

Higgins Pharmaceuticals is actively involved in the production of antacid medication.
ヒギンズ製薬は，制酸薬の生産に積極的に関与しています。

Can we get an estimate of all the operating costs involved in the plan?
その計画に関係するすべての運営費の見積もりをお願いできますか。

か

TIPS 「関係，関連」を表す名詞

relation

relationship

relate（～を関連づける）の派生語の名詞には，公的でフォーマルな関係を表す **relation(s)**（主に複数で用いられる）と，親しみを込めた関係に使われる **relationship** があります。

例えば，PR は public relations の頭文字です。企業などが自分たちの活動や商品に関して行う広報活動を指します。また，relations between the two countries（二国間の関係），Japan-U.S. relations（日米関係）のように使われます。一方で，次のように個人あるいは会社同士などの関係には relationship が用いられます。

How would you suggest that we deepen the relationship with Morris Inc.? モリス社との関係を深めるにはどのようにしたら良いとお考えですか。

また，**connection** は「人同士の交流，つながり」や「物事と物事の関連性」などを表します。アメリカ英語では，物事の関連性を表すのに relationship も使われます。

Many Japanese believe there is a connection [relationship] between one's blood type and one's personality.
多くの日本人は，人の血液型と性格の間には関連があると信じています。

簡単な ≒ 簡潔な，単純な，わかりやすい

単語	意味	言い換え
easy	容易で，労力が必要とされないこと	容易な，骨の折れない
simple	複雑でなく，理解や実行が簡単なこと	単純な，平易な
plain	言葉が明白でわかりやすいこと	平易な，わかりやすい
brief	言葉が短く，簡潔なこと	簡潔な，手短な

FOCUS

- **easy** は「簡単な」を表す最も一般的な語で，理解や実行に労力を必要としないことを表す。easy to *do* で「…しやすい」という意味を表す。反意語は difficult（困難な，骨の折れる）。
- **simple** は言葉・説明・方法・手順・システムなどが「複雑でなく，理解や実行が簡単だ」と言う場合に使う。反意語は complex（複雑な，入り組んだ）。
- **plain** は「言葉や説明などが明白で，誰が見てもわかりやすい」ことを表す。単に「わかりやすく平易な」という意味だけでなく，文脈によっては「言葉が率直な，あからさまな」という意味を表すこともある。
- **brief** は言葉や手紙などが短く，詳細を含まないことを表す。

EXAMPLES

The software and its interface are easy to use, even for beginners.
そのソフトウェアとインターフェースは，初心者にも使いやすいです。

All her e-mails are written in simple [plain] English that is easy to understand.
彼女のメールはすべて，わかりやすい簡単な英語で書かれています。

The procedure is really simple: just call or e-mail Customer Service.
手順は本当に単純で，お客様窓口に電話かメールをするだけです。

He explained the whole production process in plain words.
彼は生産工程全体をわかりやすい言葉で説明しました。

We will first give you a brief tour of the plant.
初めに工場をざっとご案内しましょう。

Staff members are invited to offer brief comments on the project.
職員たちはそのプロジェクトについて簡潔に意見を述べるように言われています。

TIPS simple や easy を使った慣用表現

Simple is best. は日本でもよく使われますね。他にも英語のプレゼンテーションでは **Keep it short and simple.** という原則があります。複雑な説明は避け，伝えたいことを明確に，わかりやすく伝えることが重要ということです。Keep it simple. だけでもよく使われます。

Keep it simple. What do you think is the most important thing?
シンプルに考えましょう。あなたが一番大事だと思うことは何ですか。

また, **Take it easy!** という励ましの表現もぜひ覚えておきましょう。easy には「安心した，気が楽な」という意味もあり，日本語にすると「気楽にいこう」「無理しないで」「そんなに心配しないで」といった意味です。ちなみに，この場合の反意語は difficult ではなく uneasy (p.172)。例えば大事なプレゼンテーションを前に，緊張している同僚に一声かけてあげるのにぴったりです。

Take it easy. You'll be all right!
気楽にいきましょう。きっと大丈夫ですよ。

管理する ≒ 運営する，監督する

単語	意味	
control	人・組織・行動などを	管理する，統制する
manage	金銭・時間・仕事・組織などを	管理する，運営する
administer	国・学校・会社・世帯などを	管理する，統括する，治める
supervise	人・仕事などを	管理する，監督する

FOCUS

- **control** は支配権や影響を及ぼして，意のままになるように「規制・統制する」という意味。自由にさせないことを強調し，「支配する」という意味もある。主語が何かを決定する権利・権限がある場合に用いられる。名詞も動詞と同じつづりで，under control（支配下で），quality control（品質管理）のように用いる。

- **manage** は「事業・仕事などを管理運営する」「金銭・時間などを管理する」ことを表す。「経営する」という意味もあり，manage a Japanese restaurant（日本料理店を経営する）のように用いる。

- **administer** は「組織・業務を管理・運営する」ことを表す。人や組織を管理・運営するという意味では manage とほぼ同様に使えるが，国家・地方の行政や，学校・大学の管理・統括の文脈では主に administer が使われる。

- **supervise** は「人や集団，作業などを統率し，指揮する」ことを表す。

EXAMPLES

We need to effectively control the quality of our products.
製品の品質を効果的に管理する必要があります。

SDR Tech controls over 50% of the market for routers.
SDR テック社は，ルーター市場の 50%以上を占めています。

The centralized system helps us streamline and manage the data productively.
その一元管理システムは，無駄を省いて生産的にデータを管理するのに役立ちます。

Could you tell us how you manage your time efficiently?
あなたの効率的な時間管理法を，私たちに教えていただけませんか。

Who is in charge of managing the business?
その事業の経営責任者は誰ですか。

Post offices administer the collection and delivery of mail and parcels.
郵便局は，郵便物や小包の集配を管理しています。

The construction site is constantly supervised by an architect.
建設現場は常に建築士によって監督されています。

TIPS 英語の役職名・組織名

役職名や組織構成は，企業やその戦略によって変わりますが，一般的な名称を押さえておきましょう。

主にアメリカの大企業は経営幹部に **C-level** という呼称を採用しており，**CEO**（Chief Executive Officer）が「最高経営責任者」，つまり経営のトップとなっています。**COO**（Chief Operating Officer）は「最高執行責任者」，つまり業務執行のトップを指します。

大企業でなければ，**president**（社長）あるいは **chairman [chairperson]**（会長）がトップであることが多いです。C-level ほど権限を明確にする呼称ではないので，どちらに実質的な権限があるかは，会社によって異なります。イギリスではトップの呼称に **managing director**（代表取締役）が使われます。

会社組織は，**division / department / section** などに分かれています。division と department のどちらが上位かは会社によって異なりますが，一般的にその下に section があります。部長や課長は manager [head] などで表されます。

機会 ≒ チャンス

単語	意味	
chance	① 偶然に訪れた	チャンス，好機
	② あることが起こる	見込み，可能性
opportunity	① 望ましい状態に至るための	チャンス，好機
	② 就職・出世・向上の	機会
occasion	① 特定の	時，場合，折
	② たまたま生じた	機会

FOCUS

- **chance** は「偶然に訪れた機会」を表し，**opportunity** は「望ましい状態に至るための良い機会」を表す。chance と opportunity は「好機」や「…する機会」という意味ではほぼ同様に使うことができ，「自分の望みがかないそうな機会」について言う場合に適している。

- 違いとしては，**chance** のほうがくだけた言い方で，より偶然性が強い。そのため，フォーマルな場面や，機会が何度か訪れることが前提となる場面では **opportunity** が適している。また，opportunity の一語だけで「就職や出世の機会」という意味がある。

- **chance** には「見込み，可能性」という意味もある。(p.294 参照)

- **occasion** は「時，場合」という意味のやや堅い語。TPO は Time, Place, Occasion の略で，「時と場合」は time and occasion と表す。 on the occasion of A（A の折に），on one occasion（ある時），on every occasion（いかなる場合も）のように使われる。また，「たまたま生じた機会」という意味もあり，on this occasion（このたび），take this occasion to *do*（この場を借りて…する）のように用いられる。

EXAMPLES

か

I have never had the chance to visit Australia.
これまでにオーストラリアを訪れる機会がありませんでした。

Don't delay, this is your last chance!
遅れないでください。これが最後のチャンスです！

Is there any chance of getting a refund?
返金は可能でしょうか。

All participants will have the opportunity to comment online.
すべての参加者にオンラインでコメントしていただく機会があります。

She was given the opportunity to work for Jenkins Industries in Manila.
彼女はマニラにあるジェンキンス工業で働く機会を与えられました。

I would like to take this occasion to thank the organizers of the exhibition for their efforts.
この場をお借りして，展覧会を開催してくださった方々のご尽力に感謝申し上げます。

On one occasion, the screen turned blue and the PC froze.
ある時，画面が青くなって，パソコンがフリーズしてしまいました。

TIPS 「機会があれば」は英語で何と言う？

日本語では円滑なコミュニケーションのため，「機会があれば（…したいです，…してみてください）」「またの機会に（…しましょう）」のように言うことがありますね。英語にもこのような場合の定番表現があるので，覚えておくと便利です。

If the opportunity arises, I'd love to work overseas.
機会があれば，ぜひ海外で働きたいです。

Try the local food in Morocco if you have a chance.
機会があれば，モロッコの郷土料理を試してみてください。

Let's reserve that for another occasion.
それはまた別の機会にとっておきましょう。

I hope we have the chance to meet again in the near future.
また近いうちにお会いできる機会があると良いですね。

聞く

単語	意味	
listen	意識して人の話・音・音楽などを〔に〕	聞く，耳を傾ける
hear	無意識のうちに人の話・音・音楽などが	聞こえる，耳に入る
catch	① 言葉などを	聞き取る
	② 番組などを逃さずに	聞く〔見る〕
ask	回答・情報・意見を求めて	尋ねる

FOCUS

▶ **listen** は listen to A で「A を意識して聞く」ことを表す。「聞き漏らすまいと耳を傾ける」という意味合いもある。人の言うことに「耳を貸す」と言う場合にも使える。

▶ **hear** は「無意識のうちに耳に入る」ことを表し，「聞こえてくる音･話を聞く」という意味がある。電話や Web 会議などで使われる Can you hear me?（私の声が聞こえますか。）というフレーズを覚えておくと，違いがわかりやすい。

▶ **catch** はくだけた表現で hear の代わりに使うことができる。放送などを「逃さずに聞く〔見る〕」，あるいは「その場で聞いてわかる」ことを表す。I didn't catch your name.（お名前が聞き取れませんでした。）のような否定文や，疑問文でよく使われる。

▶ **ask** は「聞く，尋ねる」という意味を表す一般的な語で，質問への回答や情報，意見などを求めて聞く場合に用いる。

EXAMPLES

Listening to the advice that your co-workers give can be valuable.
同僚がくれるアドバイスに耳を傾けると，役に立つことがあります。

I was listening to the radio when I heard the phone ring.
電話が鳴るのが聞こえたとき，私はラジオを聞いていました。

I have heard you used to live in London.
あなたは以前ロンドンに住んでいたと伺いました。

Sorry, I didn't catch what you were saying.
すみません。何とおっしゃっていたのか，聞き取れませんでした。

Where do you work – if you don't mind me asking?
どちらにお勤めですか，（お伺いして）差し支えなければ（教えてください）。

I had no idea of where I was, so I had to ask for directions.
自分がどこにいるか見当がつかなかったので，道を尋ねなければなりませんでした。

TIPS　動作を表す listen と 状態を表す hear

listen は「聞く（耳を傾ける）」という動作を表し，hear は「聞こえる」という状態を表します。そのため，**Please listen to this song.**（この曲をお聞きください。）のように，「対象に注意を向ける」という意味合いの場合は listen を使います。また，hear のような状態を表す動詞は普通進行形にはしないので，注意が必要です。

Be sure to listen [× *hear*] carefully to the speaker so as not to miss a word.
一言も聞き逃さないよう，講演者の話を注意深く聞くようにしてください。

I am listening to [× *hearing*] the birds in the garden.
私は庭で鳥の声を聞いています。

また，listen は自動詞なので，目的語をとる場合は前置詞 to を忘れないようにしましょう。listen 単体では，「ちょっと，あの，ねえ」といった呼びかけにも使われます。

Listen, maybe I can help you out.
ちょっと良いですか，私にお手伝いができるかもしれません。

この listen と hear の違いは，look（視線を向ける）と see（目に入る）にも当てはまりますから，p.298 をあわせて確認してみてください。また，自動詞と他動詞，動作動詞と状態動詞については，p.322 で解説しています。

危険 ≒ 脅威，リスク

単語	意味	
danger	危害・損害などの	危険（性）
risk	（自らが招いて）危害・損害などが生じる	危険（性），リスク
threat	深刻な損失・災害などの	恐れ，脅威

FOCUS

- **danger** は「危害や損害を受ける可能性」や,「何か悪いことが起こる可能性」,「危険なもの」などを表す。自分の行動・決定によらず本来的に危険なものを表し，生命・身体に関する危険によく用いられる。形容詞は dangerous。
- **risk** は「自分の判断や行動によって起こる危険やその可能性」のこと。何かをするかしないか，危険を冒すか否かを選択できる場合は risk が用いられる。形容詞は risky。
- **threat** は「脅し」という意味があり，何かに対する「脅威」を表す。多くの人に影響を及ぼすような深刻な問題や危険，災害などが生じる可能性が大きい場合に用いられる。形容詞は threatening。

か

EXAMPLES

We run the danger of losing the contract if we do not act promptly.
迅速に対応しなければ，契約を失う**危機**に陥ってしまいます。

Luckily, the danger of a major flood has disappeared.
幸い，大洪水の**危険性**はなくなりました。

Any operation involves some risk to the patients.
どんな手術にも，患者に対する何らかの**リスク**は伴います。

The plan he submitted may be interesting, but I do not think it is worth the risk.
彼の提示した計画は面白いかもしれませんが，**リスク**を冒す価値はないと思います。

The policy covers all the risks of loss or damage to goods.
その保険契約は，商品の紛失や破損のすべての**リスク**を補償しています。

There will be a threat of snow in the area over the coming days.
これから数日間，その地域は降雪の**恐れ**があります。

Even remote parts of the ocean suffer from the threat of overfishing.
遠く離れた海域でさえ，乱獲の**脅威**に悩まされています。

TIPS 「リスク」に関するコロケーション

ビジネスにおいて，リスクに関する議論をすることは多いでしょう。正しいコロケーションを覚えて使いこなしましょう。

☐ a **high [low]** risk：高い〔低い〕リスク
☐ **involve [carry]** a risk：リスクを伴う
☐ **weigh** a risk：リスクをよく検討する
☐ **take** the risks of A [*doing*]：A の〔…する〕リスクを取る
☐ be **worth** the risk：そのリスクを冒す価値がある，そのリスクに見合う
☐ **run** the risk of A [*doing*]：A の〔…する〕リスクを冒す〔にさらされる〕
☐ **pose** a risk [threat]：リスク〔脅威〕をもたらす
☐ **manage** a risk：リスクを管理する

期限 ≒ 締め切り

単語	意味	
due date	支払い・提出・返却などの	期日，満期日，締め切り
deadline	契約・申請・提出などの	期日，締め切り
term	① 定められた〔特定の〕	期間，任期
	② 支払い・契約などの	期日，満期
expiration date	① 契約などの	満了日
	② クレジットカードなどの	有効期限
	③ 食品などの	賞味期限

FOCUS

▶ due は「借りがある」が原義で, **due date** は「支払いや返済, 手形などの期日, 納期, 満期日 」などを表し, 特に金融や経理の分野でよく使われる。それ以外の場面で, 書類提出等の締め切りを指して使われることもある。

▶ **deadline** は文字通り「生命を失う境界線」が原義で, 仕事や申し込み, 原稿や報告書の提出など,「そのときまでに実行・完了しなければならない期限, 締め切り」を表す。最終締め切りではない「目標期日」には target date が使える。

▶ deadline が締め切りとなる特定の「日」を指すのに対して, **term** は任期・学期などの特定の「期間」を指すことが多い。支払いや契約に関しては,「期日, 満期」の意味で使われることもある。

▶ **expiration date** は「契約などの期間が満了し, その日を過ぎたら失効する日」を表す。身近なところではクレジットカードやパスポート, 免許証などの有効期限や, 食品の賞味期限を表す場合に使える。イギリス英語では expiry date。

EXAMPLES

The due date for submission of the tax return is approaching.
納税申告書の提出期限が迫っています。

Please submit the data by the due date.
そのデータを期日までに提出してください。

The court set a deadline for submitting the evidence.
裁判所は，証拠の提出期限を設定しました。

We worked hard to meet the deadline.
締め切りに間に合うよう，一生懸命仕事をしました。

The deadline was missed due to the blackout.
停電のため，締め切りに間に合いませんでした。

A president's term of office is four years.
社長の任期は４年です。

The expiration date for this credit card has passed.
このクレジットカードは有効期限が切れています。

TIPS 締め切りを知らせる表現

deadline は仕事の「締め切り」を表す一般的な表現で，meet（〜に間に合う），miss（〜を逃す），extend（〜を延ばす）などの動詞とよく一緒に使います。提出物などのリマインダには，次のような表現を使うと良いでしょう。「〜までに」という期限は **by** を使って表します。

If you have a problem with submitting by the deadline, please let me know ASAP [as soon as possible].
期限までに提出するのに問題がある場合は，なるべく早くお知らせください。

The deadline is approaching. Please submit the necessary forms by March 5th.
（提出）期限が近づいています。３月５日までに必要書類をご提出ください。

Just a reminder. I need the sales data by September 27th.
念のためのリマインダです。９月27日までに売上データをお願いします。

ASAP は as soon as possible の略で，社内チャットなどスピード重視の場面で使われます。ASAP や I need ... by 〜 はカジュアルな表現なので，同僚との気軽なやりとりで使いましょう。丁寧なリマインダの仕方は p.177 で紹介しています。

技術

単語	意味	
technique	科学・芸術・職業などの	専門技術，技法
skill	訓練によって習得可能な	特定の技能
technology	科学やコンピューターの知識を利用した	（科学）技術
art	何かを上手に行うための	こつ，わざ

FOCUS

- **technique** は何かを成し遂げるための技術，特に科学・芸術・競技・職業などの「専門的な技法，テクニック」を意味する。
- **skill** は訓練などによって習得できる「技能」を表す。特定の技能に熟練していて，上手にこなすことができる場合に用いる。
- 違いとして，**technique** は「何かをする方法（＝技法）」を，**skill** は「何かをする能力（＝技能）」を表す。
- **technology** は科学やコンピューターの知識を実用的な目的のために利用する技術，いわゆる「科学技術」を表す語。
- **art** は知識よりも経験を通じて習得する技術で，the art of conversation [negotiation]（会話〔交渉〕の技術）のように「こつ」「手腕」の意味合いがある。

EXAMPLES

The technique is novel in that it does not use any water.
水をまったく使わないという点で，その技術は斬新です。

The team had to combine several techniques to obtain the result.
そのチームは，その結果を得るためにいくつかの技術を組み合わせなければなりませんでした。

Communication and teamwork are skills employers look for.
コミュニケーションとチームワークは，雇用者が探し求めるスキルです。

Analytical skills are indispensable for grasping trends derived from big data.
分析スキルは，ビックデータから導かれる傾向を掴むのに不可欠です。

Information technology enables us to work from home.
情報技術により，在宅で勤務することが可能となっています。

The two-day seminar focuses on the art of effective negotiation.
その２日間のセミナーは，効果的な交渉術に焦点を当てています。

TIPS 「技術」に関連する形容詞

technical は「技術的な，技術に関する」という意味があります。また，「専門的な（知識を要する）」という意味でも使われ，technical education（技術〔専門〕教育），technical terms（専門用語）のように使われます。一方 **technological** は，科学技術を，生活や産業に応用することを表す場面でよく使われます。

The technological breakthrough in automatic braking has made the streets safer.
自動ブレーキにおける技術の大躍進により，道路がより安全になりました。

skill の派生語には **skilled** と **skillful** があり，どちらも「上手な，熟練した」という意味があります。文脈によっては交換可能ですが，次のようなニュアンスの違いを押さえましょう。

skilled：十分な経験がある　⇐「必要な経験を積み重ねてきた」
skillful：器用な，腕の良い　⇐「その人の才能や，特別な訓練の結果」

She is a skilled mediator when disputes arise with difficult customers.
彼女は気難しいお客様との間で議論になったときの経験豊富な仲介役です。

The manager is extremely skillful in running day-to-day business operations.
部長は，日常の業務を切り盛りするのが非常に上手です。

期待する ≒ 願う，望む

単語	意味	
hope	プラスの出来事が起こってほしいと	望む，可能性を信じる
wish	① …であれば良いのにと	願う
	② 丁寧に，強く	望む
expect	根拠があって，当然起こるものと	期待する，見込む
look forward to	プラスの出来事を	楽しみに待つ

FOCUS

▶ **hope** はプラスの内容について「それが起こってほしいと望む」ことを表し，たとえ根拠がなくても「可能だと信じて希望する」ことを意味する。

▶ **wish** は可能性が低い，あるいは可能性がないと思っていることについて，「そうであったら良い（のに）と願う」ことを表す。この意味では後ろに that 節を続け，仮定法を用いる（TIPS 参照）。誘いや提案，依頼などを断らなければならない場合に，**I wish I could, but …**（そうできれば良いのですが，…）というフレーズがよく使われる。

▶ **wish** は可能性の有無にかかわらず，「強く願う」という意味でも使われる。want より堅く丁寧な表現で，wish to *do* などはこの意味で用いられる。

▶ **expect** は「期待する，見込む」という意味の一般的な語で，単なる願望ではなく，根拠のある確かな予想や見込みを表し，良いことと悪いことのどちらにも使われる。「…することになっている」という予定を表す使い方もできる。詳しくは p.319 の TIPS を参照。

▶ **look forward to** は「楽しみに待つ」という意味。to の後ろは名詞か動名詞（*do*ing）にすることに注意。現在形と現在進行形の違いは p.290 を参照。

EXAMPLES

Let's hope it will clear up before the start of the race.
レースが始まる前に晴れることを期待しましょう。

Mr. Kors hopes to be elected an assembly member one day.
コースさんは，いつの日か議員に選出されることを願っています。

I wish the construction work would be completed before long.
工事がもうすぐ完了したら良いのですが。

My new PC is so good. I wish I had bought it before.
私の新しいパソコンはすごく良いです。もっと前に買えば良かったです。

What do you say to going out for lunch with us? — I wish I could, but I have to finish this report by 1:00.
私たちとお昼を食べに行きませんか。—そうできたら良いのですが，1時までにこの報告書を仕上げなければならないのです。

We can expect an increase in the sales volume for the next quarter.
次の四半期には，売上高の増加が期待できます。

Unfortunately, the event did not turn out as expected.
残念ながら，そのイベントは期待通りにはいきませんでした。

I look forward to receiving a positive response from you.
前向きなお返事をいただけるのを楽しみにしております。

TIPS　wish を使って「…なら良いのに」を表す

〈**I wish** ＋主語＋(助)動詞の過去形 ...〉は「…であれば良いのに」という意味を表し，後悔や残念な気持ちを表すのに使われます。このように話し手が「実際にはそうではないが…だったらな」と思っているときに使う動詞の形を，仮定法と言います。

上の3つ目の例文は，「(工事はすぐには完了しないが) 完了したら良いのに」という意味です。仮定法では時を1つ過去にずらすため，the construction work ***will*** ... ではなく the construction work **would** ... のように助動詞が過去形になります。

4つ目の例文は，「(実際には早く買わなかったが,) 早く買えば良かった」と後悔しています。この場合は，「過去に買わなかった」という事実があり，時をそれよりさらに1つ過去にずらすため，I bought ではなく I **had** bought のように過去完了形になります。

厳しい ≒ 厳格な，深刻な

単語	意味	言い換え
severe	① 評価・判断・規則などが厳しく容赦のないこと	厳格な，容赦のない
	② 多大な努力や高い能力を要すること	困難な
	③ 気候・状況などが厳しいこと	過酷な，深刻な
serious	① 病気・事態が重大で深刻なこと	深刻な
	② 物事に対して真剣で熱心なこと	真剣な，本気の
strict	① 規律・命令などが厳しいこと	厳重な
	② 人が規律の順守に厳しいこと	厳格な
rigid	人・考え方・規則などに柔軟性のないこと	厳格な，融通性のない

FOCUS

▶ **severe** は「厳しい」の意味で広く使われる語。「容赦のない」というイメージがあり，人への評価や物事の判断が手厳しいと言う場合や，規則などを厳格に守ることを求められる場合，気候や生活・経済状況が厳しいと言う場合などに用いられる。

▶ **serious** は「物事の深刻さ」に焦点を当てた語。病気や事故のようなマイナスの事態について，重大さを表すのによく用いられる。serious tone（改まった〔真剣な〕口調）のように，「物事に対してまじめな」という意味もある。

▶ **strict** は，a strict limit（厳しい規制）のように，規則・制限などが厳重・厳密であることを表す。また，a strict teacher（厳しい先生）のように，人や組織が規律を守ることに厳格であることを表す場合にも使える。

▶ **rigid** は書き言葉で多く用いられ，規則・基準などの厳正さを表す。例えば strict rules は「厳しい規則」という意味だが，rigid rules は「融通性のない厳しい規則」であることを表す。

EXAMPLES

In our sector, we face severe competition from online retailers.
私たちの分野では，オンライン小売業者との厳しい競争に直面しています。

The severe shortage of labor is alleviated by the influx of foreign workers.
深刻な人手不足が，外国人労働者の流入によって緩和されています。

The typhoon has caused serious damage to the buildings in the area.
台風はその地域の建物に深刻な被害をもたらしました。

The matter is serious; we need to promptly schedule a meeting.
事は深刻です。迅速に会議を設定する必要があります。

The company has strict instructions for preventing workplace accidents.
その会社は，職場での事故を防ぐための厳重な指示を出しています。

Needless to say, all the team members are strict about punctuality.
言うまでもありませんが，チームメンバー全員が時間を守ることに厳しいです。

Employees follow a rigid schedule of time management to boost productivity.
従業員たちは，生産性を上げるため，時間管理の厳格なスケジュールに従っています。

TIPS 「難しい」「余裕がない」という意味の「厳しい」

日本語では「困難なこと」や「余裕のないこと」を「厳しい」と表現することがあります。日本語の「厳しい」は，severe や strict よりもカバーしている意味の範囲が広いため，それらをそのまま英語に置き換えると，不自然なケースがあります。次の例文も参考に，伝えたい意味合いを考えた上で適切な単語を選択しましょう。「難しい」は p.300 で扱っていますので，参照してください。

I think it will not be possible to get everything ready by tomorrow.
明日までにすべて準備するのは厳しいと思います。

I suppose the budget [schedule] is tight.
その予算〔スケジュール〕は厳しいのではないかと思います。

客 ≒ お客様，顧客

単語	意味	
customer	商品・サービスを扱うさまざまな業種の	顧客
client	専門知識・技術を持った業種の	顧客，依頼人
guest	① イベントなどの主催者が招いた	客，来賓
	② テレビ番組などの	特別出演者
	③ レストラン・ホテルの	客
visitor	会社・観光施設・宿泊施設などへの	訪問客，来客
shopper	スーパー・デパートなどの	買い物客
passenger	バス・鉄道・飛行機などの	乗客

FOCUS

customer

client

guest

- **customer** は，商品・サービスを扱う業種で広く「顧客」を表す単語。店の中や乗り物の中では，より限定的な **shopper** や **passenger** などが使われる。
- **client** は，弁護士・コンサルタント・建築士など，専門的な知識や技術を持つ業種における客を表す。物を買ったり，接客サービスを受ける客ではなく，専門分野についての依頼や相談をする客のこと。
- **guest** の①～③の意味はすべて対義語である host がもてなす客，と考えることができる。host は主催者，（ホテルの）支配人，（テレビ番組などの）司会者などを表す。
- **visitor** は visit の派生語で，さまざまな場所を「訪問する客」を表す。

EXAMPLES

We need to improve customer satisfaction.
私たちは顧客満足度を向上させる必要があります。

I have an appointment with a client from 11:00.
私は 11 時から依頼人との面会が入っています。

The most important thing is to develop a trust relationship with our clients.
最も重要なことは，お客様との信頼関係を築くことです。

Our hotel can accommodate 1,500 guests.
当ホテルでは，1,500 名のお客様にご宿泊いただけます。

We offer our guests a free cup of coffee.
私どもはお客様にコーヒー 1 杯を無料で提供しております。

We are expecting 200 visitors a day to the exhibition.
その展覧会は，1 日当たり 200 人の入場者を見込んでいます。

Attention, shoppers. We're having a clearance sale.
お客様にご案内です。当店は在庫一掃セールを実施中です。

Passengers in group 3, please proceed to the boarding gate.
グループ 3 のお客様は，搭乗ゲートへお進みください。

TIPS 「お客様」と呼びかける表現

お店などで目の前のお客さんに「お客様」と呼びかける場合は，customer などの語は使いません。呼びかけは，男性には **sir** を用います。女性に対する呼びかけはいくつかあり，多くの場合，中年以降の女性には **ma'am**，若い女性には **miss** などが用いられます。

Let me check, ma'am. I'll be right back to you.
お客様，お調べして，すぐに戻って参ります。

Excuse me, sir. May I take a look at your ticket?
お客様，恐れ入ります。チケットを拝見してもよろしいでしょうか。

これらは年配や目上の方への敬意を表す呼びかけですが，特に女性への呼びかけは年齢に関する主観を含むため，近年では失礼と考える向きもあります。地域や業界によっても価値観が異なるので，周囲の言葉遣いを観察してみましょう。

給料 ≒ 支払い，賃金

単語	意味	
pay	仕事に対して支払われる	給料，賃金
salary	主に専門職や常勤の会社員に対する	固定給，月給，年俸
wage	主に肉体労働者に対する	賃金，時間給
fee	医者・弁護士など専門職に対する	報酬

FOCUS

▶ **pay** は仕事に対して支払われる「給料，賃金」を広く表す語。次のような複合語で用いられることが多い。base pay（基本給），payday（給料日），sick pay（疾病手当），pay raise [英：rise]（昇給）など。

▶ **salary** は教師などの専門職や，会社員（いわゆるサラリーマン）などに支払われる固定給を表す。monthly salary（月給），annual salary（年収）のように使われる。金額は〈a salary of ＋金額〉で表す。

▶ **wage** は多くの場合 wages と複数形で用い，主に肉体労働に対して時間単位で支払われる日給や週給を表す。salary は通常銀行振込であるのに対し，wage(s) は現金支給であることが多い。

▶ **fee** は弁護士，医師など専門職の人に支払われる報酬を表す。

▶ salary, wage, fee のいずれも「多い」は high, good, large,「少ない」は low, bad, poor, small などで表し，expensive（高い），cheap（安い）は使わない。

か

EXAMPLES

The labor union is set to demand a 2% pay increase.
労働組合は，2% の賃上げを要求することにしています。

The average monthly salary for a new recruit is approximately $2,000.
新入社員の月給の平均は，約 2,000 ドルです。

Translators generally command a high salary for work on instruction manuals.
翻訳家たちは一般的に，取扱説明書の仕事で高い報酬を得ています。

The government panel proposed raising the minimum wage for the next fiscal year.
政府諮問機関は，次期会計年度の最低賃金を上げることを提案しました。

Fees for legal advice may vary depending on the complexity of the case.
法律相談の料金は，問題の複雑さによって変動するかもしれません。

TIPS　pay と payment の違い

pay は「(～を) 支払う」という意味の動詞としてもよく使われます。**pay in installments**（分割で払う），**pay in cash**（現金で払う），**pay by credit card**（クレジットカードで払う）などの表現も押さえておきましょう。

How much did you pay to have the copy machine repaired?
コピー機を修理してもらうのにいくらかかりましたか。

All salaries are paid by bank transfer on the 25th of each month.
すべての給与は，毎月 25 日に銀行振込で支払われます。

また, pay は定期的に支払われる「給料, 賃金」を指しますが, payment は「支払い」や「返済」という意味で，1 回 1 回の支払い行為そのものを指します。

This is to announce that we have confirmed the payment for order No. 322.
注文番号 322 のお支払いを確認したことをお知らせいたします。

We have confirmed your payment today, and will proceed with the shipment.
本日お支払いを確認しましたので，発送手配を進めます。

協力する ≒ 支援する，助ける，手伝う

単語	意味	
help	人を〔に〕	手伝う，助ける，協力する
support	① 困っている人を	支援する，援助する
	② 人・考え・組織に賛同して	支持する，支援する
cooperate	① 共通の目的のために	協同する
	② 要請されたことに	協力する
work together	共通の目的のために	協同する
collaborate	制作・研究などを	共同で行う

FOCUS

▶ **help** は「手を貸す」が原義で,「手伝う, 助ける」を広く表す語。ビジネスシーンの改まった間柄でも「協力する」という意味で頻繁に使われる。

▶ **support** は「倒れないよう支える」ことを表し,「困っている人・弱い立場の人を支援する」という意味と,「人の考えに賛同して協力する」という意味がある。support も help も，名詞形は動詞と同じつづりである。

▶ **cooperate** と **work together** は「共通の目的・利益のために協力する」ことを表し，work together のほうがよりくだけた言い方。cooperate は「頼まれたことに応じる」という意味もある。

▶ **collaborate** は主に芸術・科学・産業などの分野での共同制作や共同研究を表し，文字通り「コラボする」という意味で使える。cooperate, work together, collaborate は,「人と協力する」と言う場合 with を使って表す。

EXAMPLES

I would appreciate it if you could help us with this issue.
本件について，ご協力いただければ幸いです。

Please tell me if there is anything I can do to help you.
もし私に協力できることがあればどうぞお知らせください。

I was wondering whether you could help me with my recommendation.
私の推薦状（の用意）にお力添えいただけないかと思っております。

I appreciate your kindness in continuing to support us.
継続的にご支援いただき，ご親切に感謝申し上げます。

The latest proposal was supported by the majority of employees.
その最新の提案は，従業員の大半に支持されました。

I hope to cooperate [work together] with you again in the future.
今後また一緒にお仕事をさせていただけることを願っております。

Is anyone going to collaborate on the report with us?
どなたか我々と共同でその報告書に取り組んでいただけませんか。

TIPS 「よろしくお願いします」は英語で何と言う？

日本のビジネスシーンに欠かせない「よろしくお願いします」の一言。英語ではそれに最も近い意味として，**Thank you for ...** を使います。例えば，何か仕事を引き受けてもらったら，**Thank you for helping us.** で「よろしくお願いします」の意味を表すことができます。for の後ろは，名詞の役割をするさまざまな語句を入れることができます。

Thank you for your continuous support.
今後ともどうぞよろしくお願いいたします。

また，同じく「感謝する」を意味する appreciate は，よりフォーマルな場面に適しています。なお，お客様や取引先に対応する場面では，会社全体を表す we [us] を使いましょう。I [me] を使うと個人的な気持ちという印象になります。例えば公共のアナウンスでは必ず I appreciate ... ではなく We appreciate ... と言います。

We greatly appreciate your cooperation [understanding].
ご協力〔ご理解〕いただき感謝申し上げます。
ご協力〔ご理解〕のほどよろしくお願いいたします。

計画 ≒ 事業，予定

単語	意味	
plan	何かをする・成し遂げるための	計画，予定
project	組織的に行われる大規模な	計画，事業
program	内容と手順が具体的な	構想，予定（表）
scheme	① 政府や企業による公的な	制度，事業計画
	② 綿密に企まれた	陰謀，たくらみ

FOCUS

- **plan** は「計画，予定」を表す最も一般的な語。明日の予定や旅行の計画といった個人的な予定から，国や会社などの事業〔活動〕計画のような公的な予定にまで，幅広く使うことができる。
- **project** は会社などの指示に基づく「事業，企画，任務」などに用いられる。plan より限定的で，組織的かつ大規模なものを表す。
- **program** は特定の目的を達成するために，実行すべき内容と手順が具体的に示されたものを表す。具体的な構想・計画や予定表などに用いられる。
- **scheme** は改まった語で，「体系だった公的な計画」を表し，主にイギリス英語で会社の事業計画や政府の公共計画などに使われる。その他，陰謀や悪だくみという意味もある。

EXAMPLES

You need carefully thought-out plans if you intend to climb a high mountain.
高い山に登ろうとしているなら，念入りに考え抜かれた計画が必要です。

The five-year plan includes specific action plans for each department.
その 5 年計画には，各部署の具体的な活動計画が含まれています。

The government has no real plan to tackle the low birthrate.
政府は，出生率の低さに対処する現実的な計画を有していません。

The housing project was mainly financed by the city government.
その住宅事業は，主に市が出資していました。

The online schooling program proved popular among those hoping to brush up their skills.
そのオンラインの通学**プログラム**は，スキルを磨きたい人の間で人気があることがわかりました。

Bricks and Associates were appointed to help launch a training program.
ブリックス＆アソシエイツは，研修**プログラム**の立ち上げに協力するよう任命されました。

Your pension scheme may be organized by your employer or drawn up by yourself.
年金制度は，雇用主がとりまとめても良いし，自ら計画を立てても良い。

TIPS 「計画的」は英語で何と言う？

仕事において重要な「計画的」という言葉に関連する表現を押さえておきましょう。なお, planned は「計画的な, 計画に沿った」という意味の形容詞です。intentional（故意に），calculated（計算ずくの，入念な），on purpose（わざと）などはネガティブな意味ですから，取り違えて使わないよう注意しましょう。

①「計画的に，計画された方法で」：in a planned way
The logistics center controls everything in a planned way.
その物流センターでは，すべてのものを計画的に管理しています。

②「計画通りに」：as planned，according to plan
Fortunately, everything went as planned [according to plan].
おかげさまで，万事計画通りに進みました。

③「(時間的に）余裕を持って」：well in advance
Be sure to prepare materials for your presentation well in advance.
プレゼンテーションの資料は十分余裕を持って準備するようにしてください。

④「計画性のなさ」：lack of planning
A lack of planning may ruin all your efforts.
計画的にやらなければ，すべての努力が無駄になってしまうかもしれません。

傾向 ≒ 動向，流行

単語	意味	
trend	物事・人々の一般的かつ流動的な	変化の傾向，動向，流行
tendency	固有の性質に基づく長期的な	傾向，風潮，性向，癖
inclination	個人の心理的な	傾向，性質

FOCUS

▶ **trend** は「ファッションのトレンド」のような「一定の期間や範囲における流動的な傾向」を指す。物事や人々の一般的な傾向に用いられ，特定の個人の行動・性質には用いられない。

▶ **tendency** は「傾向」を意味する一般的な語。trend と比べると，もともと持っている固有の性質が原因で，長期間続く傾向を表すのに適している。特定の個人の行動や癖についても，物事や人々の一般的な傾向についても使える。

▶ **inclination** は incline（心が傾く）から派生した名詞で，考え方や心理的な性質について言う場合によく用いられる。

EXAMPLES

Some trends get established by extensive coverage from celebrities on social networking sites.
著名人がSNSで集中的に発信することによって流行が確立されることもあります。

The article details the latest trends in cloud computing.
その記事は，クラウド・コンピューティングの最新動向を詳しく解説しています。

The pre-release version of the system still has a tendency to crash.
そのシステムのプレリリース版は，まだ機能停止する傾向にあります。

In a recession, manufacturers show a tendency to avoid high-risk initiatives.
不景気では，メーカーはリスクの高い試みを避ける傾向があります。

After the incident, she felt an inclination to change jobs.
その事件後，彼女は転職したいと感じるようになりました。

TIPS 「…する傾向がある」を意味する表現

「…する傾向がある」と言う場合，最もよく使われるのは **tend to *do*** です。名詞を使う場合は **have [show] a tendency to *do***，**show a trend** の組み合わせで使います。trend は流動的な性質を表すので，継続的な状態を表す have ではなく，一時的な動作を表す show が用いられます。

Some people tend to speak fast in front of a large audience.
大勢の聴衆の前では早口になりがちな人もいます。

人の持っている性質について言う場合は **be apt to *do*** もよく使われます。また，ネガティブな傾向について言う場合は，人でも物事でも **be prone to *do*** が使われます。prone は，accident-prone（事故の起きやすい），error-prone（ミスの起きやすい）のように使われることもあります。

She is apt to buy things impulsively.
彼女は衝動的に買い物をする傾向があります。

People are prone to make mistakes when exhausted.
人はくたくたに疲れているときにはミスをしやすいものです。

結果 ≒ 影響，成果

単語	意味	
result	過去の出来事が引き起こす	最終的な結果，結末
effect	原因に対する	直接的な結果，効果
consequence	成り行きから生じる（マイナスの）	必然的な結果，影響
outcome	見通しがつきにくい物事の	最終的な結果，具体的な成果

FOCUS

- **result** は「結果」を表す最も一般的な語で,「過去の出来事が引き起こす結果」を表す。また quarterly results（四半期決算），survey results（調査結果）のように選挙・業績・調査・実験などの「最終結果」を表す際にもよく使われる。

- **effect** は「特定の原因によってもたらされる直接的な結果」を意味する。「原因と結果」として対になるのは cause and effect。effect には「効果，影響」の意味もある。

- **consequence** は「物事の成り行きから生じる必然的な結果」を表す。have [lead to] serious consequences for A（A に深刻な結果をもたらす）のように，悪い意味で使われることが多い。

- **outcome** は「見通しがつきにくい物事についての最終結果」を表す。outcome of marketing（マーケティングの成果），outcome of a discussion（議論の結果）のように，会議や活動などの結果，成果を表すのに使われることが多い。

EXAMPLES

The company's success is a direct result of hiring great employees.
その会社の成功は，優れた従業員を雇用したことの直接的な結果です。

Early results from the consumer pilot survey looked promising.
消費者向け予備調査の初期の結果は，期待できそうなものでした。

The manager's retirement will have an adverse effect on the sales figure.
部長の退職は，売上にマイナスの影響を与えるでしょう。

The medication has no serious side-effects whatsoever.
その薬剤には，いかなる深刻な副作用もありません。

A likely consequence may be shareholder discontent.
株主の不興を買う結果になるかもしれませんね。

We should consider the consequences of the delay well in advance.
その遅延の影響を十分余裕を持って考えておいたほうが良いです。

The inclement weather probably affected the outcome of the elections.
この悪天候は，おそらく選挙の結果に影響したでしょう。

TIPS **result in と result from の違い**

result は動詞としても使われますが，次の 2 つをきちんと区別しましょう。**result in** は物事の最終的な結果を，**result from** は出来事の原因を表すのに用います。

◆ **result in A**：（主語は）A という結果になる，A という結果に終わる

The plan resulted in failure.
その計画は失敗に終わりました。

◆ **result from A**：（主語は）A を原因として生じる，A に由来する

His idea resulted from his previous experience in the medical field.
彼のアイディアは，医療分野での過去の経験から来ていました。

The plan's failure resulted from its multiple inaccuracies.
その計画の失敗は，複数の間違いに起因していました。

決定する ≒ 決める，判断する

単語	意味	
decide	① 物事を	決める
	② …しようと	決意・決心する
determine	① 考慮の結果，物事を最終的に	決定する，判断する
	② 考慮の結果，…しようと	決意・決心する
	③ 事実・原因などを	特定する
	④ 日時などを	正式に決める
set	① 日時・価格などを	決める
	② 目標・基準などを	定める
fix	日時・価格などを	決める

FOCUS

▶ **decide** は「決定する」を表す最も一般的な語で，decide to *do* で「…することにする〔決める〕」という意味を表す。単に「決める」だけでなく,「決意する」という意味合いで使われることもある。

▶ **determine** は「考えた末に決定を下す」という意味で,「最終的に決定する」「固く決意する」という意味合いもある。「…しようと決意している」という意味では，be determined to *do* [that 節] がよく用いられる。「原因などを特定する」「日程・方針などを正式に決める」という意味もあわせ持つ。

▶ **decide** が「決める**行為・内容**」に重点があるのに対して，**determine** は「決めるまでの**過程**」に重点がある。例えば EXAMPLES の 1 つ目は，determine を使うと「熟慮の末に決断した」というニュアンスが生まれる。

▶ **set** と **fix** は，ともに「日時・価格・目標などを定める」という意味を表し，ほぼ同様に使うことができる。日程を決める際，「木曜日に会議を行うことにする」は set [fix] a meeting for Thursday。EXAMPLES の最後の文を on Thursday にすると，「木曜日にお客様と会って，打ち合わせをいつにするか決める」という意味になってしまうので注意。

か

EXAMPLES

She decided [determined] to take the job and move to London.
彼女はその仕事を引き受け，ロンドンへ引っ越すことを決めました。

It is up to you to decide what to wear to the party.
そのパーティーに何を着ていくかを決めるのはあなた次第です。

The management will determine specific measures after the employee satisfaction survey.
経営陣は，従業員満足度調査のあとに具体策を決定するでしょう。

Inspectors are attempting to determine the cause of the accident.
調査官たちは事故の原因を特定しようとしています。

We have to calculate the costs before setting [fixing] a price on the articles.
その品物の価格を決める前に，経費を計算しなければなりません。

I will try to set [fix] a meeting with the client for Thursday.
そのお客様との打ち合わせを木曜日に設定するようにしてみます。

TIPS decide と make a decision の違い

decide と **make a decision** の違いを見てみましょう。まず一般的に，make a decision のような〈make / take / have などの動詞＋行為を表す名詞〉は会話で好まれ，よりくだけた響きがあります。例えばプレゼンなどで「この表をご覧ください」と言う場合，Please look at this chart. よりも Please take a look at this chart. がよく使われます。また，make a big decision（大きな決断をする），make a final decision（最終決定をする）のように形容詞で修飾できるのも特徴です。

さらに微妙なニュアンスの違いとして，make a decision は目的語をとらず，**「決心する」という行為そのものに焦点を当てる**ことができます。make a decision to *do* で「決めた内容」を表すこともできますが，その場合でも「決めた，決断した」こと自体に重きが置かれます。

The court made a significant decision. 裁判所が重要な決定を下しました。
He is good at making decisions. 彼は意思決定が上手です。

一方，「何を決めるのか」「どうすることにしたのか」という**内容に焦点を当てる**場合には，decide を使う傾向にあります。

検討する ≒ 考える，議論する

単語	意味	
think	物事を	考える
consider	結論を得るために物事を	よく考える，熟慮する
examine	（主に専門家が）物事を	調べる，吟味する
discuss	結論を得るために物事を	話し合う，議論する
deliberate	人・委員会などが物事を	熟慮する，審議する

FOCUS

▶ **think** は「物事を考える」という意味を広く表す語。「思い浮かべる」と言う場合から，「考慮する，検討する，判断する」のように熟考する場合まで表すことができる。**think of A** は，Aそれ自体を考えることを指す。**think about A** はより広く，Aの背景・影響・メリット・デメリットなどを含めて，Aについて考えることを意味する。

▶ **consider** は「物事を深く考える，熟慮する」という意味で，「結論を得る前段階として検討する」という場合によく使われる。think about と交換可能だが，consider のほうが「より深く考えている」というニュアンスが強い。

▶ **examine** は「注意深く徹底的に調べる」ことを表す。「よく調べる」ことに重きを置いて「検討する」と言う場合に適している。日常会話では have [take] a look at A が好まれる。

▶ **discuss** は「結論を得るために議論する」ことを表す。やや堅い響きがあるので，日常会話では talk about [over] がよく使われる。

▶ **deliberate** は「（人・委員会などが）熟慮する，審議〔討議〕する」という意味の堅い語。

EXAMPLES

Think of ways to capture the attention of passers-by.
通行人の注意を引きつける方法を検討してください。

か

It is about time we started thinking about a venue to hold the conference.
そろそろ会議の開催場所について考え始める時期です。

Let's consider our options and decide what to do next.
私たちが持っている選択肢を検討し，次に何をするか決めましょう。

The report is considered an alternative to the mainstream opinion. その報告書は，主流派の意見に代わるものと考えられています。

We need to examine the problem in more detail and address it immediately.
その問題をさらに詳しく検討し，ただちに対処する必要があります。

A meeting has been scheduled to discuss the proposal.
その提案について検討するために，打ち合わせが予定されています。

The jury deliberated for hours before reaching a conclusion.
陪審団は，結論にたどり着くまで何時間も議論しました。

TIPS 「検討する」の使い分けを実践！

ビジネスシーンでは「検討する」という言葉が非常によく使われますね。次の3つのシーンを参考に，自分で英語を使う際にふさわしい言葉を考えてみましょう。

① 顧客に：「当社の新サービスを，ぜひご検討ください。」
② 取引先に：「本件の対応を検討しましたが，ご希望に添えない形となりました。」
③ 部下に：「この問題の再発防止策を検討してください。」

① We hope you will closely consider our new service.

⇒サービスそれ自体について考えるのではなく，サービスを使って何ができるか，申し込むかどうかなどを含めて検討する，という文脈のため，consider が適切です。

② We have carefully considered how to deal with the issue, but we are afraid we cannot meet your request.

⇒「本件の対応」について，相手の要求に対して何ができるのか，その選択肢や可能性を含めてよく考えた，という文脈のため，ここでも consider が適切でしょう。

③ Think of ways to prevent a recurrence of the problem.

⇒「再発防止策」それ自体を考えてほしい，という意味合いですから，ここでは think of を使うのが望ましいです。

効果のある，効率の良い ≒ 有効な

単語	意味	言い換え
effective	特定の物事に対して効果があること	効果的な，有効な
efficient	機械・方法などの効率が良いこと	効率的な，無駄のない
beneficial	人などの助け・利益になること	有益な，利益をもたらす
practical	物が特定の目的に役立つこと	適した，実用的な
valid	契約・切符などが法的に効力があること	有効な

FOCUS

- **effective** は「効果的な」の意味で最も一般的な語で，特に「期待・意図していた通りの結果が得られる」という意味合いで使われる。また「(薬が) 効き目のある」「(法律などが) 有効な，実施〔施行〕されている」の意味もある。

fuel-efficient

- **efficient** は「効率的な」の意味で最も一般的な語で，fuel-efficient car（低燃費車）のように，「時間・お金・労力などの無駄がない」ことに重点が置かれる。
- いずれも末尾に -ly をつけると **effectively**（効果的に)，**efficiently**（効率的に）という副詞になる。また，反意語はそれぞれ **<u>in</u>effective**（効果のない，無駄な），**<u>in</u>efficient**（非効率な）。in- は否定の意味を表す接頭辞である。
- **beneficial** は benefit（利益，利点）があることを表す語。be beneficial to A で「A に有益である」という意味を表す。
- **practical** は「特定の目的に適した，実用的な」を表し，practical for daily use（日常使いに適した），be of practical use（実用的な）といった使い方がある。
- **valid** は「有効な」を表し，主に契約・切符・書類などが法的に効力があることを意味する。

か

EXAMPLES

How effective will the advertising campaign be for its price?
その広告キャンペーンは，価格に対してどれだけ効果があるでしょうか。

The pharmacist recommended this medicine as being effective against the flu.
薬剤師は，インフルエンザに効くとしてこの薬を勧めました。

The new interest rate becomes effective from March 1st.
新しい利率は3月1日から実施されます。

Central heating systems are efficient in their use of energy.
集中暖房システムはエネルギー利用効率が高いです。

The trial version is not yet efficient enough; we need to improve it. 試用版はまだ十分効率的とは言えません。改善が必要です。

Extended banking hours can be beneficial to the whole community.
銀行の営業時間の延長は，地域社会全体に良い効果をもたらすかもしれません。

The principle has numerous practical applications.
その原理には，実用化できることが数多くあります。

The credit card is valid until the end of February next year.
そのクレジットカードは来年の2月末まで有効です。

TIPS effective と efficient に関するコロケーション

effective と efficient に関連して，以下のようなコロケーションがよく使われます。派生語の名詞として，**effect**（効果，影響），**effectiveness**（有効性），**efficiency**（効率）も押さえておきましょう。

- ☐ **highly [extremely]** effective：非常に効果的な
- ☐ have a **broad [wide]** effect：幅広い効果がある
- ☐ have a **lasting** effect：持続的な効果がある
- ☐ have a **modest [minimal]** effect：適度に〔わずかに〕効果がある
- ☐ have **no** effect：効果がない
- ☐ **increase [boost]** the efficiency：効率を高める
- ☐ **decrease [reduce]** the efficiency：効率を低下させる
- ☐ a **side** effect：副作用，（予想外の）副次的な結果
- ☐ **cost** efficiency：費用対効果，費用効率

断る ≒ 却下する，辞退する

単語	意味	
decline	提案・招待などを	丁重に辞退する
refuse	招待・申し出などを	断る，辞退する
reject	提案・要求・申し出などを	拒否する，却下する
turn down	提案・申し出・応募などを	却下する，拒む

FOCUS

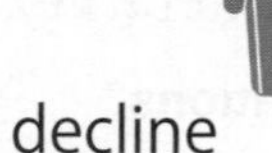

- **decline** は「提案･招待などを断る」ことを表し，この中で最も穏当な表現。「いかがですか」というお誘いや提案に対し，「丁重に断る，辞退する」と言う場合に使われる。

- **refuse** は「断る」を表す最も一般的な語で，相手の申し出を受け入れる意志がないことを明確に示す語。相手が自分にしてほしいと思っていることを，はっきり断る場合に使われる。

- **decline [refuse] to *do*** で「…するのを断る」という意味を表すことができる。

- **reject** は「はじく，はねつける」というイメージがあり，refuse よりも固くきっぱりと拒絶・却下することを表す。応募に対する不合格・不採用の場面でも使われる。

- **turn down** は「申し出・提案・応募などを断る」ことを表す。話し言葉で使われることが多く，くだけた表現である。

EXAMPLES

We declined her offer to pick us up at the station.
私たちを駅に迎えに来てくれるという彼女の申し出をお断りしました。

The spokesperson declined to answer any questions after the press conference.
その報道官は記者会見のあと，どの質問に対しても回答を控えました。

I would not refuse such a good proposal if I were you.
私だったら，そのような良い提案を断らないでしょう。

The salary was simply too good to refuse the job.
給料がとにかく良すぎて，その仕事を断れませんでした。

Many applicants were rejected after the screening of their resumes.
履歴書の審査後，多くの応募者が不採用となりました。

The scientific journal rejected the professor's paper.
その科学雑誌は，その教授の論文を採用しませんでした。

The company insists that news asserting the merger would be turned down is erroneous.
その会社は，合併が見送られると断言しているニュースは誤報だと主張しています。

He has sent 100 resumes and been turned down as many times.
彼は100通の履歴書を送り，それと同じ回数不採用になっています。

TIPS 許可・申請を断る表現

相手が許可を求めてきたのに対して断る場面では，「許可する」という意味のallow [permit]（p.296）を否定形にして，断りの意思を示すことができます。permitはallowよりも改まった表現で，公式な許可を表します。いずれも受動態の形で，禁止事項を表すのにも使われます。

Unfortunately, we cannot permit the secondary use of our illustrations for any purpose.
残念ながら，目的を問わず，弊社イラストの二次使用は許可いたしかねます。

Flash photography is not permitted [allowed] in the museum.
博物館内でのフラッシュ撮影は禁止されています。

雇用する ≒ 雇う

単語	意味	
employ	人を従業員として	雇う
hire	① 人を従業員として	雇う《米》，一時的に雇う《英》
	② 技術者・専門職を特定の目的で	雇う

FOCUS

- **employ** と **hire** はともに「人を雇う」という意味を表す。
- **アメリカ英語**においては，両者はほぼ同じ意味で使われるが，**hire** を「一時的に雇う」という意味で使うこともある。
- **イギリス英語**においては，2 つの語の使い分けが明確に決まっており，**employ** は「長期的に雇用すること」を表し，「短期間〔一時的に〕雇う」という意味では **hire** を使うのが一般的である。
- **be employed** は，「従業員として雇われる」，つまり「会社員・従業員として働いている」という状態を意味する。
- **hire** は hire a lawyer（弁護士を雇う），hire an assistant（アシスタントを雇う）のように「特定の仕事のために人を雇う」という意味もある。
- employ に関連した名詞として，employment（雇用），employer（雇用者，雇用主），employee（被雇用者，従業員 p.148）などがある。

EXAMPLES

Baker Industries employs more than one thousand people worldwide.
ベイカー工業は世界中で 1000 人以上を雇用しています。

Actually, my daughter is employed as a nurse at this hospital.
実は私の娘はこの病院で看護師として働いています。

He started his own agency after being employed for about five years.
彼は 5 年ほど会社員として働いたあと，自身の代理店を立ち上げました。

The company will hire several interpreters to facilitate their overseas venture.
その会社は海外事業を円滑に進めるために通訳を数人雇うでしょう。

As a rule, maintenance staff at the research facility are locally hired.
通例，その研究施設の保守担当者には地元の人が雇用されています。

Ms. Garner hired a temporary assistant for the project.
ガーナーさんはそのプロジェクトのために臨時の助手を雇いました。

I hired a Sherpa guide for my ascent of Mount Everest.
私はエベレスト登山のためにシェルパ族のガイドを雇いました。
* シェルパ：ネパールの険しい山岳地方に住むチベット系の先住民族。

TIPS 「雇用」に関連する表現

非常に間違いやすい和製英語として，「アルバイト」があります。arbeit はドイツ語で job（仕事）に当たる語です。英語では「パート・アルバイトの，非常勤の」は **part-time** で表します。**full-time** が「常勤の」という意味で，part-time に対して「正社員の」という意味でも使われます。

We should hire some part-time employees for the new store opening.
新規開店のために，アルバイトを数人雇うのが良いと思います。

契約期間に関する文脈では **permanent**（無期の，終身雇用の，正規の）と **temporary**（臨時の，派遣の，非正規の）が対比的に用いられます。その他，employ を使った表現として，**self-employed**（自営の），**unemployed**（失業中の）などがあります。

今後 ≒ 以後，これから，次の

単語	意味
in the future	今後，将来，これから先のどこか
from now on	これからは，今後はずっと，以後
next ～	次の～，翌～，これから～
coming ～	今度の～，これから～

FOCUS

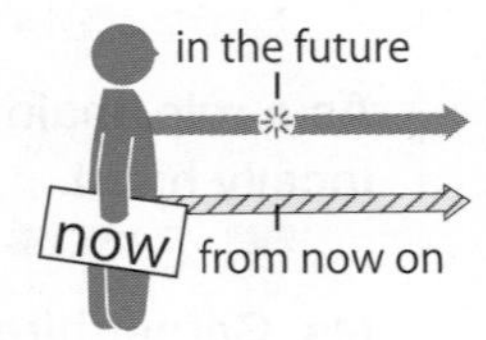

- **in the future** は「今後，将来」という意味を持ち，未来の「どこかの時点」を表す。一方 **from now on** は「これからずっと」という意味で，「今この時点から，将来にわたって続く」場合に用いる。
- 例えば，「将来的に…する」という予定，「将来…を実現したい」という意思，「今後…という出来事があると良い」という願望などは，「将来のどこかで」という意味合いなので，**in the future** が適している。
- **next** は in the next decade（今後 10 年間で），in the next few weeks（今後数週間で）のように後ろに時を表す語を伴う形で使われる。
- **coming** は「来たるべき，次の」を表し，基本的には next と同様の意味を持つ。
- 次のような場合には注意が必要。現在が 9 月だと仮定した場合，next October は「今年の 10 月」を指すのか「来年の 10 月」を指すのかがあいまいである。文脈によって明らかな場合もあるが，明確に「今年の 10 月」を表したい場合は this coming October とする。今日が水曜日で，next Friday と言う場合なども同様。

EXAMPLES

We look forward to doing business with you again in the near future.
近い将来，御社と再びお仕事をできるのを楽しみにしています。

Our website needs to be improved in the future.
我々のウェブサイトは，将来的に改善の必要があります。

We will take every possible measure to avoid any malfunctions in the future.
今後の誤作動を防ぐためにあらゆる対策を講じて参ります。

We need to give more consideration to UX from now on.
UX（ユーザー体験）について，これからはさらに考慮していく必要があります。

We should organize a meeting in the next few weeks.
これから数週間のうちに，会議を開催したほうが良いと思います。

The new PC will be delivered this coming October.
新しいパソコンはこの 10 月に届けられます。

I heard Lisa is going to be transferred in the coming weeks.
これから数週間のうちにリサが転勤になるらしいですよ。

TIPS 「今後は，これからは」の使い分けを実践！

in the future と **from now on** のニュアンスは掴めましたか？　では，何か問題が起きて，**「今後同じミスが起こらないよう注意します」**と伝えたいときは，どちらを使ったら良いでしょうか。

「今後（将来のどこかで**一度**）ミスが起こる」の意味では，未来のどこかの時点を表す in the future が適切です。

I will be more careful not to make the same mistake again in the future.
今後同じミスを二度としないよう，より一層注意します。

一方,「以後注意します」と言う場合は, careful（注意して）という状態を**これからずっと**続けるわけですから，from now on を使うのが適切です。意味の違いを正しく理解して使い分けましょう。

I will be more careful from now on.
以後，より一層注意します。

Column 2

「アドバイス・義務」を表す should / must / have to

should は「…すべき」という意味だと思っていませんか？　実は，should には相手に強制するニュアンスはありません。「義務」や「提案」などを「…したほうが良いと思うよ」のように，比較的穏やかに伝える場合に適しています。

一方 must と have to はどちらも「…しなければならない」という義務を表しますが，相手が受ける印象が違います。must は「話し手の主観」を表すため，場合によっては押しつけがましい印象を与えることもあります。それに対し have to は「客観的な必要性」を表すため，must より柔らかく聞こえます。そのため特に会話では must より have to が好まれます。

助動詞	表す内容	意味
should	（控えめな）義務・提案	…したほうが良い
must	（主観的な）強制・義務	…しなければならない
have to	（客観的な）義務・必要	…する必要がある

例えば下の A は「やんわりとしたアドバイス」，B は「話し手の主観的な強制」，C は「終電の時間が迫っているなどの状況から考えた必要性」を表しています。状況に応じて 3 つの助動詞を使い分けましょう。

A: It is getting late. You should go home now.
もうこんな時間です。そろそろ帰ったほうが良いですよ。
B: It is getting late. You must go home now.
もうこんな時間です。そろそろ帰りなさい。
C: It is getting late. You have to go home now.
もうこんな時間です。（状況的に）そろそろ帰らないといけませんね。

なお，相手にとってプラスになることを「絶対…したほうが良い」と勧める場合には must が好まれます。

You must eat pizza at that restaurant.
あのレストランのピザは絶対食べるべきですよ。

さ 行

最近 ≒ この間，近頃

単語	意味
recently	ついこの間，ここ最近 【過去形・現在完了形】
lately	近頃，ここ最近 【現在完了形・現在完了進行形】
these days	近頃，最近は 【現在形・現在進行形】
nowadays	近頃，最近は，今日では 【現在形・現在進行形】

FOCUS

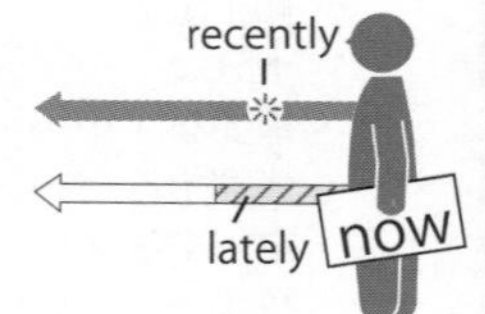

▶ **recently** は「近い過去」を表し，「ついこの間」という意味を持つ。このため「最近…した」という行為を表す場面で，【過去形】や【現在完了形】とともに用いられる。

▶ **lately** は「近頃，ここ最近」という意味で，「ここ最近…である」という状態や「近頃…している」という継続中の行為を【現在完了形】や【現在完了進行形】で述べるのに使われる。

▶ recently と lately は，このように本来は異なるニュアンスを持つが，近年ではネイティブスピーカーの間でも混同して使う人が増えてきており，特に疑問文・否定文ではほぼ同義で使われている。また，話し言葉では lately が好まれる傾向にある。

▶ **these days** と **nowadays** は，どちらも過去と対比して「近頃」を表し，通常【現在形】や【現在進行形】とともに用いる。nowadays よりも these days のほうが比較的日常でよく使われる。

EXAMPLES

I bought a new computer recently.
私は最近新しいコンピューターを買いました。

The Quality Control Advisor has recently returned home from Vietnam.
その品質管理アドバイザーは最近ベトナムから帰国しました。

Have you seen Mr. Brown in the office latey?
最近ブラウンさんを社内で見かけましたか。

How have you been lately?
最近調子はどうですか。

We are very busy at the office these days.
このところ職場はとても忙しいです。

Consumer-focused online advertising is quite common these days.
消費者に焦点を当てたオンライン広告は最近ではごく一般的です。

Not many companies use direct mail marketing nowadays.
最近ではダイレクトメールを用いたマーケティングを採用している会社はあまり多くありません。

Nowadays a lot of Japanese are qualified to work overseas.
近頃は多くの日本人が海外で働く資格を持っています。

TIPS 「ここ数年」は英語で何と言う？

recently や lately は文脈によっては「ここ数日」とも「ここ数年」とも捉えることができますが，in [over] the past ～（ここ～で〔にわたって〕）を使うと，より具体的な時期を示すことができます。現在完了形で用いられることの多い表現です。

The area around the station has changed dramatically in the past few years.
ここ数年で，駅前の地域はがらりと変わりました。

The sales of XD-900 have doubled over the past decade.
過去 10 年間で，XD-900 の売上は倍増しました。

最後の

単語	意味	言い換え
last	順番が最後であること	最後の，最下位の，最終の
final	順序が最後で，それを以て完結すること	最終の，最終的な
terminal	① 一定期間続いた状態や行動の最後であること	終点の，期末の
	② 病気・状況などが救いがたいこと	末期の

FOCUS

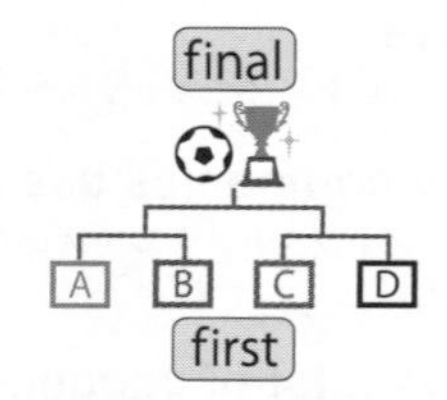

▶ **last** は「最後の」を表す一般的な語。the last train（終電），last three days（最後の３日間）のように，「順番に並べたときに一番後ろで，そのあとに同種のものが続かない」ことを意味する。

▶ **final** は the final round（最終ラウンド・決勝）が示すように，物事がそれで「完結・終了する」ことを意味する。last よりも「終わり」を強調する場合に使われる語。

▶ **terminal** は term（期間）の派生語で，一定期間続いた状態や行動の最後を表す。 the terminal station（終着駅）のような使い方のほか，terminal cancer（末期がん），the terminal stages of the disease（病の終末期）のように，「病気などが治る見込みがなく末期の状態」であることも表す。また「(物事が）救いがたい，絶望的な」という意味もある。

EXAMPLES

The last speaker on the schedule today is Mr. Harris from QR Entertainment.
本日予定されている最後の講演者は，QR エンターテインメント社のハリスさんです。

I had to run to catch the last train home last night.
私は昨夜，帰りの最終電車に間に合うように走らなくてはなりませんでした。

The last time I went to the movies was a few years ago.
最後に映画に行ったのは，数年前です。

The manager stressed it in his final speech during the morning assembly.
部長は，彼にとって最後となる朝礼でのスピーチで，それを強調しました。

In the end, those in the highest position usually get the final word. 結局は，たいてい最も地位の高い人々が最終判断を下します。

She passed away due to a terminal disease at the age of 82.
彼女は 82 歳で末期の病気により亡くなりました。

The country's key industries are in terminal decline.
その国の基幹産業は末期的な衰退状態にあります。

TIPS　last の持つさまざまな意味

last は「最後の」以外にもさまざまな意味があります。

◆昨～，先～

last night（昨晩），**last week**（先週），**last year**（昨年），**last summer**（昨年の夏）
⇒このとき，冠詞や時間を表す at / in などの前置詞は不要です。

◆一番奥の

the last house at the left（左手の一番奥の家）

the last building before the bank（銀行の 1 つ手前の建物）
⇒ last は「順番的に最後の」を意味するので，「並んだものの一番奥」を表すことができます。2 つ目の例は，銀行に辿り着く手前で，最後にあるものなので，「銀行の 1 つ手前」ということになります。いずれの場合も，どの建物かが特定できるので，the が必要です。

なお，**first / last** はよく **beginning / end** と混同されますが，beginning / end が本や映画のような「一続きのものの最初と最後」を表すのに対し，first / last はマラソンレースの選手たちのように「バラバラに並んだものの最初と最後」を表します。

最終的に ≒ 結局，ついに，ゆくゆくは，ようやく

単語	意味
finally	（長い時間を経て）ついに，ようやく
eventually	①（多くの出来事を経て）ついに，結局
	② ゆくゆくは，いつかは
at last	（長い間待ち望んで）ついに，ようやく
in the end	（一連の出来事を経て）結局は，最後には
after all	（予想・期待に反して）結局は，最後には

FOCUS

- **finally** は良い結果・悪い結果の両方に使うことができ，「そこに至るまでの過程に困難・遅延などの問題があったが，ようやく物事が完結する」という意味合いがある。
- **eventually** は event の派生語で，「多くの出来事・問題を経て，結局」と言う場合に使われる。また，「将来的に，ゆくゆくは」という意味で未来の事柄を述べる際に使うこともできる。
- **at last** は良い結果に対してのみ使われ，「長く待ち望んでいたことがついに実現する」という文脈で使われる。at last は否定文には用いない。
- **in the end** は「一連の出来事などのあとで，結局は」という意味。at the end of A（A の終わりに）との混同に注意。
- **after all** は「予想・期待・努力などに反して，結局は」を意味し，良い結果・悪い結果の両方に対して使うことができる。

EXAMPLES

We were exhausted when we finally arrived at our destination.
ようやく目的地に到着したときには，私たちは疲労困憊していました。

Technicians finally figured out the cause and corrected the bug.
技術者たちはとうとう原因を突き止め，不具合を修正しました。

The plane eventually took off six hours behind schedule.
その飛行機は結局定刻より 6 時間遅れて離陸しました。

He hopes to eventually be appointed as regional manager for Europe.
彼はゆくゆくはヨーロッパ担当部長に任命されたいと思っています。

I had been looking for my watch everywhere, and at last I found it.
私は腕時計がないかあらゆるところを探していましたが，ついに見つけました。

At last the shipment arrived in port and cleared customs.
貨物はようやく港に着き，税関を通過しました。

The parties negotiated for a long time, but in the end they opted to abandon their plan.
関係者たちは長期間交渉をしていましたが，結局計画を断念することを選択しました。

Though busy at work, they watched the game on TV after all.
彼らは仕事が忙しかったのに，結局はテレビでその試合を見ました。

TIPS 「結局，最終的に」の意味を含む表現

「結局」あるいは「最終的に」に当たる意味を含んだ動詞を紹介します。いずれもよく使う表現ですから，この項目で紹介した語とあわせて押さえておきましょう。

◆ **end up *doing***：結局…することになる，しまいには…する

Unless you use the material properly, you will end up ruining it.
その素材を正しく使わなければ，結局それを無駄にしてしまうことになりますよ。

On such a tight budget, we may end up going out of business.
そのような厳しい予算では，しまいには倒産してしまうかもしれません。

◆ **turn out (to be)**：…になる〔だと判明する〕

I wonder why the project turned out like this.
そのプロジェクトはどうしてこのような結果になったのでしょう。

Unfortunately, the news turned out to be a hoax.
残念ながら，そのニュースは作り話であることが判明しました。

さまざまな ≒ 多様な

単語	意味	言い換え
various	種類がいくつもあること	さまざまな，多様な
diverse	ある種類や領域の中で変化に富んでいること	多様な，それぞれ異なる
different	他と異なること，別々であること	違った，別々の，さまざまな

FOCUS

▶ **various** は「同じものの種類が，いくつもあること」を表す。various colors（さまざまな色），various sizes（いろいろなサイズ）のように，限定用法（p.332）の場合，名詞は複数形になることに注意。

▶ **diverse** は「ある1つの種類や領域の中で，変化に富むこと」を表す。民族，文化，人の経歴や価値観，生物学などにおける「多様性」を表すのに適しており，diverse opinions（多様な意見），diverse cultures（多様な文化）のように用いられる。

▶「多様な」という意味では various と diverse は多くの場合交換可能だが，diverse のほうが相互の違いがより大きいことを表す。

▶ **different** は基本的に「他と異なること」を表し，名詞の複数形の前に置くと「別々の，異なるさまざまな」という意味を表せる。「たくさんあること」に重点を置く場合，〈many [several] different ＋複数名詞〉がよく使われるが，多くの場合〈various ＋複数名詞〉と交換可能である。

さ

EXAMPLES

Various examples of possible applications can be found online.
さまざまな可能な用途の例がオンラインで見つかります。

She decided to change jobs for various reasons.
彼女はさまざまな理由から転職することを決断しました。

The system can be tailored to the diverse [various] needs of consumers.
そのシステムは消費者の多様なニーズに応じることができます。

The harbor supplies fresh seafood to a diverse range of restaurants in the area.
その港は地域のさまざまなタイプのレストランに新鮮な魚介類を提供しています。

The machine can run on different types of fuel.
その機械はさまざまな種類の燃料で動かすことができます。

Many different products produced locally were for sale in the industrial exhibition hall.
地元で生産された多くのさまざまな製品が，産業展示館で販売されていました。

Let me explain a couple of different ways to achieve the target.
その目標を達成するためのいくつかの異なる方法について説明させてください。

TIPS　various と a variety of の違い

various は普通 various goods のように可算名詞の複数形を伴いますが，**a variety of** は information（情報），equipment（設備，装置）のような不可算名詞の前にも使うことができます。

また，a new variety of rose（新種のバラ）のように「(同じ集団の中の）種類」という意味では，後ろに来るのが可算名詞であっても，単数形が使われます。これは a new kind of rose のように a kind of A と言い換えることができます。

なお，「人の多様性」と言う場合は，a variety of people とは言わず，a diversity of people と言います。日本においても，人種や宗教，性別，年齢，障がいの有無などを問わず，多様な人材が働きやすい職場を整備することを意図して，「ダイバーシティ」という語が使われるようになっていますね。

参加する ≒ 関与する，出席する

単語	意味	
participate in	活動・行事などに	参加する，関与する
take part in	活動・行事などに	参加する，関与する
attend	会議・儀式・行事などに	出席する，参列する
join	集団・組織などに	加わる，参加する
be involved in	活動などに	関わっている，従事している

FOCUS

- **participate in** は「活動へ参加する，関与する」を意味するやや堅い語。**take part in** はよりくだけた語で，日常的にはこちらがよく使われる。
- **attend** は「会議・公式な行事・学校などに出席する，参列する」を表すやや堅い語。参加する義務があるものに出席する，と言う場合に用いられる。話し言葉では Please let me know if you cannot come.（参加できない場合は連絡してください。）のように，attend の代わりに **come (to)** や **go (to)** を使うこともある。
- **join** は「他の人の集団に自分も加わる，一員になる」ことを表す。
- **be involved in** は「物事に関わっていること」を表す。be involved in marketing（マーケティングに従事している）のように業務内容を紹介するときにも使える。

EXAMPLES

All employees are urged to actively participate in the disaster drills.
すべての従業員が防災訓練に積極的に**参加する**よう呼びかけられています。

We participated [took part] in the celebrations for the 50th anniversary.
私たちは50周年記念の祝賀会に**参加しました**。

Are you planning to attend the conference in Vienna next month?
あなたは来月のウィーンでの会議に**参加する**予定ですか。

I received an invitation from my niece to attend her wedding.
私は姪から彼女の結婚式（**に出席するため**）の招待状を受け取りました。

How much does it cost per month to join the course?
この講座に**参加する**には月いくらかかりますか。

Why don't you join us for lunch?
私たちと昼食を**ご一緒し**ませんか。

Are you involved in the layout of the student magazine?
あなたは学生雑誌のレイアウト（の仕事）に**携わっています**か。

He became involved in politics after graduating from college.
彼は大学を卒業したあと，政治に**関わるようになりました**。

TIPS　join と join in の違い

join は join in となることもあります。違いを理解しておきましょう。

◆ **join**：組織・集団の一員になる，人が…するのに加わる
☐ join a company（入社する，就職する）
☐ join a sports club（スポーツクラブに入会する）
☐ join ＋人＋ for a drink（人とお茶・お酒を飲む，人の飲み会に参加する）

◆ **join in**：活動・イベントに加わる（join よりも協力関係の意味が強くなる）
☐ join in the discussion（話し合いに加わる）
☐ join in negotiations（交渉に加わる）
☐ join in the celebration（祝賀会に参加する）
☐ join in a contest（大会に参加する）

さ

参照する，参考になる

≒ 調べる，役に立つ，有益な

単語	意味	
refer to	本・資料・辞書などを	参照する，参考にする，調べる
consult	本・資料・辞書などを	参照する，参考にする，調べる
look up	本・辞書・インターネットなどで物事を	調べる

FOCUS

- **refer to** は「情報を求めて本・資料などを見る」ことを表す最も一般的な語。refer to a note（メモ書きを見る），refer to a dictionary（辞書を引く）のように使われる。
- **consult** も refer to と同様の意味だが，やや堅い印象となる。
- **look up** は「本やインターネットなどで情報を調べること」を表し，look up a word in a dictionary（辞書で単語を調べる）のように使われる。「参照先」を目的語にとる refer to, consult と違い，「調べようとしている物事」を目的語にとることに注意。つまり，*look up a dictionary* は誤り。

単語	意味	言い換え
helpful	情報・助言などが	役に立つ，参考になる，有用な
informative	情報・本などが	有益な，情報に富んだ

FOCUS

- **helpful** は「情報・助言などが役に立つ」ことを表し，advice（アドバイス），sources（情報源）などの名詞と一緒に使われる。「(人が) 頼りになる，助けになる」という意味もある。反意語は unhelpful。
- **informative** は「情報に富んでいて参考〔勉強〕になる，有益な」を意味する語。article（記事），program（番組），website（ウェブサイト）などの名詞と一緒に使われる。反意語は uninformative。

EXAMPLES

Refer to pages 50 to 54 for further information, details and examples.
さらなる情報，詳細，実例については50ページから54ページを参照してください。

Please refer any inquiries to us.
どのような質問でも我々にお問い合わせください。

I will have to consult previous records to give you a satisfactory answer.
満足のいく回答を差し上げるため，過去の記録を調べなければならないでしょう。

You can look up most phone numbers in the Yellow Pages.
イエローページでたいていの電話番号を調べることができます。

The orientation was really helpful for new employees.
そのオリエンテーションは新入社員にとって非常に参考になるものでした。

I hope this will be helpful for you.
これがあなたの参考になれば幸いです。

The product brochure you sent me was very informative.
お送りいただいた製品パンフレットは大変参考になりました。

TIPS 「参考までに」は英語で何と言う？

「参考，出典」などを意味する名詞 reference を使った表現も，reference data（参考データ），a reference case [example]（参考事例）のようにビジネスシーンでよく使われます。「参考までに」を意味する for your reference (= FYR) や for your information (= FYI) は省略形で示されることもあります。「相手の参考に」と言う場合は your を使いますが，「自分の参考に」なら our，特定の人を指さない場合は無冠詞で使われます。

Please consider it for your reference only.
ご参考程度にお考えください。

For our information, please let us know your opinion.
参考までに，あなたのご意見をお聞かせください。

Prices are for reference only.
あくまで参考価格です。

We will consider it for future reference.
今後の参考にさせていただきます。

賛成する ≒ 合意する，支持する，同意する

単語	意味	
agree with	人・意見・提案・計画などに	賛成する
agree to	提案・計画などに	同意して受け入れる
agree on	条件・価格などに	合意して決定する
consent to	提案などに〔を〕	同意する，承諾する
assent to	提案・意見などに	熟考の上同意する
be for	～を〔…することに〕	支持する，賛成する

FOCUS

- **agree** は「賛成する」という意味の最も一般的な語。前置詞によって意味が変わる点に注意が必要。後ろに **that 節**を続けて「…という内容に賛成する」という使い方も可能。
- **agree with** は，人・意見・提案・計画などを目的語にとり，「～に賛成する」という意味を表す。to と on は人を目的語にとることはできず，*agree to [on] him* は不可。
- **agree to** は提案や計画に対して「承知する，同意する」という意味があり，accept（～を受け入れる）に近い表現。agree with と違って，agree to は「同意して受け入れる」ことに焦点があり，積極的な賛成を意味しない。
- **agree on** は条件・価格などにおいて「合意する，意見がまとまる」という意味で，「合意したものに決定する」という意味を含む。
- **consent to** は「同意・承諾する」という意味のやや堅い表現。「権限を持つ者が同意して許可する」という意味合いがある。
- **assent to** は提案や考えについて，「十分検討した末に同意する」という意味の堅い表現。
- **be for** は支持を示す表現で，主に話し言葉で用いられる。反意語は be against。

EXAMPLES

Both parties agreed that the property would have to be renovated.
双方ともその物件は改装する必要があるという意見で一致しました。

I completely agree with you on this topic.
私はこの議題について全面的にあなたに賛成です。

The consortium agreed to our proposal unanimously.
その共同事業体は全会一致で我々の提案に同意しました。

I hope we can agree on a reasonable price.
手頃な価格で折り合いがつくことを希望しています。

The supplier consented to our request to accelerate procurement.
その供給業者は調達を急ぐようにという我々の要求を承諾しました。

They would not assent to the terms we proposed.
彼らは我々の提示した条件に同意しない可能性があります。

Are you for or against the plan?
あなたはその計画に賛成ですか，反対ですか。

TIPS 賛成の程度を示す表現

日本語は「…なので賛成です」と【結論が後ろに来る】傾向がありますが, **英語は【結論が先に来る】**言語です。結論を後回しにすると，聞き手はあなたが「賛成なのか」「反対なのか」を推測しながら話を聞かなければなりません。意見を述べる際は，次のような表現を使って**初めに自分の立場を明確にする**ようにしましょう。

全面的に賛成	I completely agree with you.
賛成	I agree with you.
おおむね賛成	I generally agree with you. / I agree in principle with you.
部分的に賛成	I partly agree with you.

if や **except for A**（A を除いて）を使って具体的な条件を示すことも可能です。

I agree on the contract if we can make a compromise on the deadlines.　期日について折り合いがつけば，その契約に合意します。

I agree on the contract, except for article 7 about termination of the agreement.　契約終了に関する第 7 条を除いて，その契約に合意します。

仕事 ≒ 職業，任務

単語	意味	
work	（広い意味で）	仕事，作業，労働，職場
job	具体的な〔従事する〕	仕事，職
task	義務として課せられた	仕事，業務
assignment	各人に割り当てられた	仕事，任務
business	① 規模の大きい	商売，事業，営業
	② 遊びに対して	仕事，商用
occupation	（公文書などで）	職業，仕事，職種

FOCUS

▶ **work** は広く「仕事」全般を指す。「働くこと」や「職場」という概念を表す不可算名詞なので，*a work* / *two works* とは言わない。なお, work には「工事」や「作品」などの意味もある。その場合は可算名詞で，road works（道路工事），works of art（芸術作品）のように複数形で用いることもある。

▶ **job** は「具体的な 1 つの仕事」を表す。可算名詞なので have two jobs（2 つの仕事をかけ持ちしている）といった使い方もできる。ややくだけた語で，話し言葉で好んで使われる。

▶ **task** は「義務として課せられた仕事」を表す。job よりも堅く，難易度や緊急性を表す語とともによく用いられる。

▶ **assignment** は assign（人に～を割り当てる）の名詞で，「組織的な仕事の一環として, 各人に割り当てられた任務」を表す。「割り当て, 配属」の意味もある。

▶ **business** は「商売，事業」などの概念を表すことが多い。この意味では不可算名詞で，have *one's* own business（自営業を営む），publishing business（出版業）のように使われる。また，on business（仕事で，商用で），a business trip（出張）のように「遊び」に対して「仕事」を表す際にも使われる。

▶ **occupation** は「職業」に当たる語で，公的な書類でよく目にする。

EXAMPLES

We have a lot of work to do this week.
今週はやらなければならない仕事がたくさんあります。

Are you still looking for work, or have you found a job?
まだ仕事を探していますか，それとも見つかりましたか。

I got a job offer from a foreign-affiliated company.
私は外資企業から仕事の依頼がありました。

It is my job to check the printer paper and add some if necessary.
プリンターの用紙を確認し，必要があれば補充するのが私の仕事です。

How did you manage to accomplish such a challenging task? それほど困難な業務をどのようにして遂行したのですか。

The journalist is on assignment in Canberra until next year.
そのジャーナリストは来年まで仕事でキャンベラにいます。

The manager is out of town on business for two days.
部長は出張で２日間不在です。

What is your current occupation?
現在の職業は何ですか？

TIPS 「仕事」に関するよくある間違い

職業について話す際，***My job is a sales clerk***. のように言ってしまう間違いが多いのですが，job は具体的な業務を指すので，「店員」という職種を表すのには用いません。my job に対応するのは具体的な業務内容が自然です。そのため，**it is my job to *do* ...** で「私の仕事は…することです」という表現が適切です。

I am a sales clerk. It is my job to sell fire extinguishers to businesses and stores.
私は販売員をしています。消火器を企業や店舗に販売するのが私の仕事です。

また，「仕事」に関する基本的な慣例表現は正しく覚えておきましょう。

- ☐ **go to** work（仕事に行く）
- ☐ **arrive at** work（出勤する，職場に着く）
- ☐ **leave** work（退勤する，退社〔離職〕する）
- ☐ **on my way home to [from]** work（仕事へ向かう〔から帰る〕途中に）
- ☐ **find [get]** a job（就職する）
- ☐ **change** jobs（転職する）

さ

実施する ≒ 行う，開催する，提供する

単語	意味	
carry out	計画・約束・研究・実験などを	行う，遂行する
conduct	実験・調査などを	行う，実施する
perform	仕事・義務を	遂行する，行う
implement	計画・契約・政策・法律などを	実行する，履行する，施行する
hold	会議・イベント・式典などを	催す，開く，行う
offer	製品・サービスなどを	提供する

FOCUS

- **carry out** は「実行する」の意味で広く日常的に使われる言葉で,「物事を計画・指示に沿って成し遂げる」ことを表す。
- **conduct** は「実験・調査を行う」という意味では carry out とほぼ同義だが，書き言葉ではより堅い conduct が好まれる。conduct は「事業を行う」「(曲)を指揮する」などの意味もあり,「先導して物事を行う」という意味合いがある。
- **perform** は「難易度の高いことを成し遂げる，義務を果たす」という意味。**implement** は政治・法律・経営戦略などの場面でよく使われる。perform と implement はいずれもやや堅い語で，日常的には carry out が使われる。
- **hold** は「会議・イベントなどを行う」ことを意味する。
- **offer** は「サービスなどを提供する」という意味があり，目的語に training（訓練），treatment（治療），consultation（相談），education（教育）のような語を伴う。offer a 15% discount（15% の割引を実施する）のように，割引価格を提示する場合にも使われる。

EXAMPLES

They carried out the plan as scheduled.
彼らは予定通りに計画を実行しました。

The watchdog periodically carries out an inspection of the plant. その監視機関が定期的に工場の点検を実施しています。

I am in charge of conducting a survey of specialty bike shops. 私は自転車専門店の調査を行う担当です。

I heard their experiment was performed successfully.
彼らの実験は成功したと聞きました。

The reforms will be implemented as soon as the law takes effect. その法律が発効したらすぐにその改革は実施されるでしょう。

Some of the members are holding a barbecue on Saturday.
何人かのメンバーが土曜日にバーベキューをする予定です。

The museum offers a discount to large groups of 15 visitors or more.
その博物館では，15 人以上の大人数の団体に割引を実施しています。

さ

TIPS 物を主語にした受動態を使いこなす！

hold は，主語と動詞の対応を間違いやすいので注意しましょう。人・会社など「開催する主体」が主語なら【能動態】, イベントなど「開催されるもの」が主語なら【受動態】になります。活用は hold-held-held で，過去形・過去分詞は同じ形です。

We hold a regular meeting on Thursdays.
私たちは木曜日に定例会を開いています。

A regular meeting is held on Thursdays.
定例会は木曜日に開かれています。

なお,【受動態】は〈主語＋ be 動詞＋過去分詞＋ by ～〉で覚えている方も多いと思いますが，実際は by を使って動作主を明示することは多くありません。なぜなら,【受動態】は「何が…されるか」を伝えたいときに使うもので,「誰によって」という情報は明らかだったり，伝える必要がなかったりする場合が多いためです。「誰が…しているか」に重きを置く場合は【能動態】を用います。

A 15% discount is being offered this weekend.
今週末は 15% 割引を実施中です。

Austin Department Store is offering a 15% discount this weekend.
オースティン百貨店は今週末，15% 割引を実施中です。

習慣 ≒ 慣習，癖

単語	意味	
habit	個人の（無意識の）	習慣，癖
custom	社会的・文化的な，個人の	しきたり，慣習，風習，習慣
practice	社会的な，個人的な	慣例，習慣
convention	社会の伝統的な	しきたり，慣習，因習

FOCUS

a habit of drinking coffee

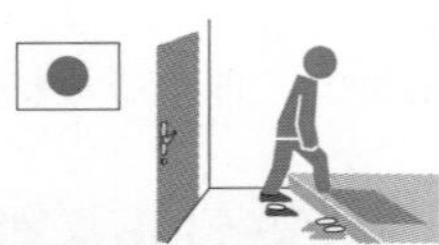

the custom of taking off shoes

▶ **habit** は「無意識の癖」あるいは「意識せずに行えるくらい定着している習慣」を表す。「個人的習慣」のみを表し，「社会的慣習」には使えない点に注意が必要。

▶ **custom** は，the custom of taking off shoes indoors（室内で靴を脱ぐ習慣）のように「社会的・文化的な慣習，しきたり」を指す。*one's* custom で「個人的習慣」という意味も表せるが，やや堅く，*one's* habit と言うのが普通。

▶ **practice** は意識的に行われる「社会的慣例」「個人的習慣」を表す。やや堅い語で，business practices（商習慣）のように社会上・宗教上・ビジネス上の慣例を表す際によく使われる。

▶ **convention** は custom より改まった語で，特定の社会において多くの人が正しい・標準的とみなしている「伝統的なしきたり」を指す。

EXAMPLES

She has the habit of eating two meals a day.
彼女は１日２食が習慣になっています。

He broke his habit of staying up late at night.
彼は夜更かしの習慣を断ち切りました。

It is a custom in Japan not to wear slippers on tatami mats.
日本では畳の上ではスリッパを履かないことが慣習となっています。

So many countries, so many customs.
国の数だけ慣習があります。

It is common practice for banks to close at three.
銀行は３時に閉店することが慣行となっています。

It is difficult for many people to flout convention.
慣例を無視することは，多くの人にとって難しいことです。

Table seating is generally determined by tacit convention.
席順は一般的に暗黙のしきたりによって決定されます。

Social conventions play a central role in everyday life.
社会的慣習は日常生活で中心的な役割を果たしています。

TIPS 「習慣」「慣例」に関するコロケーション

「習慣」や「慣例」に関係する表現を確認しましょう。

- ☐ **have** the habit [custom] of *doing*：…する癖〔習慣〕がある
- ☐ **be in** the habit of *doing*：…する癖〔習慣〕がある
- ☐ **break** a habit of *doing*：…する癖をやめる
- ☐ **make it a rule** to *do*：…するようにしている，…する主義である
- ☐ **out of** habit [**by** habit]：習慣で，いつもの癖で
- ☐ **as is** *one's* habit：習慣で，いつもの癖で

- ☐ **follow** a custom：慣例に従う
- ☐ **keep up [observe]** a custom：慣例を守る〔尊重する〕
- ☐ **flout [discard]** a custom：慣例を軽視する〔無視する〕
- ☐ **according to** custom [convention]：慣習に従って〔基づいて〕
- ☐ **customarily [typically]**：慣例的に，慣例上

従業員 ≒ 社員，職員

単語	意味	
worker	仕事に従事する	労働者，職員，社員
employee	会社・組織などの	従業員，社員
staff	（集合的に）会社・組織などの	職員，社員，従業員
personnel	（集合的に）官庁・会社などの	職員，人員，人材

FOCUS

▶ **worker** は「働く人」全般を表し，文脈によって「労働者，職員，社員」などさまざまな意味で使われる。the workers（通例複数形）は，経営者と区別して「労働者（階級）」を表す語としても使われる。

▶ **employee** は employer（雇用者）と対になる語で，特定の会社や組織に雇われている「従業員，一般社員」を指す。

▶ **staff** は「会社・組織などで働く職員」を表すが，worker や employee と違って，集団を表す語であることに注意。a staff は「職員の一集団」を表し，a staff of 10 people（10人の職員）のように使う。「スタッフのうちの1人」を指す場合は *a staff* ではなく，a staff member，a member of staff と言う。

▶ **personnel** は staff 同様，「職員」を集合的に指す語で，官庁・会社などの「人員，人材」を意味する。形容詞化し，「人事の，人材の」という意味で personnel department（人事部），personnel development（人材開発）のように用いられることもある。

EXAMPLES

How many part-time workers are there in your office?
あなたの職場には何人のパートタイム社員がいますか。

The construction workers put up a sign reading, "unauthorized access prohibited."
建設作業員は「無断立入禁止」と書かれた看板を立てました。

The employees attended an explanatory lecture on the features of the new projector.
従業員は新しいプロジェクターの機能についての説明会に参加しました。

The company I work for has about 50 employees in its headquarters.
私が働いている会社の本社には約 50 人の従業員がいます。

The department's staff has gradually increased over the last several years.
その部門の職員はこの数年間で徐々に増えてきました。

I am a member of the accounting staff.
私は会計部門のスタッフです。

If you have any questions, talk to a member of staff.
ご質問のある方は，スタッフまでお声かけください。

We are reviewing the personnel costs of each department.
我々は各部署の人件費を見直しています。

TIPS　staff は単数扱い？　複数扱い？

「スタッフ」は日本語でも広く使われていますが，慣れ親しんでいる分，使い方を間違いやすい語でもあります。staff が主語になる場合の述語動詞について確認しましょう。

staff は**原則単数扱い**で，the staff **is [was]** ... となります。ただし，特にイギリス英語では，「スタッフの中の1人1人」を強調する場合には複数扱いとし，the staff **are [were]** ... のように言うこともあります。その場合でも，staff に続く動詞が複数扱いになるというだけで，*staffs* のように staff 自体が複数形になることはありません。

Our staff is trained to help you.
弊社のスタッフは（全員），あなたをお手伝いするための研修を受けています。

Our staff are happy to help you.
弊社のスタッフ（1人1人）が，喜んであなたをお手伝いいたします。

修正する ≒ 改訂する，更新する，訂正する，見直す

単語	意味	
revise	① 意見・予測・価格などを	見直す，変える
	② 文書・原稿・書物・法律を	修正する，改訂する，改正する
correct	① 誤りなどを	訂正する
	② 作文などを	添削する
amend	① 憲法・法律を	改正する
	② 文書・発言などを	訂正する，改良する
modify	計画・意見などを	一部変更する
update	① 情報などを	更新する
	② 人に	最新情報を与える

FOCUS

▶ **revise** は「修正する」を表す一般的な語。新たな情報や状況の変化を考慮して，意見などを変えることを表す。数値予測や価格を見直して修正する，文書などを加筆修正する場合にも使われる。なお，**review** にも「見直す」という意味があるが，こちらは「再検討する」という意味にとどまり，「修正する」という意味は含まない。

correct

▶ **correct** は，同じスペルの形容詞 correct が「正確な」を意味する通り，「正しい状態に修正する」ことを表す語。「誤りを訂正する」「文書を添削する」「歯・視力などを矯正する」などの意味がある。

▶ **amend** は revise より堅い語で，特に法律絡みで使われることが多い。名詞形 amendment（原則大文字 Amendment）は「（米国憲法の）修正条項」を表す。

▶ **modify** は，大きな変更ではなく「改良のために部分的に変更する」ことを表す。

▶ **update** は，「データなどを更新する」という意味があるほか，人を目的語にとり，「最新情報を与える」という意味を表す。また，名詞で「最新情報，最新版」という意味もある。

EXAMPLES

I guess we will have to revise our opinion on the matter.
我々はその問題についての意見を修正しなければならないでしょう。

I would like you to have a look at my paper and correct the mistakes, if there are any.
私のレポートをご覧になり，もし間違いがあれば訂正をお願いいたします。

The law was amended to include the protection of personal information.
個人情報の保護を盛り込むように法律が改正されました。

We amended the paragraph by making a few minor changes.
いくつかの細かい変更を加えて，その段落を修正しました。

Would it be possible to modify the rental agreement?
その賃貸契約を一部変更することは可能でしょうか。

Can you keep me updated on progress?
進捗について，私に最新情報を逐次報告してもらえますか。

I will update you as soon as I receive the statistics.
その統計データを受け取り次第，あなたにご報告します。

TIPS 「原稿」や「修正版」は英語で何と言う？

書類や制作物は，確認と修正を繰り返して内容を確定していきますね。最初に作る「下書き，草稿」は **draft** と言います。「絵やイラストの下書き」には **rough** が使われます。和英辞典で「原稿」と引くと **manuscript** も出てきますが，これは「本や雑誌に載せる原稿」を表します。

次に，「修正版，改訂版」は **revised [modified] version** や **update** と言います。複数回修正を重ねる場合，**estimate v. 1.1**（見積もりバージョン 1-1）のように数字で管理することもあります。1.1 であれば，最初に出した「見積もり 1」に若干修正を加えたものを表します。そうして修正を重ね，**final version**（最終版，確定版）に辿り着きます。

Can you prepare a revised estimate by the end of the week?
週末までに見積書の修正版を用意できますか。

Thank you for checking the draft. I have attached an update.
草稿のご確認ありがとうございました。修正版を添付しています。

十分な ≒ 適当な，必要な，満足できる

単語	意味	言い換え
enough	数量的に必要なだけの	十分な，事足りる
sufficient	数量的に必要なだけの	十分な，事足りる
adequate	① 量的または質的に十分な	見合った，適当な
	② 知識・行いなどが満足できる程度の	まずまずの，まあまあの

FOCUS

▶ **enough** は「ある目的のため，必要最低限な数量がある」ことを表し，3つの語の中で最も日常的によく使われる語。**enough for A**（A に十分な），**enough to *do***（…するのに十分な）で，「何をするのに十分か」という目的を表すことができる。

▶ **enough** には「十分に」という副詞の用法もあり，〈形容詞・副詞＋ enough〉（…するのに十分なだけ～）もよく使われる。

▶ **enough** は名詞を修飾する場合，可算名詞の複数形または不可算名詞とともに用い，可算名詞の単数形と一緒には使えないことに注意。例えば「予算」を意味する budget は可算名詞のため，「十分な予算」は *enough budget* ではなく *enough budgets* となる。しかし，budgets は「複数の企業・部署のそれぞれの予算」を想起させるため，単一の予算について言う場合は形容詞 large と組み合わせて large enough budget とするのが自然。

▶ **sufficient** は enough より改まった語で，反意語は insufficient，副詞は sufficiently。

▶ **adequate** は「ある目的のために，量的・質的に十分な」を意味する。「数が十分な」の意味はなく，複数名詞の前には用いない。「（知識・行いなどが）まあまあの，辛うじて要求を満たす」という意味もあわせ持つ。この場合は，後ろに否定的な内容を伴うことが多い。反意語は inadequate，副詞は adequately。

▶ よりくだけた表現として，会話では will do という表現も使われる。「（最低限）それでいい」という意味で，That will do for now.（とりあえずそれで十分です。）のように使う。

EXAMPLES

Is a 90-minute layover enough to change planes at Helsinki Airport?
ヘルシンキ空港での飛行機の乗り継ぎには90分あれば十分でしょうか。

There were not enough chairs and tables in the conference room.
会議室には，十分な数の椅子とテーブルがありませんでした。

We do not have enough money to develop a brand-new product.
まったく新しい製品を開発するのに十分な資金がありません。

The small meeting room will be large enough for our team.
我々のチームには，小会議室の広さで十分でしょう。

There is sufficient evidence to prove the statement.
その陳述を証明するのに十分な証拠があります。

The company has already provided adequate information to the shareholders.
その会社はすでに株主に対して十分な情報を与えていました。

His presentation was adequate but it lacked originality.
彼のプレゼンテーションはまずまずでしたが，オリジナリティに欠けていました。

TIPS 「有り余る」「申し分のない」は enough では表せない

左ページで取り上げた語は，あくまで「必要なだけの」という意味しか持っていません。そのため，「有り余るほどの，申し分のない」という意味で「十分な」と言いたいときには，enough では‘不十分’です。次の形容詞もあわせて確認しておきましょう。

◆ a large enough budget：（必要なことができる）十分な予算
⇔　a generous budget：潤沢な予算
⇒ generous は「豊富な，惜しみない，寛大な」という意味。time（時間），money（お金），space（空間），amount（量），support（支援）などの語に使うことができます。

◆ adequate service：（要求を満たす）まずまずのサービス
⇔　satisfying service：満足のいくサービス
⇒ satisfying には「満足のいく，納得感のある」といったポジティブな意味があります。answer（回答），result（結果），proposal（提案）など，可算・不可算を問わずさまざまな名詞に使うことができます。

重要な ≒ 貴重な，大切な，不可欠な

単語	意味	言い換え
important	価値・効果・影響力などがあり重要なこと	大切な，重要性の高い
essential	根本的・本質的で欠かせないこと	不可欠な，必須の
vital	何かが存在〔機能〕するのに欠かせないこと	不可欠な，極めて重要な
significant	人目を引くほど影響力や価値があること	意味のある，著しい
valuable	有用性が高く，価値があること	貴重な，非常に役立つ

FOCUS

▶ **important** は「重要な」を表す最も一般的な語。特に話し言葉では他の語より使われる頻度が高い。「(人が) …することが重要だ」と言う場合，It is important (for ＋人) to *do* ... の構文がよく使われる。

▶ **essential** と **vital** は necessary（必要な）に意味が近く，「それがなくては問題が生じるほど根本的で不可欠な」ことを表す。この 2 つの語はほぼ同様に使うことができるが，「生命」を原義とする vital にはより強い響きがあり，「懸念があってそれが必要だ」あるいは「極めて重要だ」と主張するような場合に適している。単に何かが「必須である」ことを伝える場合はより客観的な essential が適している。

▶ **significant** は，「意義深く注目に値する」という意味。主に書き言葉で，統計などに基づいて客観的に述べる際などによく用いられる。

▶ **valuable** には「金銭的な価値がある」という意味があるが，有用性・重要性・質などの面から見て「大きな価値がある」という意味でも使われる。情報や助言，経験などが大変役に立ち，貴重であることを表す場合に適している。

EXAMPLES

Please check the important notice regarding repair work at the end of this bulletin.
この掲示の最後にある改修工事についての重要なお知らせを確認してください。

To avoid any damage, it is important to follow the manufacturer's instructions.
損害を防ぐためには，メーカーの使用説明書に従うことが大切です。

It is essential for a businessperson to be punctual.
ビジネスマンにとって時間を厳守することは必須です。

His cooperation proved essential for the success of the project.
彼の協力がこのプロジェクトの成功に不可欠であることがわかりました。

The ability to communicate in several languages is vital to the job.
数カ国語でのコミュニケーション能力が，その仕事には大変重要です。

Working abroad is probably the most significant experience in my life.
海外で働くことは，おそらく私の人生で最も意義のある経験です。

We have seen a significant increase in the number of foreign tourists.
外国人旅行者数の著しい増加を目の当たりにしています。

Human resources are a valuable asset to any company.
人的資源は，どんな会社にとっても貴重な資産です。

TIPS 重要性を強調する語句

重要性を強調したい場合，それぞれ以下のようなコロケーションが比較的よく見られます。

☐ **very** important　☐ **absolutely** essential [vital]
☐ **highly** significant　☐ **highly** valuable

vital はそれ自体が「極めて重要」という意味で，very の意味を含んでいるので，very で修飾することはありません。essential も very のような「程度」を表す語で修飾できない形容詞の1つです。理由については，p.257 の TIPS を確認しましょう。

さ

修理する ≒ 修復する

単語	意味	
repair	① 車・機械・道路・建物などを	修理する，修繕する
	② 関係・状況などを	修復する
mend	① 衣類・靴・家具などを	修繕する，修理する
	② 関係・状況などを	修復する
fix	物を	修理する，修繕する

FOCUS

repair

- **repair** は車・機械類・建物など，比較的複雑で専門的な技術を必要とする修理を表す。「修理，修復」を意味する名詞も，動詞と同じつづり。
- **mend** は衣類・靴・椅子など，比較的簡単な構造の物の小さな穴・破れなどの修繕に用いる。イギリス英語では時計など機械の修理にも用いるが，アメリカ英語ではこの意味では用いない。
- repair も mend も，物を修理するだけでなく「関係・状況などを修復する，改善する」という意味でも使われる。
- **fix** はさまざまな物の修理に広く用いることができる。ややくだけた印象で，特にアメリカ英語でよく使われる。fix には他にもさまざまな意味があり，p.114 では「決定する」の意味を取り上げている。

EXAMPLES

How long will it take to repair the copy machine?
コピー機の修理にはどのくらい時間がかかりますか。

We asked the company to repair our broken air conditioner.
私たちは壊れたエアコンの修理をその会社に頼みました。

I had to mend the fence and paint it after the storm.
私は嵐のあと，フェンスを修理してペンキを塗らなければなりませんでした。

Put a high priority on repairing [mending] the relationship with Cross Company.
クロス社との関係修復の優先度を高くしてください。

I had my watch fixed at the shop on 5th Avenue.
私は腕時計を５番街の店で修理してもらいました。

Can you fix my shirt, please? The button came off.
シャツの補修をしてもらえますか。ボタンが取れてしまいました。

さ

TIPS 「故障している」を意味する２つの表現

「壊れている，故障している」という意味を表す代表的な表現は **broken** と **out of order** です。この場合の order は「注文」や「命令」ではなく，「正常な状態」を指します。out of は「～から離れて〔外れて〕」という意味。つまり, out of order は「異常な，不具合のある」という状態を表し，それにより「サービスを停止している」という意味を含んでいます。

◆ **broken**：個人の持ち物が「壊れている」場合に使う
例）自転車，パソコン，プリンター，時計，コップ　など

◆ **out of order**：公共の物が「故障している」場合に使う
例）電車，バス，信号，エレベーター　など

つまり，エレベーターや機械に out of order と貼り紙がされていたら,「調整中」ということです。故障・不具合などの原因に限らず，単に「サービスを停止中の」と言う場合，out of service もよく使われます。

The electric signboard in the station is out of order.
駅の電光掲示板は調整中です。

主張する ≒ 強調する，断言する

単語	意味	
argue	自らの意見を…だと	筋道立てて主張する
insist	事実・権利・要求などを…だと	強く繰り返し主張する
assert	事実・正当性などを…だと	断言する
claim	疑いに対して…だと	言い張る
stress	重要な部分を…だと	強調する

FOCUS

- ▶ **argue** は，筋道立てて理由や証拠を挙げ，自分の意見を「…だと主張する」と言う場合に使う。自動詞の用法もあり，**argue for [against] A** で「A に賛成〔反対〕の主張をする」という意味。**argue with A**（A と言い争う）あるいは **argue about A**（A について言い争う）という使い方もあるが，この場合，口論のニュアンスがある。
- ▶ **insist** は「強く執拗に言い張る」という意味で，議論で相手に反論するような場合によく用いられる。名詞を続けるときは **insist on A** で表す。
- ▶ **assert** は「確信を持って断言する」という意味。客観的な証拠はなく，個人的な信念に基づいているニュアンスがある。
- ▶ **claim** は「確かな証拠がないことでも主張して譲らない」ことを表す。claim a full refund（全額払い戻しを要求する）のように名詞を続け，「当然の権利として要求する」という意味もある（p.316 も参照のこと）。
- ▶ **stress** は emphasize（～を強調する）とほぼ同義で，話や文章の中で重要な部分を強調することを表す。

EXAMPLES

He argued that a facial recognition system would be more secure.
彼は顔認証システムはより安全性が高いだろうと主張しました。

She argued against filing the complaint to the court of law.
彼女は裁判所に提訴することに反対の主張をしました。

They argued about the matter after the meeting.
彼らは会議のあと，その問題について言い争っていました。

They insist that their software is superior to their competitors'.
彼らは自分たちのソフトウェアは競合他社のものより優れていると主張しています。

The section chief insisted on inviting the owner to the party.
課長はパーティーにオーナーを招待すると言い張りました。

She asserted that an orange background would be better for the billboard.
彼女はその広告看板にはオレンジ色の背景のほうが良いと断言しました。

She seems to claim that compensation for damages was unwarranted.
彼女は，損害賠償は不当だったと主張しているようです。

The chairperson can claim the right of veto in the general assembly.
総会では議長は拒否権を主張できます。

I must stress that everything mentioned in the meeting is strictly confidential.
会議で取り上げられたことすべてが極秘情報であることを強調しなければなりません。

状況 ≒ 事情，状態，調子

単語	意味	
state	特定の時点の人・物事の	状態
condition(s)	① 特定の時点の人・物事の	状態，調子
	②（複数形で）周囲の	状況
situation	① 特定の時点・場所における物事の	状況，情勢
	② 人が置かれた	立場，境遇
circumstance(s)	（複数形で）行動・出来事に影響を及ぼす，周囲の	状況，事情
status	推移する物事の，特定の時点における	状況，情勢

FOCUS

- **state** と **condition** はある時点の「人の心理的，物理的な状態」や，「物事の状態，情勢」を表し，ほぼ同様に使われる。condition は人の健康状態という意味もある。体調については be in good [bad] shape もよく使われる。
- **situation** と **circumstance(s)** はどちらも「状況」という意味だが，situation は「人が置かれた一時的な状況」を述べる場合に適し，circumstance(s) は「人の行動や出来事に影響を及ぼす周囲の状況」を述べる場合に適している。
- 複数形の **conditions** も「周囲の状況」という意味で situation や circumstances と同様に用いることができる。
- **status** は payment status（支払い状況），registration status（登録状況）など，状況が推移することが前提となる物事について，それが「特定の時点でどうなっているか」を表すのに用いる。

EXAMPLES

After the earthquake, the whole region was in an awful state. 地震のあと，その地域全体が悲惨な状態でした。

The property may be reasonably priced, but its condition leaves much to be wished for.
その物件は手頃な価格かもしれませんが，まだまだ望み通りの状態とは言えません。

We can inform you that the merchandise has arrived in good condition.
商品が良好な状態で到着したことをお知らせいたします。

The market situation is actually more complex than it may seem.
市況は，実際は見かけよりさらに複雑です。

We are not in a situation where we can afford to wait.
私たちは待つ余裕がない状況です。

The circumstances under which the merger was carried out were not clear.
その合併が行われた事情は明らかではありませんでした。

To ensure a smooth transition, we must take every possible circumstance under consideration.
移行を円滑に行うために，我々はあらゆる状況を考慮しなければなりません。

Click here to confirm your registration status.
登録状況を確認するには，こちらをクリックしてください。

TIPS 状況を尋ねる・報告する表現

状況を尋ねるとき，会話でよく使われるのが **How is everything going?** という表現です。everything は，仕事や生活の状況，体の調子や気分などを指しており，「どんな状況ですか」という確認や「調子はどうですか」という挨拶として使われます。

答えるときも，万事順調なら everything が使えます。何か問題が生じているときは，**not work well**（うまくいっていない），**have trouble with**（～に問題がある）などの表現が使えます。

How is everything going? — We are having trouble with a new application.
順調に進んでいますか。— 新しいアプリケーションに問題があります。

I heard a printer is not working well, but I don't know the details.
プリンターが不調だと聞いていますが，詳細は不明です。

Everything is going as planned [according to plan].
すべて予定通りに進んでいます。

条件 ≒ 資格，要件

単語	意味	
condition	物事が成り立つための	（必要）条件
term(s)	① 支払いの	条件
	② 契約などの	条件，条項
requirement	何かをするのに必要な	条件，資格

FOCUS

- **condition** は「条件」を表す一般的な語。法律・契約上の条件以外にも，物事が成り立つのに必要な条件を広く表すことができる。
- **term** は複数形 terms で，契約・規約などにおける「支払いに関する条件」を表す。また，契約・条約に関する文脈で「条項」という意味でも使われる。
- サービスを利用するときに目にする **terms and conditions**（**of** ～）は，利用規約や支払いに関する諸条件を記載したものである。
- **requirement** は「要求」という意味があることからもわかるように，何かをするために規定に基づいて要求される条件を表す。requirements for membership（入会資格），job requirements（職務要件），design requirement（設計要件）のように使われる。

EXAMPLES

The insurance policy is valid only if its conditions are met.
その保険証券は（必要な）条件が満たされている場合のみ有効です。

They agreed to extend the deadline on condition that we finish the work by Monday.
我々が月曜日までに仕事を完了させるという条件で，彼らは締切の延長に同意しました。

Accommodation fees vary according to the season and the terms.
宿泊費は季節や条件に応じて変動します。

Under the terms of the agreement, I will start working on the 25th.
契約の条件に基づいて，私は25日から仕事を始める予定です。

Are there any other terms and conditions set forth?
何か他の条件が明記されていますか。

Extensive experience with programming is one of the job requirements.
プログラミングについての豊富な経験が職務要件の1つです。

Candidates must meet the requirements for eligibility listed in the attachment.
応募者は添付書類に挙げられた資格要件を満たしていなければなりません。

TIPS 「条件」に関するコロケーション

上記の例文でも使用されていますが，よく一緒に使われる言葉の組み合わせ（コロケーション）を紹介します。「条件を満たす」と言う場合は，**meet / fulfill / satisfy** などを使います。「条件が整う」と言う場合は the conditions **are met** のように受動態もよく用いられます。

「条件に従う」は **follow / comply with / be in accord with** などを使います。accord には「一致」という意味があります。**according to** は「（出典）によると」の意味がよく知られていますが，「（約束・計画）に従って」あるいは「（条件）に応じて」という意味もあります。

また，「条件付きで」と言う場合は，**under the conditions of**（～の条件下で）や **on condition that SV**（…という条件で）などの表現が使えます。

商品 ≒ 品物，製品

単語	意味	
goods	販売されている	商品（の集合）
merchandise	販売・取引するための	商品（の集合）
product	販売用に生産された	（個々の）製品，商品
item	（最小単位としての）	（個々の）商品，品物， アイテム，品目

FOCUS

- **goods** は「商品（群）」を表す最も日常的な語。個々の商品ではなく，travel goods（旅行用品）のように商品全体を集合的に指す場合に用いる。*two goods* などと具体的な数を示すことはできないが，many goods や some goods と表すことはできる。

- **merchandise** は goods と同様の意味で用いられるが，やや堅い語で，売買や取引の文脈に適している。

- **product** は「（個々の）製品」を表す語。goods が消費者側を意識した語であるのに対して，product は生産・販売者側を意識した語である。例えば「当社の商品」のように言う場合，our product(s) とするのが一般的。

- **item** は「（個々の）商品，品物，アイテム」を指して，product や goods の代わりに日常的によく使われる語。製造・販売の文脈では，いくつか種類のあるラインナップ上の最小単位（品目）を表すことができ，product よりも小さい商品単位を表す場合に適している。

EXAMPLES

The store provides a full range of household goods.
その店ではあらゆる家庭用品を提供しています。

Sporting goods can be found on the second floor, next to the escalator, ma'am.
スポーツ用品は２階のエスカレーターの隣にございます，お客様。

I am inquiring some goods [merchandise] in the catalog I have just received.
たった今受け取ったカタログに載っている商品について伺いたいのですが。

Dresden Inc. is in charge of the product design.
ドレスデン社は製品デザインを担当しています。

New entrepreneurs face the obstacle of finding the right product to sell online.
新しい起業家たちは，オンライン販売に適した商品を探す困難に直面しています。

Sales of items for which the price was reduced have been brisk. 値下げされた商品の売れ行きは好調です。

We need a few office supplies, you know, items like ink cartridges and copy paper.
私たちはいくつかのオフィス用品，ええと，インクカートリッジやコピー用紙のようなものを必要としています。

TIPS 「商品」に関連する表現

商品に関して，顧客向けの言い回しや，社内でよく使う表現を紹介します。

◆**顧客向け**

☐ product **line-up**（商品ラインナップ）
☐ new arrivals（新着商品）
☐ **regular** items（定番商品）
☐ **limited** items（限定商品）
☐ **seasonal** items（季節商品）
☐ **signature** items（看板商品）
☐ **recommended** items（おすすめ商品）
☐ **featured** items（目玉商品）

◆**社内向け**

☐ product appeal（商品の魅力〔訴求力〕）
☐ commercial [market] value（商品価値）
☐ marketability（市場性）
☐ marketable（市場性の高い，売れ筋の）⇔ unmarketable（売れない，需要のない）
☐ product strategy（商品戦略）
☐ product planning（商品計画，商品企画）
☐ product research and development（商品研究開発）

知らせる ≒ 告知する，通知する，伝える，発表する

単語	意味	
tell	事実や情報を	伝える，知らせる
let ＋人＋ know	事実や情報を	知らせる，連絡する
inform	事実や情報を	正式〔公式〕に通知する
notify	事実や情報を	正式〔公式〕に通知する
announce	決定・計画・出来事などを	正式に告知・発表する

FOCUS

▶ **tell** は「情報を伝える」を意味する最も一般的な語。目的語を 2 つ続けてとることができ，〈tell ＋人＋ A〉（人に A を知らせる）あるいは〈tell ＋人＋ that S V〉（人に…だと知らせる）のように用いられる。

▶ **〈let ＋人＋ know〉** は「知らせる」という意味でビジネスでもプライベートでも日常的に使える表現。Please let us [me] know ...（…をお知らせください），I will let you know as soon as ...（…次第お知らせします）など，会話・文書ともによく使われる。

▶ **inform** はやや堅い印象の語。〈inform ＋人＋ of A [that 節]〉（人に A を〔…だと〕通知する）のように用いる。また，〈keep ＋人＋ informed of A〉（人に A の最新情報を逐次知らせる）や，You will be informed that ...（…をお知らせします）のような受け身の定型表現がよく使われる。

▶ **notify** は inform よりさらに堅く，主に会社組織や官庁などで伝達事項を公式に通知することを表す。

▶ **announce** は決定や計画，出来事などを「正式に告知・発表する」という意味。

EXAMPLES

Mr. Sullivan told us (that) he would be transferred to the London branch.
自分はロンドン支店に転勤になるだろうとサリヴァンさんが私たちに言いました。

At the moment, I cannot tell you when the shipment will arrive. 現時点では荷物がいつ到着するかをお伝えできません。

Let me know what you think of your new smartphone.
あなたの新しいスマートフォンについての感想をお聞かせください。

Please let me know what time your plane arrives so I can pick you up at the airport.
空港へ迎えに行くので，飛行機の到着時刻をお知らせください。

We will inform you of the price setting as soon as possible.
できるだけ早く価格設定についてお知らせします。

I was informed that the premises would be closed for renovations. 改修のため，構内が閉鎖されると連絡がありました。

Employees will be notified if there are any errors in the documents they submit.
提出書類に間違いがある場合，従業員に通知されます。

TEX Corp. has announced plans to create more jobs in the Washington area.
TEX 社はワシントン地区でのさらなる雇用創出の計画を発表しました。

TIPS 「お知らせ」を表す名詞

notice：「お知らせ，通知」を表す一般的な語ですが，不特定多数の人々に向けたものを指し，個人宛のものは当てはまりません。例えば，掲示板は **notice board** と言います。より正式な「告知，通達」などの意味では **notification** が使われます。

news：「最近起こった出来事」の意味。テレビ・新聞で扱うニュースはもちろん，I have good news for you.（あなたに良い知らせがあります。）のように単に「新情報」という意味でも使われます。不可算名詞なので，*a news* と言うのは誤りです。

memo：主に「社内向けのお知らせ（を書いた紙）」を指します。日本語の「メモ」に当たる意味でも使われますが，人と情報を共有する意味合いが強く，「(自分のための）メモ，覚え書き」には **note** が使われます。ちなみに「ノート」は **notebook**。日本語と英語で微妙に意味合いの違う言葉には特に注意しましょう。

資料 ≒ 書類，データ，パンフレット

単語	意味	
material	特定の目的のために使う	資料，データ
document	記録や証拠となる	書類，公的な文書
paper(s)	仕事や公的手続きのための	書類，証明書，私的な文書，論文
handout	講演・行事などの	配布資料，プリント
brochure	商品やサービスなどの宣伝・営業用の	小冊子，パンフレット
literature	広告・宣伝用などの	印刷物，チラシ

FOCUS

▶ **material** は「何かを作るための素材」という意味があり，研究・発表・制作などのために必要なデータや資料を表す。

▶ **document** は主に記録や証拠としての「書類」や「(公的な) 文書」を意味する。「添付資料」は an attached document。「～に添付された」と言う場合は，a document attached to the previous e-mail（先ほどのメールの添付資料）のように，document を後ろから修飾する。

▶ **paper(s)** は複数形で，document と同様，仕事や公的手続きのための「書類」の意味がある。また，個人に属する証明書や手紙などの「私的な文書」のほか，「新聞」や「論文」など，さまざまな文書を表す。

▶ **handout** は「配布資料」のことで，日本語の「プリント」を指す。会議・講演の参加者に配る資料や，客に配る商品案内などに広く用いることができる。

▶ **brochure** は「パンフレット」の意味で最も一般的に使われる語。基本的に，写真や絵が入ったカラーのもので，主に宣伝・営業目的で使われる。

▶ **literature** には「チラシ」の意味があり，広告・宣伝用の印刷物のくだけた言い方。

EXAMPLES

How do you suggest that we analyze the material we have collected?
私たちが集めた資料をどのように分析したら良いと思いますか。

What material are you planning to use for your presentation?
プレゼンテーションにどのような資料を使う予定ですか。

Please find the document attached to this e-mail.
このメールの添付資料をご確認ください。

Immigration officers at the airport ask everyone to show their papers.
空港の入国審査官はすべての人に証明書の提示を求めます。

The handout for the reporters answered many of their questions.
レポーターに配られたプリントには，彼らの質問の多くに対する回答が書かれていました。

Product features are listed on page 64 of the brochure.
製品の特徴はパンフレットの 64 ページに掲載されています。

Our sales literature will help the customers with their purchasing decisions.
我々の営業チラシは，顧客が購入を決めるのに役立つでしょう。

TIPS brochure と pamphlet の違い

日本語では，写真などが入った宣伝用の冊子を「パンフレット」と呼ぶことが多いですが，そのイメージに最も近いのは **brochure** です。カラーの写真とともに，複数の商品やサービスが何ページかにわたって紹介されており，主に購入者がそれらを比較検討するのに使われます。冊子はもちろん，１枚の紙が三つ折りになったものを指すこともあります。

brochure

pamphlet という英語もあるのですが，brochure よりも薄かったり小さかったりして，情報量の少ないものを指して使うことが多い語です。詳細情報を載せたものというよりは告知することがメインであることが多いです。ちなみに，-let は piglet（子ブタ），hamlet（小さな村）などと共通の接尾辞で，「小さな」という意味があります。

信じる ≒ 確信する，信用する，信頼する

単語	意味	
believe	言葉・情報などを	本当だと信じる，信用する
believe in	存在・人柄・物事の価値などを	信仰する，信じる
trust	人柄・能力・情報・価値などを，直感的な判断や経験に基づいて	信頼する，信用する
be sure	何かが間違いないことを，主観的な判断に基づいて	確信している

FOCUS

▶ **believe** は，「人の言葉や情報が，本当だと信じる」ことを表す。think（思う，考える）が知識や経験から自分の頭で考えたことを表すのに対し，believe は根拠の有無にかかわらず，確信の強さを強調する。

▶ **believe in** は，神や架空のものの存在を「信仰する」場合や，人柄・考え・方針などの価値を「一時的にではなく継続的に信頼する」ことを表す。

▶ **trust** は直感的な判断や経験に基づき，人柄や能力，判断・助言などの正しさを「信頼・信用する」ことを表す。「自らの期待通りであると信じる」という意味合いがある。

▶ **be sure of [about] A** または **be sure that SV** は「A〔…ということ〕は確かだ」という意味で，話し手の主観的な確信を表す。quite sure とすると確信度が高まる。certain，confident との違いはp.194 を参照。

Z会の通信教育

いつからでも始められます

ビジネス英語

さまざまなビジネスシーンで使える英文Eメールを書きたい方へ

英文ビジネスEメール

Web添削10回　3カ月完成　29,500円(税込・テキスト付)／27,410円(税込・テキスト無)

例文集として評価の高い『英文ビジネスEメール実例・表現1200[改訂版]』をテキストとして使用。課題の状況に合ったメールを作成し、提出します。ビジネス現場での経験豊富な添削者が、語彙・文法だけでなく、読みやすさ・ニュアンスまで考慮して指導。不明点はWeb上でいつでも質問が可能です。「メール作成に時間がかかる」「自分の英語に自信がない」という方のスキルアップにおすすめです。

受講者の声

◎メール作文のハードルが少し下がってきたように思います。テキストをただ読むのと課題に取り組むのとでは、理解の仕方が全然違っていました。仕事でのメール作成が楽になりそうで嬉しいです。

◎同じ意味で何通りも書き方を学習することができて、自分のレベルアップにつながった気がします。

Eメールにとどまらない、実践的なコミュニケーション力を伸ばしたい方へ

実践ビジネス英語 －伝える力を最大化するFunction16－

Web添削4回　2カ月完成　25,500円(税込)

「依頼する」「意見を述べる」「報告する」などのFunction(機能)に基づいたカリキュラム。会議・プレゼンなどのさまざまなビジネスシーンで役立つ、実践的な英語のコミュニケーション力を磨きます。

■「公務員」「簿記」「大学院入試」その他の講座もございます。■

www.zkai.co.jp/ca/

2003

Z会キャリアアップコース

Z会の通信教育

いつからでも始められます

TOEIC® 対策

忙しい社会人も効率的にスコアアップ

■TOEIC® テストAdaptie

弱点をピンポイントで克服するオンライン型講座

●アダプティブラーニングエンジンが、
学習者の状況を分析し、弱点を補う問題を出題します

●本番形式の問題演習で実戦力を高めます

●1回3分から。スマホ対応で、スキマ時間を活用できます

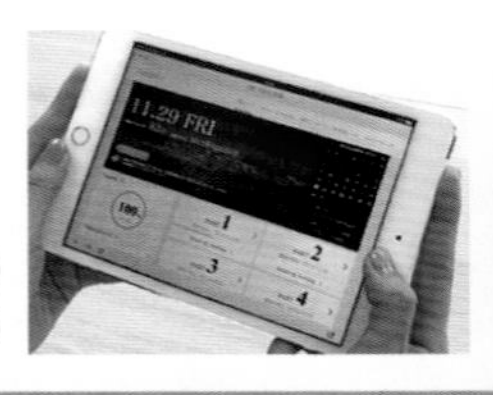

サポート期間:1年間	30,500円（税込）
サポート期間:6カ月	18,500円（税込）

■TOEIC® LISTENING AND READINGテスト 100UPシリーズ

目標達成に必要な項目をカリキュラムに沿って学習する講座

●目標スコアに応じた100点ごとの講座。ポイントを押さえたテキストと動画で効率よく学習。

講座	期間	価格
TOEIC® LISTENING AND READINGテスト 400点突破 100UP トレーニング	3カ月完成	22,000円（税込）
500点突破 100UP トレーニング	3カ月完成	22,000円（税込）
600点突破 100UP トレーニング	2カ月完成	22,000円（税込）
700点突破 100UP トレーニング	2カ月完成	22,000円（税込）
800点突破 100UP トレーニング	2カ月完成	22,000円（税込）

●お得なパック講座もございます

講座	期間	価格
500点突破 徹底トレーニング（400点+500点突破）	6カ月完成	39,600円（税込）
800点突破 徹底トレーニング（600点+700点+800点突破）	6カ月完成	49,500円（税込）

●文法の底上げを図りたい方には…

講座	期間	価格
TOEIC® テスト 動画講義 徹底英文法	2カ月完成	21,000円（税込）

www.zkai.co.jp/ca/

EXAMPLES

It is hard to believe that the headquarters will be relocated overseas.
本社が海外に移転するなんて信じがたいです。

I cannot believe no one noticed that.
誰もそれに気がつかなかったなんて信じられません。

It is more realistic not to believe in miracles.
奇跡を信じないほうがより現実的です。

Should we trust everything advertisements claim?
宣伝文句をすべて信じたほうが良いのでしょうか。

With everything you have prepared, you can be sure of making a convincing presentation.
あなたが準備してきたことを出し切れば，きっと説得力のあるプレゼンテーションができるでしょう。

I am sure that a one-hour layover is sufficient.
乗継時間は1時間あれば十分です。

TIPS 相手を信じて励ます表現

部下や同僚が仕事で悩んでいたら，一言声をかけてあげたいですね。業務を超えたやりとりは，信頼関係を築くきっかけになります。

人柄への信頼を表したいときは **believe in**，能力なども含めて信頼していることを伝えたいときは **trust** が適切です。**believe you** は「あなたの言うことが本当だと信じる」という意味で，in の有無で意味が変わるので，注意が必要です。また，**the right person for ～ [to *do*]** という表現もあります。

I believe in [trust] you.
あなたを信頼しています。

You are the right person for this task.
あなたはこの仕事に最適の人物です。

do it は「できる」，make it は「うまくいく」という意味を表します。下の例文で you can ではなく we can とすれば，一緒に仕事をしている仲間を「私たちならきっとやり遂げられますよ」と励ますことができます。

I am sure you can do it [will make it].
あなたならきっとでき〔うまくいき〕ます。

心配する ≒ 懸念する，不安に思う

単語	意味	
be worried	過去や現在の問題・未来の懸念事項について	心配する，思い悩む
be concerned	人・物の安否，危険や危機に対して	心配する，懸念する
be anxious	不確かなこと，失敗や災難などについて	心配する，憂慮する
be uneasy	特定の状況，特に不測の事態や自分の行動の正否について	不安で気持ちが落ち着かない

FOCUS

- **be worried** は「心配する」の最も一般的な表現で，特に個人的な心配や不安を表すのに適している。
- **be concerned** は be worried より改まった表現で，特に他者や社会に影響を及ぼしかねないことへの不安を表す際に適している。
- **be anxious** は不確かさや，失敗・災難など，悪い結果になるかもしれないという不安を表す場合に適している。be worried よりやや堅い印象で，不安の度合いもやや強い。
- この 3 つのどの表現も，何について心配しているかを表すときは about A や that 節を続ける。なお，**be concerned with A** は「心配，懸念」という感情ではなく「関心を寄せる」という客観的な意味を表す。
- **be uneasy** は特定の状況に不安を感じるという意味。特に，不測の事態が起こるのではないかという不安や，自分の行動が正しかったかどうかわからなくて落ち着かない場合などに適している。
- 上記の語は, be 動詞以外に feel（…だと感じる）と一緒に使われることも多い。

EXAMPLES

Jessica looks sick. I am really worried about her.
ジェシカは具合が悪そうです。彼女のことが本当に心配です。

I am worried that she will refuse the job offer because she will have to move.
引っ越しが必要なため，彼女が仕事の依頼を断るのではないかと心配しています。

Actually, construction companies are really concerned about safety management.
実際のところ，建設会社は安全管理に非常に気を配っています。

We are all concerned about extreme heat.
我々は皆，猛暑を懸念しています。

Harry seems to be anxious about the future of his children.
ハリーは自分の子供たちの将来が心配で気が気でないようです。

It is common to feel anxious before your first presentation.
初めてのプレゼンテーションを前に不安になるのはよくあることです。

He felt uneasy because he had never been on a plane before.
彼はそれまで飛行機に乗ったことがなかったので落ち着きませんでした。

TIPS 「心配しないでください」という表現の使い分け

Don't worry. は文字通り「心配しないで」という意味で，何かを気に病んでいる相手に広く使うことができます。ただし，基本的に単語のみの返答や短い命令文はカジュアルなため，ビジネスシーンでは **Don't worry about it.** としましょう。

上司や取引先に対しては，**There is no need to worry about it.**（それについては心配ご無用です。）と言うとさらに丁寧な印象です。目上の人・外部の人と接する機会が多い人は，一段階フォーマルな表現を押さえておきましょう。

なお，似た表現に **Never mind.** がありますが，こちらは「大したことではないから気にしないで」というニュアンスです。日本語では「ドンマイ」と言いますが，これは和製英語です。Never mind. はお礼やお詫びの気持ちで恐縮している相手に「お気になさらず」と返したり，相手が自分を心配してくれた場合にも使うことができます。いずれの場合も，相手を安心させる理由を一言つけ加えましょう。

Never mind. It was getting old anyway.
気にしないで。どうせ古くなっていたから。　※何かを壊してしまった相手に。

進歩する ≒ 向上する，成長する，発展する

単語	意味	
make progress	人・技能・商売・事態などが	進歩する, 進行する, 前進する
advance	知識・技術・社会などが	発展する，発達する
improve	人・技能・商売・事態などが	以前より良くなる，向上する
develop	人・国・会社・技術・産業などが	（質的に）発展する，成長する
grow	人・国・会社・技術・産業などが	（量的に）発展する，成長する

FOCUS

▶ **make progress** は「少しずつ〔徐々に〕目標・目的の達成に近づく」ことを表し，「進歩する」の意味で広く使うことができる。個人の能力の進歩を表すほか，科学技術の進歩や，計画・仕事などの進展・進捗についても使われる。

▶ **advance** は特に知識や学問の進歩について用い，特定の分野における進歩やその具体的な発展を表すのに適している。

▶ **improve** は「不十分な点が改善され，より良くなる」ことを表す。くだけた言い方では get better と表すことができる。

▶ **develop** は「発展する，進歩する」という意味で広く使える語で，質が良くなること，複雑さを増すこと，事態が進展することなどを表す。経済・産業活動における発展や，人の精神や知能の発達を表すのに適している。

▶ **grow** は develop と多くの場合交換可能だが，develop が主に質的な発達・発展を表すのに対し，grow は数量・規模の増大に焦点を当てることが多い。

▶ advance / improve / develop / grow はそれぞれ「～を発展させる」のような他動詞としての用法もある。

EXAMPLES

The team worked hard to make progress on the development of the new device.
新しい装置の開発を進めるためにそのチームは懸命に作業しました。

You seem to be making progress in the negotiations with Field Enterprise.
あなたはフィールド・エンタープライズ社との交渉を進展させているようですね。

The survey has greatly advanced our knowledge of consumer satisfaction.
その調査によって顧客満足度についての我々の知見は大いに向上しています。

It is getting harder and harder to improve mileage.
燃費を改善することはますます難しくなってきています。

In the future, the company will need to improve labor conditions.
将来的には，その会社は労働条件の改善が必要になるでしょう。

The company developed its business by focusing on overseas customer requests.
その会社は，海外顧客の要望に注力することで事業を発展させました。

How much did sales grow in the fourth quarter?
第４四半期に売上はどのくらい伸びましたか。

TIPS 「キャリアアップ」「スキルアップ」は和製英語！

カタカナ語の中には，日本でしか通じない和製英語もあります。実は，「キャリアアップ」や「スキルアップ」もその１つです。「キャリアアップ」に当たる英語は **career advancement [enhancement]** です。「～の道でキャリアを築く」と言う場合，**build [pursue]** ***one's*** **career in ～** などと表現することができます。

「スキルアップ」については，「自分自身を向上させる，成長する」という意味に当たる **improve** ***oneself*** という表現があります。また，**improve [develop]** ***one's*** **skills** のように言うこともできます。

He has improved himself by reading specialist articles.
彼は専門記事を読んで自己研鑽しています。

I have improved my accounting skills by attending an evening course.
私は夜間講座に通って会計スキルを磨いています。

すぐに ≒ 至急，早く

単語	意味
soon	もうすぐ，近いうちに
as soon as possible	できるだけ早く，早急に
immediately	直ちに，すぐに
right away	直ちに，すぐに
urgently	緊急に，さし迫って

FOCUS

- **soon** は「もうすぐ，近いうちに」を意味する最も一般的な語。漠然としていて時間的に幅のある表現で，緊急度が低い場面で使われる。before long も同じ意味だが，「まもなく」に当たるやや堅い表現。
- **as soon as possible** は「できるだけ早く，早急に」という意味を表す。緊急性はないけれども，優先度を上げてもらいたい場合に適している。
- **immediately** は「即座に，直ちに」を意味し，緊急度の高い場面で使われることが多い。「即刻」という強いニュアンスがあるので，自分の行為について「すみやかに…します」と言う場合は問題ないが，顧客や取引先など，相手に向けて使う場合には注意が必要。
- **right away** は immediately よりくだけた表現で，日常会話でよく使われる。now を強調した right now も「今すぐ」を表し，「今すぐ…する」のような未来を表す文脈では交換可能。
- **urgently** は「緊急に，さし迫って」という意味で，緊急度・重要度ともに高いことを表す。

EXAMPLES

Mr. Willis will be back in the office soon.
ウィリスさんはもうすぐオフィスに戻って来るでしょう。

Please e-mail me the results as soon as possible.
できるだけ早く結果を私にメールしてください。

I will try to be there as soon as possible, anyway, before 10:30.
なるべく早く，そちらに行くようにいたします。いずれにせよ，10時30分までには。

I will e-mail you the details immediately.
詳細についてはすぐにメールをお送りします。

The client replied to my question immediately.
そのお客様は私の質問にすぐに回答をくれました。

You should see a doctor right away!
今すぐ医者に診てもらったほうが良いです！

Sales representatives are urgently needed in the Manhattan outlet.
マンハッタンアウトレットでは，至急販売員を必要としています。

さ

TIPS 「至急ご対応ください」をメールで伝える

相手に「できるだけ早く」お願いしたいときは，緊急度によって表現を使い分けましょう。まず，件名は目に留まりやすいものにします。

Top priority: Request for sales report	最優先：売上報告作成のお願い
Urgent: Delivery delayed	至急：配送の遅延

本文では，いつまでに必要なのか，**日付と時間を明記するのが確実です。**なぜそれが必要なのか，**理由をつけ加えるのも効果的です。**「できるだけ早く」と期限をあいまいにすると，相手も「この仕事が終わったら」と考えますし，待っている自分も「もう少し待とうか」と迷いが生じます。効率的なやり取りを心がけましょう。

I apologize for the urgency, but could you please reply by 11:00 tomorrow?
急ぎのお願いで申し訳ありませんが，明日の11時までにお返事をいただけますか。

I have to ask my manager to check the report by the end of the day tomorrow.
明日中に，部長に報告書の確認を依頼しなければならないのです。

勧める ≒ 奨励する，忠告する

単語	意味	
recommend	何かを〔…することを〕	（自信を持って）勧める
suggest	何かを〔…することを〕	控えめに勧める，提案する
encourage	…することを	奨励する，促進する
advise	…するように	勧める，忠告する

FOCUS

suggest

- ▶ **recommend** は自信を持って勧めるという意味。それに対し **suggest** は控えめに勧めるという意味。検索エンジンなどの予測変換が「サジェスト機能」と呼ばれるように，「これはいかがですか」と勧めるイメージの語。
  - □ recommend [suggest] that S ＋動詞の原形：…だと勧める
    ※イギリス英語では〈should ＋動詞の原形〉が一般的。
  - □ recommend [suggest] A to 人：A を人に勧める
  - □ recommend [suggest] A for B：A を B にふさわしいと勧める
  - □ recommend [suggest]（人）*doing*：（人に）…することを勧める
    ※イギリス英語では〈recommend 人 to *do*〉が一般的。

- ▶ **encourage** は励まして何かをする気にさせようとすることを表す。奨励・促進・説得する場合に，〈encourage ＋ 人 ＋ to *do*〉（人に…することを勧める）がよく使われる。

- ▶ **advise** は，専門家や権威のある人からの忠告を意味する。〈advise ＋ 人 ＋ to *do*〉や〈advise that SV〉がよく用いられる。I would advise ... と would を加えると，強制の響きがやわらぐ。be advised to *do*（…することをお勧めします）という受動態は，注意書きや掲示などでよく用いられる。

EXAMPLES

What would you recommend for lunch?
昼食には何がお勧めですか。

I recommend that he (should) stay at a hotel near the airport.
私は，彼が空港の近くのホテルに宿泊することをお勧めします。

I suggest meeting somewhere in between our offices.
私たちのオフィスの中間のどこかでお会いするのはいかがでしょうか。

Shops are offering incentives to encourage customers to go cashless.
店は顧客にキャッシュレス決済を促すための見返りを提供しています。

Please be advised to apply before the deadline to secure a place near the stage.
舞台に近い席を確保するには締切の前に応募するようにご注意ください。

The authorities advised people to stay indoors during the storm.
当局は嵐の間は屋内にとどまるように人々に勧告しました。

TIPS　recommend [suggest] that SV の文に注意！

recommend / suggest / advise / request / demand のように，相手への提案・忠告・願望・要求などを表す動詞では，後ろに続く **that 節の述語動詞を原形にする**決まりがあります。下の例文は普通の文では he participate**s** in とすべきところですが，三人称単数現在形の s は不要です。元々は should *do* とされていましたが，現在ではイギリス英語を除き，should を省略して単に動詞の原形を用いるようになっています。

I strongly recommended that he (should) participate in the seminar.
私は，彼がそのセミナーに参加するように強く勧めました。

日本語では**「…するように勧める」**と言いますが，これを**「セミナーに参加すると勧める」とは言いませんね。**事実でない〔まだ現実になっていない〕ことを言い切ってしまうのは不自然な感じがします。

実は，ラテン語系の言語にも似た考え方があり，**「事実と反する，頭の中で考えているだけの内容は，通常とは動詞の形を変えて表現する」**というルールがあります。接続法または仮定法と呼ばれるこのルールが英語にも受け継がれた結果，上記の決まりができあがりました。このように「実際にはまだ行われていないこと」を表す用法は**「仮定法現在」**と呼ばれます。

すばらしい ≒ 絶好の，見事な，優秀な

単語	意味	言い換え
great	価値が高く非常に良いこと	とても良い，最高の
wonderful	人を満足させるほど非常に良いこと	すてきな，見事な
amazing	驚きを与えるほどすごいこと	驚くほどの，見事な
excellent	他と比べて優れた長所を持っていること	優れた，優秀な
perfect	目的にかなっていて申し分ないこと	絶好の，完璧な

FOCUS

- **great** はくだけた言い方で「すばらしい」ことを表すのに最もよく使われる。人や機会，出来事，仕事，時間，作品，アイディアなどの価値や満足度の高さについて広く使える。
- **wonderful** は人を喜ばせ，満足させるくらいすばらしいことを表す語。天気，時間，作品，景色，世界などについて，広く使うことができる。喜びの感情を表現したい場合に適している。
- **amazing** は話し言葉で用いられることが多い語で，すばらしさの度合いが強く「驚くほどすごい」「大したものだ」と強く感心して褒める場合に使われる。
- **excellent** は人の優秀さや，物の質が優れていることを表す語。excel（秀でている，～より優れている）という動詞の派生語で，特に他と比べて優れていると言う場合に適している。
- **perfect** は「欠点や弱点がなく完璧な状態」を表す語で，人，場所，天気，商品，出来栄えなどが「目的にかなっていて申し分ない」と言う場合に用いる。

EXAMPLES

What a great idea you just came up with!
あなたは今，なんてすばらしいアイディアを思いついたのでしょう！

No one had expected the negotiations would turn out to be such a great success.
その交渉がそのような大成功になるとは誰も予想していませんでした。

The view from the window is absolutely wonderful!
窓からの眺めは実にすばらしいです！

It is amazing how fluent her English is.
彼女の英語の流暢さは驚くべきものです。

The quality of their equipment is uniformly excellent.
彼らの装置の品質は一様にすばらしいです。

Amanda is the perfect person for such a demanding job.
アマンダはこのような骨の折れる仕事にはうってつけの人です。

A perfect example of teamwork would be sharing experience.
チームワークの絶好の例は，経験を共有することでしょう。

TIPS　称賛の言い回しを，もう一歩フォーマルに

Great! や Good idea! のような一言は，同僚に使うカジュアルな印象の表現です。丁寧さを出すのにまずできることは，主語と述語動詞を加えて**文にすること**です。相手が言った内容を指し示すには，代名詞 that を使います。

That's a great idea!　それはすばらしいアイディアですね！
That sounds great!　それはすばらしいですね！

さらに，どんなところが良いかより具体的に表現できると良いでしょう。例えば worth *do*ing は「…する価値がある」という表現です。また，「参考にしたい」といった意味合いの一言をつけ加えるのも良いでしょう。

The idea is definitely worth trying.
そのアイディアは絶対に試してみる価値がありますね。

The presentation you made was great! I would like you to assist me with my next presentation.
あなたのプレゼンテーションはすばらしかったですね！　私の今度のプレゼンテーションに力を貸していただきたいです。

すべての ≒ あらゆる，全部の

単語	意味	言い換え
all	すべてひっくるめて	全部の，全体の，あらゆる
every	１つ１つすべての	あらゆる，どの〜も
whole	まとまった全体の	全体の，全〜
total	総計の	全体の，総〜

FOCUS

▶ **all** は可算名詞の複数形または不可算名詞について，「すべての〜」を表す。前者は複数扱い，後者は単数扱いとなる。
□ all machines **are** ...（すべての機械は…です）
□ all machinery **is** ...（すべての機械類は…です）

▶ **every** は「どの〜も全部」「１つ１つすべて」という意味。集団全体を指すが，１つ１つに注目しているため，every machine のように後ろに可算名詞の単数形が続く。

▶ **whole** は全体をまとめて１つのものを表す単数形の名詞について，「全〜」を表す。複数形の名詞には用いることができないので注意。例えば「全社員」は *the whole employees* ではなく，the whole company などと表す。ただし，the whole 〜 は「全社（会社全体）」のような１つのまとまりを意識した表現で，構成員である「社員」を意識する場合は all を用いて all the employees と表す。

▶ **total** は amount（量・額），number（数），income（収入），expense(s)（費用）など，数や量に関係のある語とともに用いて，全体の数量の総計を表す。

▶ 定冠詞 the の使い方に注意。all で修飾された名詞に the がつく場合は，*the all* 〜 ではなく **all the 〜** の語順になる。「全〜」と言う場合は the whole 〜，「総〜」と言う場合は the total 〜 と基本的に the がつく。なお，every に the がつくことはない。

EXAMPLES

All the stock in the warehouse was damaged in a fire.
倉庫にあるすべての在庫が火災で損害を受けました。

All of the team members are supposed to attend the explanatory session.
チームメンバー全員がその説明会に出席することになっています。

The guide showed us around every corner of the factory.
その案内人は私たちに工場のあらゆるところを見せてくれました。

He keeps detailed records of every restaurant in the area.
彼はその地域のすべてのレストランの詳細な記録を保管しています。

The whole security detail at the branch stayed vigilant during the blizzard.
暴風雪の間，その支店の警備部隊全体が常に警戒していました。

I have been working on the repairs the whole day.
私は一日中修繕作業をしています。

The total number of man-hours is a significant indicator of factory efficiency. 総人時数は，工場効率の重要な指標です。
※ man-hour（人時）：作業員 1 人の 1 時間あたりの仕事量

The total sum allocated for the renovation amounts to roughly a million dollars.
改装に割り当てられた総額はおよそ 100 万ドルになります。

TIPS 「すべて…ない」という否定文に注意

「すべての X は…だ」を否定文にする際，2 通りが考えられます。A は「すべての X が…とは限らない」という意味です。一方 B は，「すべての X が…ではない」という意味で，つまり「X は 1 つも…でない」という表現になります。

A: Not all of their songs become best-sellers.
彼らの曲がすべてベストセラーになるわけではない。

B: None of their songs have become best-sellers.
彼らの曲でベストセラーになったものは 1 つもない。

A は「部分否定」と呼ばれ，all / every や，both（両方とも），always（常に），completely（完全に）のような語を not を使って否定します。B は「全体否定」や「完全否定」と呼ばれ，no / none / no one / nothing / never などの否定語を用いて表します。

制限 ≒ 規制，限界

単語	意味	
limit	数量・空間・時間における	限界, 限度, 上限〔下限〕
restriction	数量・空間・時間・行動などに対する	（法的な）制限，規制
limitation	数量・空間・時間・行動などに対する	制限，規制

FOCUS

- **limit** は数量･空間･時間における「許される（最大または最小の）限界」を表す。time limit（制限時間），speed limit（制限速度），age limit（年齢制限）のように使い，物理的な限界と人為的な制限・制約のいずれにも用いられる。
- **restriction** はやや堅い語で，数量や行動などをある範囲内に人為的に制限することを意味する。ルール・規定や法的な規制を表すのに使われる。
- **limitation** は数量や空間・時間，行動などを「制限する物・行為」や「制限している〔されている〕こと」を意味する。restriction に比べると意味が広く,「制限時速」のような人為的な規制だけではなく，「技術的な限界」のような自然に存在する制限を表す場合にも適している。
- いずれの語でも，「～に対する規制・制限」は **on** を用いて表すことができる。また，set a limit（上限〔下限〕を設ける），impose a restriction [limitation]（制限を課す），ease [tighten] a restriction（制限を緩和する〔厳しくする〕）などのコロケーションで用いられる。

EXAMPLES

I'm afraid we have already reached our budget limit.
残念ながら我々はすでに予算の上限に達してしまっています。

The speed limit in city centers is 40 km/h.
市中心部の制限速度は時速 40 キロです。

The rental video store set a limit on the number of DVDs we can take home.
そのレンタルビデオ店は持ち帰れる DVD の数に制限を設けました。

Many countries have tightened restrictions on the disposal of hazardous waste.
多くの国が危険廃棄物の処分に対する規制を厳しくしています。

We need to comply with all the restrictions to be granted the license.
我々が免許を取得するためには，すべての規制に従う必要があります。

The EU is likely to ease restrictions on imports.
EU は輸入に対する規制を緩和する可能性があります。

The government has imposed a limitation on the sales of highly polluting cars.
政府は汚染物質を多く排出する車の販売に制限を課しました。

The limitations of electric vehicles prevent them from rapid charging.
電気自動車の限界のため，急速充電ができません。

TIPS 「限られた」を意味する形容詞

「限られた」を意味する形容詞はいくつかありますが，**limited** は数量・お金・時間・空間などの物理的な制限や，limited edition（限定版）のような限定に関して使われます。また，能力などが「乏しい」という意味もあります。

I was able to talk with only a limited number of participants during the session.
その会の中では，限られた（人数の）参加者としか話ができませんでした。

restricted は「法律・規則などによって制限された」という意味です。なお，be restricted to A は「A だけに限られている」，つまり「A だけが許可されている」という意味になります。

The sale of alcohol is restricted to people over the age of 18.
アルコールの販売は，18 歳以上の人にのみ許可されています。

「場所・範囲が限られた，狭い」という意味では **confined** という単語もあります。「人が（場所に）閉じこもった」という意味もありますが，問題や特定の現象を主語にして，「〜に限った」という意味でも使われます。

The problem is not confined to multinationals.
その問題は多国籍企業に限ったものではありません。

説明する ≒ 解説する

単語	意味	
explain	物事を	説明する
illustrate	物事を	図・表・例などを用いて解説する
demonstrate	方法などを	実例・実験などを用いて説明する，実演する
describe	（外見の）特徴や状況を	描写する
elaborate	すでに伝えたことを	さらに詳しく説明する

FOCUS

▶ **explain** は理解しにくいことをわかりやすくするために「説明する」ことを表す最も一般的な語。〈explain A（to ＋人）〉〈explain（to ＋人）that SV〉のように,「人に説明する」と言う場合は **to** が必要。explain は目的語に人をとることはできないので注意。

illustrate

▶ **illustrate** は抽象的でわかりにくい内容を，図や実例を用いて具体的に説明する場合に用いる。「挿絵を入れる」の意味もあり，過去分詞 illustrated は「イラスト〔写真〕入りの」という意味で使われる。

▶ **demonstrate** はやり方などを，実物を見せたり，実際にやってみたりして説明することを表す。

▶ **describe** は状況や見聞きした様子, 特徴などを描写して, 相手が明確にイメージできるように説明する場合に用いる。

▶ **elaborate** は，すでに述べたことや相手が予備知識を持っていることについて，さらに詳しく説明することを表すやや堅い語。

EXAMPLES

Could you explain the main points of your speech, please?
あなたのスピーチの要点を説明してくださいませんか。

He explained how the company would grow over the next decade.
彼は今後 10 年でその会社がいかに成長していくかを説明しました。

The following chart illustrates the concept very well.
以下の図は，その概念を非常にうまく説明しています。

He illustrated the projected growth with several examples.
彼はいくつかの例を用いて成長の見通しについて説明しました。

The salesperson demonstrated how to use the new functions.
その販売員は新しい機能の使い方を実演しました。

Can you describe what your lost bag looks like?
失くしたバッグの特徴を教えてもらえませんか。

It may be better not to elaborate at this stage.
この段階では詳しく述べないほうが良いでしょう。

TIPS 説明の場面で使える表現

説明の開始にあたっては，**I will explain …** あるいは **Let me explain …** などの表現が使えます。let me *do* は「私に…させてください」という意味です。

Now, let me explain how the new system works.
それでは，その新しいシステムがどのように作動するのかをご説明いたします。

説明が終わったあと，特に英語に自信がないと**「ご理解いただけましたか」**と尋ねたくなりますが，この言い回しは要注意です。直訳して ***Did you understand my explanation?*** と言いたくなりますが，この文は「相手の理解力」を問うており，実は失礼に聞こえます。このようなとき，ネイティブはよく **make sense**（わかりやすい，筋が通る）を使って「自分の言ったこと」がわかりやすかったかを尋ねます。また，不明点がないかを確認する一言を加えると良いでしょう。

Does it make sense to you? Please let me know if anything is unclear.
おわかりいただけましたか。ご不明な点があればお知らせください。

相談する ≒ 話し合う，助言を求める

単語	意味	
talk about	物事を	相談する，話し合う
discuss	結論に達するために	議論する，意見を出し合う
ask *one's* advice	重要なこと，深刻なことについて	人に助言を求める
consult	専門家・権威者などに	相談する，意見を聞く
confer	結論に達するために	協議する

FOCUS

▶ **talk about** は「～について相談する」を表し，日常会話で最もよく使われる。「上司・同僚・友人に相談する」と言う場合から「(正式に) 協議する」と言う場合まで広く用いることができる。「人に」は with または to で表す。

▶ **discuss** は talk about よりやや堅い印象で，「徹底的に話し合う」「意見を出し合う」と言う場合に使われる。

▶ **ask *one's* advice** は「助言を求める」という意味で，どうするべきかを教示してもらいたい場合に使う。*one's* advice だけでなく，人を目的語にとることもできる。その場合，**〈ask ＋人＋ for advice〉**となる。

▶ **consult** はやや堅い語で，consult a lawyer（弁護士に相談する）のように用いて，「専門家に意見や助言，情報などを求める」ことを表す。また，〈consult with ＋人〉のように with をつけると，対等な相手と「互いに意見を交換する」という意味になる。

▶ **confer** はこの中で最も堅い語で，何かを決めるために会議で意見を出し合ったり，助言を受けたりして協議することを表す。conference（会議）は confer から来ている。

EXAMPLES

Can you spare me a minute to talk about the business trip?
出張について相談したいのですが，少しお時間はありますか。

I will talk with them about the rescheduling of the project.
プロジェクトのスケジュール変更について，彼らに相談します。

We discussed when and how to install the new hardware.
私たちはその新しいハードウェアをいつどのようにインストールするか相談しました。

I am going to ask his advice about marketing when visiting him. 彼を訪問する際にマーケティングについて彼に相談するつもりです。

You should ask Jeremy for advice about customer service.
カスタマーサービスについてジェレミーに相談すると良いと思います。

We may have to consult a lawyer if we cannot agree on the matter.
その件について合意できなければ，弁護士に相談しなければならないかもしれません。

We should confer with the sales manager before we make a final decision.
私たちは最終判断をする前に営業部長と協議したほうが良いと思います。

TIPS 「応相談」は英語で何と言う？

「相談する」に当たる表現はたくさんありますね。それだけ日本語の「相談する」という言葉が幅広い意味を持っているということです。上記のほか，商品・サービスについて「お気軽にご相談ください」と言う場合には，**contact**（〜に連絡する）がよく使われます。consult は専門的な相談を指すので，そのようなサービス内容でなければ，contact を使います。**Please feel free to *do* ...** や **Please do not hesitate to *do* ...** は「お気軽に〔ご遠慮なく〕…してください」に当たる表現です。

Please feel free [do not hesitate] to contact us for more information.
詳細についてはどうぞお気軽にご相談ください。

また，金額などについて「ご相談に応じます」と言う場合は negotiation（交渉）や negotiable（交渉可能な）がよく使われます。

We are open to negotiation as far as price is concerned.
価格に関してはご相談に応じます。

Prices are negotiable. 価格は応相談。

Column 3

「予測・可能性・推量」を表す will / can / may

下の 3 つの助動詞は，どれも未来の事柄についての予測を述べる際に用いますが，確信の度合いによって使い分けましょう。

現在形	過去形	意味	訳
will	**would**	予測・推量	…だろう
can	**could**	理論上の可能性	…する可能性がある，…しかねない，…し得る
may	**might**	半信半疑の推量	…かもしれない

※ will には「(未来に) …する，…になる」という用法や，「…しよう」という話し手の意思を表す用法もあります（p.62 を参照）。

例えば，株価への影響が懸念されることを伝えたい場合，次のように使い分けることができます。

The announcement will affect stock prices.
その発表は株価に影響を与えるでしょう。

The announcement can affect stock prices.
その発表は株価に影響を与える可能性があります。

The announcement may affect stock prices.
その発表は株価に影響を与えるかもしれません。

未来の予測について述べる際，それぞれを過去形にすると，確信度が下がります。例えば上の文で will affect とすると「影響するでしょう」と言い切っている印象になりますが，would affect にするとやや控えめな印象になります。could, might に関しても同様です。

その他に，時制の一致を受ける際は過去形にします。下の文では，主節が He said と過去形になっているので，後ろに続く節の助動詞も過去形になっています。

He said that the announcement would affect stock prices.
彼は，その発表は株価に影響を与えるだろうと言いました。

た 行

大丈夫 ≒ 構わない，もちろん

単語	意味	言い換え
OK [okay]	人・物事が申し分ない	心配ない，満足な，安全な
all right	人・物事が申し分ない	心配ない，満足な，安全な
no problem	同意や受諾・容認を表して	問題ない，構わない，心配ない
sure	同意や受諾・容認を表して	もちろん，構わない，心配ない
fine	人・物事が差し支えない	十分な，構わない

FOCUS

- **OK [okay]** と **all right** は「心配ない」「満足〔容認〕できる」という意味。単独で応答として用いるほか，It is OK [all right] to *do* ...（…しても問題ない）のように文の補語として使うこともできる。
- **no problem** と **sure** は「問題ない」「構わない」を表し，この意味では単独で応答として用いる。依頼を快諾するときに「もちろんです」と言ったり，お礼や謝罪に対して「大丈夫ですよ」と言う場合に特に適している。
- 上記はいずれも主に話し言葉で使われるややくだけた表現で，目上の人やお客様に対しては別の表現が使われる。依頼を快諾する際は，「かしこまりました。」に当たる **Certainly, sir [ma'am].** がよく使われる。sir と ma'am に関してはp.103 の TIPS を参照。
- お礼に対する「どういたしまして。」は, **Sure.** または **No problem.** < **You're welcome.** < **(It's) my pleasure.** の順に改まった表現となる。
- **fine** は「満足がいく，差し支えない」ことを表し，この意味では通例叙述用法(p.332)で使われる。「何とか受け入れられる」という状態を指すことも多く，実際は不満足だが儀礼的に「大丈夫」と言う場合や，「それで結構」と言う場合にも使われる。

EXAMPLES

Don't worry. Everything is going to be OK [all right].
心配しないで。すべてうまくいくよ。

Is it OK with you if I close the window? – Sure!
窓を閉めても大丈夫ですか。—構いませんよ！

Would 10:00 A.M. be all right? – No problem!
午前10時で大丈夫ですか。—大丈夫です！

Thank you for picking me up. – No problem!
迎えに来てくれてありがとう。—どういたしまして！

Why don't we have lunch at the Caesar's? – That's fine with me!
シーザーズでランチはどうですか。—構いませんよ！

How is your new work environment? – Well, it's fine.
新しい仕事環境はどうですか。—ええ，快適ですよ。

TIPS　Are you OK? と Is that OK? の違い

日本語では主語のない文が成り立ちますが，英語では主語が明確に意識されます。例えば「大丈夫ですか」と尋ねる場合，**Are you OK?** と **Is that OK?** のどちらが適切でしょうか。

Are you OK? は you が主語ですから，相手がけがをしていたり，顔色が悪いときに，相手の体調や気分を心配して「大丈夫ですか」と尋ねるときに使います。これに対して，**Is that OK?** の that は「今話したこと」を指します。つまり，何か発言したあとで，「それで良いですか」と確認するのに使います。

I'd like to close the window. Is that OK?
窓を閉めたいのですが。よろしいですか。

The equipment we ordered will arrive on the 27th. Is that OK?
注文した備品は27日に到着する予定です。それでよろしいですか。

ちなみに，**Are you sure?** は「本当（に良い）ですか」という意味の，また別の表現です（p.195のTIPS参照）。似ているようで異なる意味を持つフレーズを，きちんと区別しておきましょう。

確かな ≒ 確信する

単語	意味	
sure	主語が…ということを	確信している
certain	主語・話し手が…ということを	確信している
confident	主語が…ということを	強く確信している
reliable	情報源・証拠などが	確かな

FOCUS

▶ **sure** は「話者の推測などに基づく確信」を，**certain** は「根拠・証拠などに基づく確信」を表し，certain のほうが高い確実性を表す。「確信している」という意味では，以下のように通例叙述用法で使われる。

☐ be sure [certain] of [about] A：主語が A を確信している
☐ be sure [certain] that SV：主語が…だと確信している
☐ It is certain that SV：話し手が…だと確信している

▶ **certain** は堅い語なので，話し言葉では **sure** がよく使われる。強調する場合は quite / absolutely / fairly / pretty などの副詞とともに用いられる。

▶ certain は限定用法では「ある，特定の，一定の」などの意味があり，a certain issue（特定の問題），a certain condition（一定の条件）のように用いられる。

▶ **confident** は，信念や信頼に基づいた「強い確信・自信」を表し，基本的に肯定文で使われる。語法は sure と共通で, of [about] や that 節を後ろに続ける。

▶ **reliable** は from a reliable source（信頼できる筋から）のように「情報源などが確かで，真実である可能性が高い」ことを表す。

EXAMPLES

I am sure that Mr. Vixen will be here on time.
ヴィクセン氏はきっと時間通りにここへ来るでしょう。

We were certain about the delay after the announcement by the station staff.
駅員のアナウンスのあと，私たちは遅延を確信しました。

I am certain that we are walking in the right direction.
私は私たちが正しい方向に歩いていると確信しています。

The coach was confident his team would win the competition.
そのコーチは自分のチームが試合に勝つことを確信していました。

Try to show how confident you are in the job interview.
就職の面接ではあなたがいかに自信を持っているかを見せるように努めなさい。

Can the internet be called a reliable source of information?
インターネットは信頼できる情報源と言えるでしょうか。
※近年では Internet が普通名詞化し，小文字で表記されるようになってきている。

TIPS　sure を使った役立つフレーズ

I'm not (quite) sure. は「(あまり) 確信がない。」という意味で，「よくわかりません。」「どうでしょうね。」と明確な回答ができない場面で使われます。また，**Are you sure?** は「本当ですか。」「確かですか。」という意味の表現です。Really? とも似ていますが，Really? は単に驚きの気持ちを表すのに対し，Are you sure? には「本当にそうなのですか。」という疑念や「本当に良いのですか。」という念押しのニュアンスが込められています。

How can we get back to the station? — I'm not quite sure, but I think it was this way.
どうやって駅に戻ったら良いでしょうか。 — あまり確信はないですが，こっちだったと思います。

Are you sure it will stop raining later today? — Actually, I'm not sure.
今日このあと雨が止むというのは本当ですか。 — 実際のところわかりません。

Are you sure you want to delete the selected items?
選択した項目を，本当に削除してよろしいですか。

We may have to cancel the meeting. — Are you sure?
打ち合わせをキャンセルしなければならないかもしれません。 — 本当ですか。

た

正しい ≒ 正解の，正確な，適切な

単語	意味	言い換え
right	① 物事が事実に照らして正しいこと	正確な，正当な
	② 言動などが道徳的に正しいこと	適切な
correct	① 計算・手順などに誤りがないこと	正確な，正解の
	② 言動が状況にふさわしいこと	適切な
exact	数値･時間･場所などが，細部までぴったり正確なこと	正確な，ぴったりの
accurate	情報・計算・行為などが，十分に注意が払われ，間違いないこと	正確な
precise	情報・数値などの精度が高いこと	正確な，精密な
true	事実であること，偽りのないこと	真実の，本当の

FOCUS

- **right** は wrong の反意語で，「発言などが事実に基づき正しいこと」，「言動などが道徳的に，あるいは社会通念上正しいこと」などを表す。
- **correct** は計算・手順など，正解や明確な基準があるものについてよく用いられる。「言動などが特定の状況に適している，礼儀にかなっている」という意味も表せる。やや堅い語で主に書き言葉で用いられ，話し言葉では right が用いられることが多い。
- 数値や情報の「正確さ」を表す語では，**correct** < **accurate** < **exact** < **precise** の順に正確さが強調される。
- **exact** は「細部までぴったり正確な」という意味合いがあり，副詞の exactly もあわせて，日常的に最もよく使われる語である。
- **accurate** は「注意が行き届いていて，間違いがない」という意味の語。
- **precise** は exact より堅い語で，精密さ・厳密さを強調する際に使われる。
- **true** は「正確さ」とは少し異なり，「物事や人の言動が，真実･本心であること」を表す。
- いずれの語も，「まったく正しい」と強調する場合は quite / absolutely などを用いる。

EXAMPLES

You were absolutely right to turn down such an impractical proposal.
あなたがそのような実現困難な提案を却下したことは絶対に正しかったです。

The information proves that our perspective is right [correct].
その情報が，我々の考え方が正しいことを証明してくれています。

From their point of view, the decision may be correct.
彼らからすると，その決断は正解なのかもしれません。

The report is accurate in its details of the reasons behind the decision.
その決定の背景にある理由の詳細について，その報告書は正確です。

I will explain the exact meaning of this term.
この用語の正確な意味をご説明します。

This machine takes precise measurements of the temperature.
この機械は温度を正確に測ることができます。

Is it true that Mr. Benson will be transferred to Europe?
ベンソン氏がヨーロッパに転勤になるというのは本当ですか。

TIPS 「その通り」を表す言い回し

That's right. は，よく「その通り。」と訳されますが，相手に「そうです〔正しいです〕。」と言う場合だけでなく，「そうなのです。」と共感を含む相づちとしても使われます。

The problem is much more complicated than it looks. —That's right!
その問題は見かけよりはるかに複雑ですね。—そうなのです！

似た表現として，**That's correct.** は「（答えがあることについて）正解。」というニュアンスになります。**Exactly.** は「まさにその通り。」というニュアンスで，That's right. よりも正確さを強調したいときによく使われます。

You're right. は「おっしゃる通り。」という意味で，That's right. と交換可能な場面も多いですが，you を主語にしているので，「私（あるいは他の人）ではなくあなたが正しい。」と言う場合に特に適しています。反対の You're wrong. は非常に直接的な言い方なので，相手の間違いを指摘する表現はp.25 を参考にしましょう。

達成する ≒ 実現する，満たす，やり遂げる

単語	意味	
achieve	目標・計画・地位・結果などを	達成する，獲得する
accomplish	仕事・任務・偉業などを	やり遂げる，完遂する
realize	目標・計画・アイディアなどを	実現する
reach	数・合意・目標などに	達する，届く
meet	数・目標・要件などを	満たす

FOCUS

▶ **achieve** は，「目標を達成する」「地位を獲得する」など，努力して良い結果を得ることを表す。日常会話では get がよく用いられる。

▶ **accomplish** は achieve よりも堅い語で，「仕事・計画・任務などを完遂する」ことを表す。「努力を重ね，困難を克服して成し遂げる」というニュアンスが含まれる。

▶ **realize** は real（現実）＋ -ize（にする）で「実現する」という意味の語。特に計画やアイディアなど，頭の中で構想していたものを実現化・具現化することについて用いられる。

▶ **reach** は「特定の数・段階に達する」，「議論の末に合意・決定に達する」などの意味を表す。日常会話ではよりくだけた言い方の get to が使われる。

▶ **meet** は「基準・要件を満たす」という意味で使われる。

▶「目標」に当たる aim / objective / goal / target などは，上記いずれの語とも組み合わせて使うことができる。

EXAMPLES

We have conducted countless tests to achieve the desired results.
我々は希望通りの結果を得るまで数え切れないほどのテストを行ってきました。

The singer achieved a great deal of success with his new album.
その歌手は新しいアルバムで大成功を収めました。

Let's put forward the steps we need to take to accomplish the goal.
目標を達成するためにとるべき手段を提案しましょう。

Have you accomplished all your tasks for today?
今日の課題をすべて完了しましたか。

LEXI Co. and we have cooperated to realize the concept.
レキシー社と当社は，その構想を実現するために協力してきました。

The number of followers has reached one million.
フォロワー数が 100 万人に達しました。

The company reached its goal before the end of the second quarter.
その会社は第 2 四半期末を待たずに目標を達成しました。

Are there any other requirements we have to meet?
他に何か満たすべき要件はありますか。

担当する ≒ 従事する，責任がある，配属される

単語	意味	
be in charge of	部門・プロジェクト・仕事などを	管理する，監督する，任される
be responsible for	仕事・人などに対して	責任がある，責任を負う
be involved in	業務・活動などに	従事する，関与する
be assigned to	役職・任務・所属などに	配属される，割り当てられる

FOCUS

- charge は「管理，責任」を意味し，**be in charge of** は「部門・プロジェクト・業務などを管理する〔任される〕」という意味を表す。the person in charge (of ～) で「(～の) 担当者」を表す。
- **be responsible for** は「物事を任され，問題が発生した際に責任を負う」ことを意味する。特に「人が責任ある立場である」ことを示す際に用いられる表現。
- **be involved in** は「参加して，関わって」という意味の形容詞 involved を用いた表現。関わっている業務・活動を示す際に使える。
- **be assigned to** は「役職・地位などに任命される」，「部署などに配属される」などの意味を持ち，通常，後ろに名詞または to *do* を伴う。

EXAMPLES

I am in charge of guiding you through the museum.
私があなたに博物館を案内する担当です。

I would like to speak to the person in charge of room cleaning.
部屋の清掃係の方と話がしたいのですが。

The section is responsible for ensuring food safety practices.
その部門が食品の安全を保証する責任を負っています。

The store is not responsible for accidents or injuries occurring in the parking lot.
店は駐車場内で起こる事故やけがの責任を負いません。

The business is involved in multiple government projects.
その企業は複数の政府事業に関与しています。

I am involved in product quality control and responsible for recalls.
私は製品の品質管理に従事しており，リコールに対して責任があります。

Ms. Patterson was assigned to the Manila branch office.
パターソンさんはマニラ支所に配属されました。

た

TIPS　I am in charge of Customer Service. は「部長」に？

be in charge of ～ は, 日本語の「担当者（単にその仕事を行う人）」と比べると,「責任者」のニュアンスが強い表現です。of の後ろには大小さまざまな業務内容を入れることができますが，場合によってはリーダークラスを表すことになります。

例えば，下の A は the marketing project 自体を任されているので，「プロジェクトの責任者」を意味します。一方 B は，より小さな単位を任されており，「販売促進の担当者」という役割を表す文になっています。

A: I am in charge of the marketing project.
私はマーケティングプロジェクトの責任者です。

B: Max is in charge of the promotion of the new product in the project.
マックスはそのプロジェクトで，新製品の販売促進を担当しています。

したがって，of の後ろに部門名が来ると，C のようにたちまち「部長」を表す文になります。単に自分の所属について話す場合は，D のような表現が適切です。

C: I am in charge of Customer Service.
私は顧客サービス部門の責任者です。

D: I work in Customer Service.
私は顧客サービス部門で働いています。

地域 ≒ 領域

単語	意味	
area	① 分けられた	地域，地方，地区，領域
	② 特定の用途の	場所，領域
region	厳密な境界のない，広大な	地域，地方，地帯
district	特定の機能・特徴を持つ	地域，地方，～街

FOCUS

▶ **area** は「地域」を指す最も一般的な語。境界の有無にかかわらず，特定の地域や何らかの特色がある場所を表す。物理的な場所だけでなく，学問や活動などの抽象的な「分野」や「領域」なども表す。また，a smoking area（喫煙エリア）のように特定の用途のための場所を表すのにも使われる。

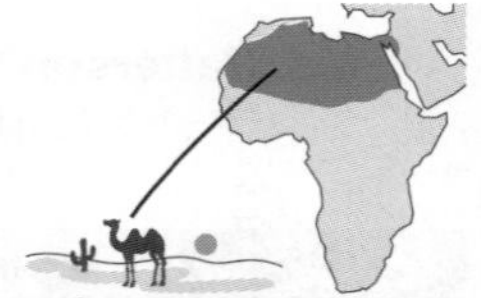

▶ **region** は主に地理的・文化的な特徴によって区別される地域を指す。このため，area よりも広大で，厳密な境界がない場所を表すことが多い。具体的には，a tropical region（熱帯地域），a desert region（砂漠地帯），a mountain region（山間部），a rural region（農村地帯），an industrial region（工業地帯），a border region（国境地域）のように使われる。

▶ **district** は「都市や町が公に区分された地域」，「特定の人々が居住する地域」，「特定の活動が行われている地域」などを表す。特に行政の文脈でよく使われる，やや堅い語である。具体的には，a school district（学区），a financial district（金融街），a business [commercial] district（ビジネス街）のように使われる。

EXAMPLES

The area is well-known for its delicious produce.
その地域はおいしい農産物で有名です。

Approximately one million people live in the metropolitan area.
その大都市圏にはおよそ100万人が住んでいます。

Our subsidiary is located in the industrial region.
当社の子会社はその工業地帯にあります。

The bank moved into its new premises in the financial district.
その銀行は金融街の新社屋に移転しました。

Strict speed limits are imposed in school districts.
通学区域では厳しい速度制限が課されています。

TIPS　地域の特性を表す表現

大都市の：metropolitan　都心の：urban
郊外の：suburban　田舎の：rural

⇒これらは形容詞で，an urban area（都心部），a rural area（田園地帯）のように使います。「大都市」は単に a big city とも表現できます。また，「大都市」を意味する **metropolis**，「郊外」を意味する **suburbs**，「田舎」を意味する **country(side)** などの名詞もあります。

市街地，繁華街：downtown / city center [centre]

⇒市や町の商業地区に当たる地域を指します。downtown は主にアメリカ英語で使われ，イギリス英語では主に city centre が使われます。なお，《米》center，《英》centre は，アメリカ英語とイギリス英語でつづりが異なる代表的な語です。

ベッドタウン：commuter town [belt]

⇒ commuter は「通勤者」の意味で，「都市への通勤者が多い地域」を指します。bedroom town という表現もありますが，*bed town* とは言わないので注意しましょう。

人口密集地：(densely) populated area
人口過疎地：underpopulated area

⇒ densely は「密集して，濃く」，populated は「人の住んでいる」という意味です。under- は「標準を下回って」という意味の接頭辞で，understaffed（人手不足の），underpaid（(不当に）低賃金の）などの語にも使われています。

注意する ≒ 気をつける，注目する

単語	意味	
pay attention to	人・物事に	注意を払う
focus on	人・物事に	注意を集中させる
be careful	人が…するよう	気をつける
take care	…に対して	気を配る，用心する
advise	人に…するよう	忠告する，助言する

FOCUS

▶ attention は「注意・注目」を意味する語で，**pay attention to** で「対象に注意を払う，注目する」ことを表す。

▶ **focus on** は「対象に注意を集中させる」ことを表す。focus には「カメラのピントを合わせる」という意味があり，「焦点を当てる，着目する」などの意味で使われることが多い。

▶ **be careful** は「ミスをしないよう気をつける」ことを表す。後ろに語句を伴う場合は，前置詞が必要。「～に注意を払う」と言う場合は of または about,「～の扱いに気をつける」と言う場合は with を使う。また，be careful (not) to *do* で「…する〔しない〕ように注意する」という意味を表す。

▶ **take care** は「危険を避けるために用心する」ことを表す。後ろに with / to *do* / that 節を伴って命令形でよく用いられ，この場合 be careful と交換可能であることが多い。take care of は「～を大事にする，～の世話をする」という意味のほか，「仕事などを引き受ける」という意味もある（p.18, 255 参照）。

▶ **advise** は，専門家などを主語にして，「…するよう助言・忠告する」ことを表す。be advised to *do*（…するよう助言・忠告する）や Please be advised that SV.（…ということをご連絡します〔ご承知おきください〕。）のように受動態で用いられることも多い。

EXAMPLES

Pay attention to the cautions printed in red in the manual.
説明書に赤字で書かれた警告に注意しなさい。

The workers paid attention to his words.
職員たちは彼の言葉を注意して聞きました。

The disaster drill mainly focuses on assisting stranded commuters.
その防災訓練は主に帰宅困難になった通勤通学者の救援に焦点を当てています。

Please be careful not to break the glass.
ガラスを割らないように気をつけてください。

Inside the laboratory, technicians are careful with the chemicals. 実験室内では技術者は化学物質の取扱に注意しています。

Please take good care of yourself.
どうぞご自愛ください。

Users are advised to change their passwords frequently.
利用者はパスワードを頻繁に変更することが推奨されています。

た

TIPS 「…しないように」を意味する not to *do*

「…するために，…するように」という目的は (in order) to *do* で表しますが，「…しないように」という否定の目的を表す際は注意が必要です。be careful [take care] の直後では not to を単体で使いますが，間に他の語が入る場合や，be careful [take care] 以外の動詞の目的を表す際は，**in order not to *do*** あるいは **so as not to *do*** とします。

Be careful with what you say at the meeting so as not to confuse the other members.
他のメンバーを混乱させないように，会議で話す内容に注意しなさい。

I read the newspaper every day in order not to fall behind the times.
時勢に遅れないように，毎日新聞を読んでいます。

なお，not to *do* が動詞の目的語になる場合は，このルールは適用されません。これは例えば try not to *do*（…しないように努める），decide not to *do*（…しないことに決める），〈tell ＋人＋ not to *do*〉（人に…しないように伝える）のような場合です。

Can you tell Tom not to mix up the files, please?
トムに，ファイルを取り違えないように伝えてもらえますか。

調査する ≒ 検査する，調べる，点検する

単語	意味	
examine	（専門家などが）物事を	調査する，調べる
inspect	物事を	検査する，点検する
have [take] a look at	問題がないか	調べる，見てみる
research	新たな発見のために	研究する
investigate	警察などが	詳細に調査する，捜査する

FOCUS

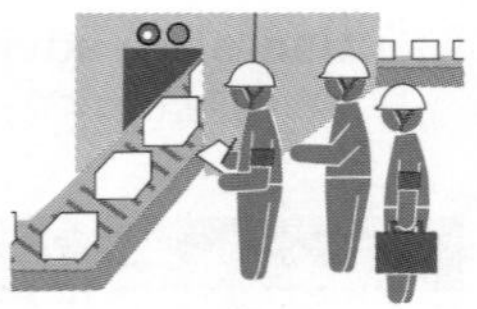

inspect

- **examine** は「調査する」という意味の最も一般的な語で,「さらなる情報入手のため, 物事を注意深く, 徹底的に調べる」ことを表す。
- **inspect** は「公式に検査・点検する」ことを表し，物事が適正水準・品質を満たしているか，使用上安全であるかを点検したり，工場や建物などに立ち入り，問題がないか，規則を遵守しているかなどを検査する場合に使える。
- examine や inspect はやや堅い語のため，日常会話で「問題がないか調べる，見てみる」と言うときは **have [take] a look at** がよく用いられる。
- **research** は「新たな事実の発見や，新たなアイディアの試みのために，詳細に研究する」ことを表す。日常会話では do research がよく用いられる。
- **investigate** は「犯罪・事故・科学的な問題などについて，真実を突き止めようとする」ことを表す。日常会話では look into がよく用いられる。

EXAMPLES

The mechanic closely examined the broken part.
その整備士は壊れた部品を詳しく調べました。

The customs officer examined the parcel and stamped it.
税関職員は小包を検査しスタンプを押しました。

The restaurants are periodically inspected by the Health Agency.
それらのレストランは保健所によって定期的に検査されます。

Could you have a look at the printer? It is malfunctioning.
プリンターをちょっと見ていただけませんか。調子が悪いのです。

A lot of time is devoted to researching and analyzing the data from the prototypes.
試作品のデータ研究と分析に多くの時間が充てられています。

The police are investigating the incident and are collecting evidence.
警察はその事件を捜査しており，証拠を集めています。

TIPS 「調査中」は英語で何と言う？

「○○中で」と言う場合，よく〈under ＋動作を表す名詞〉が使われます。underは「何かの真下にあること」を表し，「～の状況の下で」「～の影響下で」に当たる意味を表しています。

- ☐ **under investigation**（調査中で）
- ☐ **under construction**（工事中で）
- ☐ **under maintenance**（メンテナンス中で）
- ☐ **under inspection**（点検中で）
- ☐ **under analysis**（分析中で）
- ☐ **under repair**（修理中で）

また，〈be being ＋過去分詞〉でも同じ意味を表すことができます。これは現在進行形の受動態で，「主語が…されているところだ」という意味になります。

The equipment is under inspection [is being inspected].
その設備は点検中です。

The survey results are under analysis [are being analyzed].
その調査結果は分析中です。

調整する ≒ 計画する，準備する，まとめる

単語	意味	
adjust	音量・温度・位置・速度などを	調節する，整備する，合わせる
turn up [down]	音量・温度・明るさなどを	上げる〔下げる〕
coordinate	複数の物事・人々が関わる活動を	組織する，うまくまとめる
arrange	会議・イベント・旅行などを	計画する，手配する
organize	会議・イベント・旅行などを	計画する，準備する

FOCUS

▶ **adjust** は，音量・温度・位置・速度・数値など，さまざまな出力を「目的に合わせて少し調整〔調節〕する」ことを表す。日常会話では **turn up [down]** が一般的である。

down turn up
adjust

▶ **coordinate** は，日本語では「服装をコーディネートする」のように「物をうまく組み合わせる」という意味で使われることが多いが，「活動などがうまく機能し，良い結果を出せるよう調整する」という意味もある。

▶ **arrange** と **organize** はどちらも「会議・旅行などの予定を調整し，計画を立てる」ことを表す語。arrange は特に「会場・宿泊場所・移動手段などを事前に手配する」場合によく用いられる。名詞を用いた make arrangements (for) もよく使われる。organize は arrange と意味が近いが，「効果的・効率的になるように準備する」という意味合いを含む。

EXAMPLES

The budget was adjusted accordingly.
予算は状況に応じて調整されました。

Can you turn up the volume, please?
音量を上げてもらえますか。

Who is in charge of coordinating the sales campaign?
誰がその販売キャンペーンのとりまとめを任されていますか。

The moderator somehow managed to coordinate the divergent opinions.
議長は何とか多様な意見を調整することができました。

I am arranging an oversea business trip next month.
私は来月の海外出張の手配をしています。

Can you arrange a venue and catering for the conference?
会議の場所とケータリングの手配をしてもらえますか。

Mr. Schmidt will organize food and drinks for the outdoor party.
シュミットさんが屋外パーティーの食べ物と飲み物の準備をする予定です。

TIPS 派生語：organizer と coordinator

ビジネスでよく使われる派生語を見てみましょう。まず **organizer** は organize（計画する）の派生語で，「（イベントなどの）主催者，幹事」を表します。単に計画・準備をする人ではなく，率先して主催する人を指します。

The organizer decided to cancel the event due to the inclement weather.
ひどい天気のため，主催者はイベントをキャンセルすることを決めました。

coordinate（調整する）の派生語 **coordinator** は，「調整役，とりまとめ役」を表します。主催の意味はなく，複数の関係者の間を取り持って，諸々の連絡や手続きなどの準備を進める人のことを指します。日本語では「イベントコーディネーター」や「フードコーディネーター」のように職業を指すことが多いですが，それに限らず使われます。

The coordinator explained what I would have to do.
調整役の人が，私が何をしなければならないかを説明してくれました。

作る ≒ 建造する，生産する，創造する

単語	意味	
make	物品・食料・作品・抽象的価値などを	作る
create	作品・組織・制度などを	創造する，生み出す
produce	① 農産物・製品を販売目的で	大量生産する
	② 商売を目的とした作品を	製作する
manufacture	製品を販売目的で	機械で大量生産する
develop	製品・技術などを	開発する
build	① 建物・橋・機械などの構造物を	組織的に建造する
	② 関係などを	築く
construct	① 建物・橋・機械などの構造物を	組織的に建造する
	② 文章・理論などを	構築する

FOCUS

- **make** は具体的な物品や芸術作品から抽象的なものまで「作る」ことを幅広く表すが，大きな建造物には用いない。
- **create** には「神や自然などが創造する」という意味があり，創造力によって今までになかった新しいものを生み出す場合に使われる。
- **produce** は主に販売目的で農産物・製品などを大量に生産することや，映画・テレビ番組・音楽・文学などの作品を製作することを表す。
- **manufacture** は機械で大量に製品を生産するという意味。
- **develop** は製品や技術などを「発案し製作する，開発する」ことを表す。
- **build** は建物や橋などの比較的大きな構造物を，組織的に時間と労力をかけて作ることを表すほか，組織や関係を「構築する」という意味もある。

▶ **construct** も大きな構造物に使うが，build より堅い印象で，緻密で複雑な建築・組み立ての過程を意識する場合に適している。文章・理論・計画などを「組み立てる，構築する」の意味でも用いられる。

EXAMPLES

The parts are made in France.
その部品はフランスで作られています。

She is really good at designing and making her own clothes!
彼女は自分の洋服をデザインして製作するのがとても上手です！

Salient Inc. is creating 100 jobs for young IT specialists.
セィリアント社は若手の IT 専門家に 100 人分の雇用を創出しています。

The overseas plant produces mainly stainless steel pipes and fittings.
その海外工場は主にステンレス鋼のパイプと付属品を製造しています。

Which countries or regions produce the most corn?
どの国または地域が最も多くのトウモロコシを生産していますか。

The company expanded into Asia to manufacture car parts.
その会社は自動車部品を製造するためにアジアに進出しました。

The technique was developed in partnership with the local industry.
その技術は地元企業と提携して開発されました。

Our office is on the third floor of the skyscraper built last year.
我々のオフィスは昨年建設された超高層ビルの 3 階にあります。

What does it take to build a strong relationship?
強固な関係を築くには何が必要ですか。

They have permission to construct an overhead railway line.
彼らは高架鉄道線を建設する許可を得ています。

都合が良い ≒ 空いている，暇な

単語	意味	言い換え
free	① 人がやるべきことがなく，暇なこと	暇な，予定が空いている
	② 物・場所が使用されていないこと	空いている
available	① 人の手が空いていること	対応可能な
	② 物・場所が利用できる状態であること	利用〔入手〕可能な
convenient	時間・場所が都合が良いこと	支障のない，好適な

FOCUS

- **free** は「人が他にすべきことがなく，時間があって暇であること」を表す。
- **available** は「人の手が空いていて，対応可能であること」を表し，free よりもやや堅い響きがある。特定の日時の都合を尋ねる場面のほか，電話対応の場面などで She is not available at the moment.（彼女はただいま電話に出られません。）のように使われる。
- 物や場所については，**free** は「使用されておらず空いている」，**available** は「利用できる状態である」という意味がある。特に available は「ホテルなどが予約可能である」，「商品などが…で入手できる」など幅広い意味で使われる。ただしやや堅い語のため，後者については日常会話では You can buy it at ～.（それは～で買えます。）や I bought it at ～.（それを～で買いましたよ。）などの言い回しをすることが多い。
- **convenient** は「（時間や場所が人にとって）都合が良いこと」を意味し，available の言い換えとしても使える。ただし convenient は**人を主語にすることはできない**ため，相手の都合を尋ねるときは *When are you convenient?* ではなく，When is it convenient for you? とすることに注意。is it を would it be とすると丁寧な印象になる。

EXAMPLES

I am free this Sunday until six o'clock.
今週の日曜日は６時まで空いています。

Are you free on Saturday afternoon, Sam?
サム，土曜日の午後は空いていますか。

Are you available for consultations sometime next week?
来週のいつか，相談するお時間はありますか。

I'm afraid there are no taxis available at the moment.
恐れ入りますが，現在利用できるタクシーはありません。

The hotel is not available. I heard they are fully booked.
そのホテルは利用できません。満室だそうです。

The parts are readily available on the market worldwide.
それらの部品は世界中の市場で手軽に入手できます。

When would it be convenient for you to meet me?
私と会うのはいつがご都合が良いでしょうか。

TIPS　都合を尋ねる表現を，相手によって使い分ける

次の３つはどれも相手に金曜日の予定を尋ねる文ですが，**目上の人に対して使うのは避けたほうが良い表現があります。**どれでしょうか。

① Are you busy on Friday?

② Are you free on Friday?

③ Are you available on Friday?

正解は②です。Are you free ...? は「暇ですか。」あるいは「空いていますか。」に当たるカジュアルな言い回しです。日本語でも，目上の人に対してそのようには言いませんね。 上司や顧客，取引先などに都合を尋ねる際には，①（＝お忙しいですか。）や③（＝ご都合はよろしいですか。）の表現を使いましょう。

なお，**free** は，EXAMPLES の１つ目のように「自分の都合を知らせるとき」や，２つ目のように「友人（同僚）などに都合を尋ねるとき」などに適しています。「英語に敬語はない」と言われることがありますが，相手に応じた丁寧さ・距離感を大切にするのは英語も日本語も同じです。

続く，続ける

単語	意味	
continue	① 動作・状態が	（絶え間なく）続く
	② 動作などを	（絶え間なく）続ける
last	出来事・状況などが	（一定期間）続く
go on	動作・状態が	続く
keep on	長い間	…し続ける
follow	出来事のあとに	（出来事が）続く

FOCUS

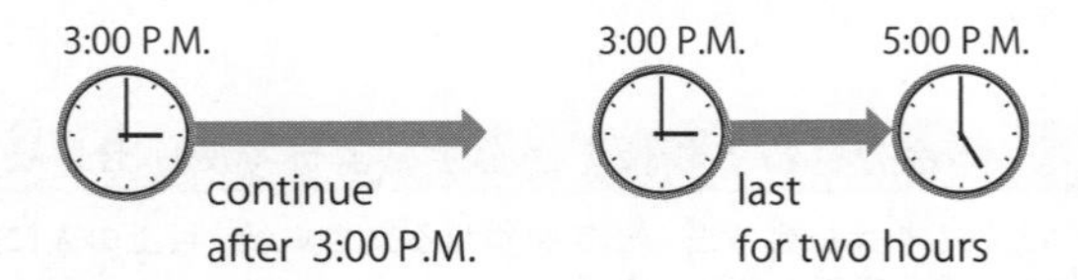

▶ **continue** は「（絶え間なく）続く，続ける」という意味。「（主語が）続く」という自動詞の用法と，「（主語が）～を続ける」という他動詞の用法がある。「…し続ける」は continue to *do* [*do*ing] と表し，to 不定詞・動名詞どちらを使っても良いが，to 不定詞のほうが比較的よく使われる。

▶ **last** は「出来事・状況が，一定期間継続する」ことを意味する。last for [until] ～（～間〔～まで〕続く）のように，主に自動詞として用いられる。

▶ **go on** は continue よりくだけた表現。go on 単体のほか，go on with A（A を続ける）や go on *do*ing（…し続ける）のように使われる。

▶ **keep on** は keep on *do*ing で「…し続ける」を表し，「ひたすら〔繰り返し〕…する」と言う場合に使われる。マイナスの意味を含んで，「動作のしつこさ」「話者のいらだち」を表すこともある。

▶ **follow** は「あとに続く，ついて行く」という意味で，A is followed by B，または B follows A で「A のあとに B が続く」という意味を表す。

EXAMPLES

It has continued to rain for more than a week.
1週間以上雨が降り続いています。

We intend to continue to do so in the future.
我々は今後もそのようにし続けるつもりです。

I do not think the meeting will last very long.
会議はそれほど長くは続かないと思います。

The effect of the promotional campaign has lasted for about two months.
その販売促進キャンペーンの効果は，約2カ月間続いています。

I didn't mean to interrupt you. Please go on.
邪魔するつもりはなかったんです。どうぞ続けてください。

Keep on trying and you will eventually learn how to do it.
挑戦し続けなさい。そうすればいずれそのやり方がわかるでしょう。

Each lecture is followed by workshops.
それぞれの講義に続いてワークショップが行われます。

TIPS　last のさまざまな意味

ここでは last の意味について，もう少し詳しく解説します。 last は「一定期間続く」というのが大元の意味ですが，**「持ちこたえる」**や**「長持ちする」**など，日本語の「持つ〔損なわれない〕」に当たる意味を表すことができます。

We have enough supplies to last for another two days.
あと2日は持ちこたえるのに十分な物資があります。

These carpets last over thirty years.
これらのカーペットは30年以上も長持ちしています。

提案する ≒ 申し出る

単語	意味	
propose	計画・方針・動議などを	提案する，提出する
put forward	計画・案などを	提案する
suggest	考え・案などを（控えめに）	提案する，勧める
present	考え・計画などを	提出する，発表する
offer	…しようと	申し出る

FOCUS

▶ **propose** は「計画・考えなどを提案する」ことを表す最も一般的な語。

▶ **put forward** は **propose** と同様の意味だが，「議論のきっかけとなるようなことを提案する」場合に使われることが多い。

▶ **suggest** は「…してはどうか」という控えめな提案を表し，propose よりくだけた語。

▶ それぞれの語法は次の通り。
□ propose [suggest] that S ＋動詞の原形：～が…するのが良いと提案する
□ propose [suggest] A（to ＋ 人）:（人に）A を提案する
□ propose [suggest] *doing*：…することを提案する
※アメリカ英語では，〈propose ＋ 人 ＋ to *do*〉が一般的。なお，〈suggest ＋ 人 ＋ to *do*〉とは言えないことに注意。

▶ **present** は「考えや計画などを提示する」ことを表す語。公の場で何かを発表したり，改まって報告・提案などをする場面でよく用いられる。名詞 presentation（プレゼンテーション）はこの present から派生している。「プレゼンテーションをする」は give [make] a presentation と表す。

▶ **offer** は後ろに名詞や to *do* を続けて，他人のために「進んで A を〔…しようと〕申し出る」という意味。名詞 offer（申し出，提案）もよく使われる。

EXAMPLES

The director proposed trying a different approach to the issue.
部長はその問題について別の方法を試みることを提案しました。

I would like to propose that we take part in the race, for publicity purposes.
広報を目的として，我が社がそのレースに参加することを提案させていただきたいと思います。

The idea was first put forward in the 19th century.
その考えは19世紀に初めて提唱されました。

The doctor suggested that I undergo rehabilitation twice a month.
医者は私が月に2回リハビリ治療を受けることを勧めました。

May I suggest meeting in the station? I'm a stranger here.
駅の中で会うのはいかがですか。この辺りはよく知らないんです。

How can you successfully present an idea to your manager?
あなたはどうして課長にうまく意見を提示することができるのですか。

He offered to pick me up at the airport.
彼は空港に私を迎えに来ると申し出てくれました。

TIPS 「…を提案します」という言い回し

自信を持って **I propose ...**（…を提案いたします）と言うこともありますが，場合によっては直接的な印象を与えます。上司に対する提案や社外向けのプレゼンテーションなどでは，印象をやわらげる言い回しも使いこなせるようにしましょう。

I would like to propose ... とすると「提案させていただきたいと思います」あるいは「提案させていただきたいのですが」という，相手の考えにも配慮した言い方ができます。would like to は want to（…したい）の丁寧な表現で，会話では短縮形の I'd like to が使われます。気心の知れた同僚でない限り，ビジネスシーンでは would like to を使います。

また，**I suggest ...**（…はいかがでしょうか）は控えめな言い回しではありますが，さらに丁寧に **May I suggest ...?** とすることができます。

た

提供する ≒ 供給する，補充する

単語	意味	
provide	必要な物を（あらかじめ準備して）	提供する，支給する
supply	必要な物を（不足した分）	供給する，補充する
offer	人に物を（自ら進んで）	提供する
serve	（店などが）食事を	出す，提供する

FOCUS

- **provide** は「前もって見る」が原義で，「予測して必要なものを準備し，提供する」という意味を表す。物品だけでなく，サービス・情報・飲食物などさまざまな物を「提供する」と言う際に広く使うことができる。
- 一方，**supply** は「十分満たす」が原義で，「不足分を供給・補充する」という意味がある。水・食料や，機械の部品・機材などの必需品を，大量もしくは定期的に供給することを表すのに使われることが多い。〈provide [supply] ＋人＋ with ＋物〉または〈provide [supply] ＋物＋ for [to] ＋人〉の語順で用いられる。
- **offer** は「持って行く」が原義で，「相手が受け取って嬉しい物を，自ら進んで提供する」という意味合いの語。商品・サービス・割引・景品・仕事などを目的語にとる。〈offer A B for ＋金額〉「A に B を～の金額で提供する」のような使い方ができる。
- **serve** は店などが「料理・飲み物を出す，提供する」の意味で用いられる。

EXAMPLES

Free product samples are provided attached to the magazine.
無料の製品サンプルが，その雑誌の付録として提供されています。

We would appreciate it if you could provide us with the material by next month.
来月までに資料をご提供いただけるとありがたいのですが。

The company is known for providing quality service at a competitive price.

その会社は，良質のサービスを他社に負けない価格で提供することで知られています。

The warehouse has sufficient water in stock to supply the area.

その倉庫には，その地域に供給するのに十分な水の在庫があります。

The battery supplies enough power to charge two tablet computers simultaneously.

そのバッテリーは，2台のタブレット・コンピューターを同時に充電するのに十分な電力を供給します。

The pamphlet offers a lot of useful information for tourists.

そのパンフレットは旅行者に役立つたくさんの情報を提供しています。

The restaurant serves excellent eel dishes for dinner.

そのレストランは夕食に絶品のウナギ料理を提供しています。

た

TIPS 「無料サービス」は英語で何と言う？

日本語の「サービス」は「無料で提供すること」を表す場合もありますが，英語の service にそのような意味はありません。「無料の」を表す最も簡単な単語は **free** です。**for free** または **free of charge** で「無料で」という意味になります。charge は「請求」の意味で，「料金を請求されない」ということです。

Free WiFi is available on this train.

この電車では無料 WiFi がご利用いただけます。

We exchange batteries free of charge.

無料でバッテリーを交換いたします。

ホテルなどのサービス業においてよく使われるのが **complimentary** です。free よりも改まった場面で使われることが多く，単に「ただの」というよりも「厚意の」というニュアンスがあります。また，飲食店では **on the house** も使われます。house は「家」ではなく「店」の意味で，「店側の負担で」ということを表しています。

The hotel offers a complimentary breakfast.

そのホテルは無料の朝食を提供しています。

Second servings are on the house.

おかわりは無料です。

適応する，適応させる

≒ 応用する，適用する

単語	意味	
adjust	環境・状況などに	適応する，適応させる
adapt	目的・環境などに	適合する，適合させる
accommodate	人・物を（〜に）	適応させる
apply	考え方・知識・技術などを	適用する，応用する

FOCUS

- **adjust** は「新しい環境などに適応させる」ことを表す。adjust A to B（A を B に適応させる）のように使う。また,「調整する」という意味もあり, 物事がちょうど良い状態になるよう細かく変更することを表す。
- **adapt** は「物事に変更を加えて，目的に合うようにすること」を表し，adjust より大きな変更・改変を伴う場合によく用いられる。adapt A to B（A を B に適合させる），adapt A for B（A を B のために適合させる），adapt A to *do*（A を…するように適合させる）のように使われる。
- adjust も adapt も，自動詞で「（主語が）〜に慣れる，適応する」という意味もある。つづりの似た adopt（採用する，採択する）との混同に注意。
- **accommodate** は adjust，adapt よりも堅い語で，accommodate A to B で「A を B に適応させる」という意味を表す。
- **apply** には「当てはめる」という意味があり，「考え方・規則などを適用する」「知識・技術・方法などを応用〔活用〕する」という意味で用いられる。「A を B に適用する」という場合, apply A to B と表す。自動詞で「（ルールなどが）当てはまる，適用される」という意味もある。

EXAMPLES

The saddle can be adjusted to obtain the right height.
サドルはちょうど良い高さになるように調整できます。

When is a good time to adjust prices for inflation?
インフレに合わせて価格を調整するのに良いタイミングはいつですか。

The speaker system is adapted for outdoor use.
そのスピーカーシステムは屋外での使用に適しています。

It took a while to adjust [adapt] to my new environment.
新しい環境に慣れるまでしばらく時間がかかりました。

Some smartphones are accommodated to the needs of the elderly.
高齢者のニーズに合わせたスマートフォンもあります。

For the time being, a patch can be applied to the software.
さしあたり，ソフトウェアにパッチを適用することができます。
※ patch：ソフトウェアの一部を修正すること。

The regulation applies only to cyclists.
その法令は自転車運転者にのみ適用されます。

た

TIPS 日常会話で「慣れる」を表す表現

「A に慣れる」は，日常会話では **get used to A** がよく使われます。get の代わりに be 動詞を使うと，「慣れている」という状態を表すことができます。to は前置詞の働きをしているので，A に動詞が来る場合は *do*ing（動名詞）とします。

You will soon get used to using the cash register.
すぐにレジを使うのに慣れますよ。

I am used to working on Sundays and national holidays.
私は日曜・祝日に働くことには慣れています。

I am not used to the subway system yet.
私はまだ地下鉄に慣れていません。

より堅い表現としては，**get [be] accustomed to A** があります。こちらは「慣れている」という意味だけでなく，「A の習慣がある」という意味でもよく使われます。習慣を表す custom （p.146）が，つづりの中に隠れていますね。

Many Europeans are not accustomed to eating raw fish.
多くの欧州人は，生魚を食べる習慣がありません。

出来事 ≒ イベント，事故

単語	意味	
event	重要な	出来事，行事，試合
happening(s)	—	出来事，事件
accident	不測の，偶然の	出来事，事態，事故，災難
incident	平常時と異なる不快な	出来事，事件，事故

FOCUS

- **event** は「(重要な，印象的な) 出来事」を表す一般的な表現。日本語の「イベント」に当たる「催し物，行事」の意味だけでなく，current events（最新の出来事，時事)，a historic event（歴史に残る出来事）のように使われる。
- **happening** は通例複数形で，everyday happenings（日常の出来事)，mysterious happenings（不思議な出来事)，unexpected happenings（予想外の出来事）のように使われる。
- **accident** は「偶発的で，予測不可能な出来事」を表し，「不慮の事故」の意味でよく用いられる。派生語 accidental は「偶然の」, accidentally は「偶然に」という意味。
- **incident** は「平常時と異なる不快な出来事」を指し，主に犯罪・暴力事件・事故などの文脈で使われる。accident と異なり，意図的・人為的なケースも表せる。また，より重大な事件・事故につながりかねない出来事という意味でも使われる。

EXAMPLES

Newspapers help the readers keep up with the current state of events.
新聞は，読者が最新の出来事に遅れずについていくのに役立ちます。

Among the forthcoming events to note are a gala banquet and a recital.
注目すべきこれからのイベントに，祝賀会とリサイタルがあります。

In the event of an earthquake, do not use the elevators.
地震の際は，エレベーターは使用しないでください。

Strange happenings have been recorded in the downtown area.
繁華街ではおかしな出来事が録画されています。

The accident left many passengers stranded for hours.
その事故で多くの乗客が何時間も足止めされました。

The company partially accepted responsibility for the incident.
その会社は，その事故に対する責任を一部認めました。

TIPS 「○○な出来事」を意味する表現

「出来事」を和英辞書で引くと本項で紹介した語句が出てきますが，応用が利くのが〈**something ＋形容詞**〉（…なこと〔もの〕）や〈**something like ＋名詞**〉（～のようなこと〔もの〕）の表現です。さまざまな語句を入れることができ，適切な名詞が思い浮かばないときや，何かを説明するときにも使うことができます。なお，疑問文・否定文では anything とします。

Something strange happened yesterday.
昨日おかしな出来事がありました。

I saw something interesting today.
今日，面白いものを見ました。

Have you ever experienced anything like this?
これまでにこのような出来事を経験したことはありますか。

It looks something like a scanner, but it isn't.
それはスキャナーのようなものに見えますが，そうではありません。

適切な ≒ ふさわしい

単語	意味	言い換え
proper	社会通念上，適切と言えること	適正な，好ましい，正当な
appropriate	目的・条件に適していること	ふさわしい，適正な
suitable	目的・条件に適していること	適した，ふさわしい
fit	目的・条件にぴったり合うこと	適した，（人が）適任の
right	① 道徳・社会通念上正しいこと	正しい，適切な
	② 目的・条件に適していること	適した，（人が）適任の

FOCUS

- **proper** は「正しい，きちんとした」という意味を含んでおり，「一般的に見て言動などが適切である」「本来の〔意図された〕状態である」「社会的・倫理的に受け入れられる」などの意味を表す。反意語は improper。
- **appropriate** は「特定の目的に適した」という意味の語。反意語は inappropriate。
- **suitable** は proper，appropriate より日常的な場面で用いられ，「人・場所・時間などが目的や条件に適している」ことを表す。
- **fit** は suitable と同様に使えるが，「ぴったり」というニュアンスがある。また，「人が…するのに十分な（資格・資質があること）」という意味も表す。
- **right** は，他の語と多くの場合置き換えが可能で，特に会話でよく用いられる。「正しい」という意味に関しては，p.196 を参照。
- いずれの語も，「～に適切な」と言う場合は proper for A のように **for** を使って表す。

EXAMPLES

Do you think this outfit is proper [suitable] for the presentation?
この服装はプレゼンテーションに適切だと思いますか。

The temperature of the vials should be kept at an appropriate level.
それらの小びんの温度は適切な水準に保たれなければなりません。

We need to give an appropriate reason for our refusal.
私たちがなぜ拒否するのかについての適切な理由を説明する必要があります。

The budget looks suitable [appropriate] for our average expenses.
その予算は我々の平均的な経費に適しているようです。

The movie is suitable for families with small children.
その映画は小さな子供のいる家族に向いています。

The venue is perfectly fit for the occasion.
その会場はそのイベントに最適です。

She is definitely the right person for this kind of job.
彼女はこうした仕事には間違いなくうってつけの人物です。

TIPS 「適切に」という意味の副詞

proper と appropriate は -ly をつけると「適切に」という意味の副詞になります。proper は「正しい」という意味合いがあるため，properly は「正常に」という意味でも使われます。

◆ **properly** : 適切に , 正常に

Dress properly for the general meeting.
総会には正装でお越しください。

The device did not work properly.
その装置は正常に作動しませんでした。

◆ **appropriately** : 適切に

Annual training is conducted so that the workers appropriately perform their tasks.
作業員が業務を適切に遂行するよう，年に一度の研修が行われます。

同時に ≒ 一方で

単語	意味
at the same time	① 同時に，一度に ② (～と同時に) その一方では
simultaneously	同時に，一度に
meanwhile	① そうしている間に，それまでの間 ② (～と同時に) その一方では
at a time	一度に，連続して

FOCUS

- **at the same time** と **simultaneously** は「同時に，一度に」という意味を表す一般的な語。日常会話では at the same time のほうがよく用いられる。-ly を除いた **simultaneous** は「同時に起こる」という意味の形容詞。
- **meanwhile** は「前に述べられたことをしている間に」という意味。
- **at a time** は two at a time（一度に 2 つ）のように，数を表す語の後ろに続けて，「一度にいくつかの」という意味を表す。また，for weeks at a time（一度に何週間も続けて）のように期間を表す語を伴い，「(期間中) 連続して」という意味を表す。

EXAMPLES

I have to carry out many tasks at the same time.
私は同時にたくさんの業務を行わなければなりません。

Both companies scheduled their annual shareholders' meeting at the same time.
両方の会社が年次株主総会を同じ時に開くことを予定しました。

Simultaneously with the launch of the new model, it was announced that support for older models would cease at the end of the year.
新モデルの発売と当時に，年内で旧モデルのサポートが終了するという発表がありました。

Mr. Simmons was asked to do simultaneous interpretation.
シモンズ氏は同時通訳を依頼されました。

It will take time to set everything up. Meanwhile, let's go over the schedule.
すべてを準備するには時間がかかるでしょう。その間に，スケジュールの見直しをしましょう。

I have been on business trips for weeks at a time.
私は一度に数週間出張に出ています。

TIPS 「その一方では」を表す表現

右ページの表に整理した通り，**at the same time** と **meanwhile** は，「A ではあるが（それと同時に）B でもある」という意味もあり，同時に起こっている対照的・逆説的な 2 つの内容を述べる際に用いられます。

Some items were discounted at the same time that other items went up in price.
いくつかの商品が割引されている一方で，値上りしている商品もありました。

People in general want more money. At the same time, they want more free time.
一般的な人々はお金を欲しがると同時に，自由な時間も欲しがります。

た

特徴 ≒ 性質，性能

単語	意味	
characteristic	人・物事の典型的な	特徴，特性，性質
character	人・物事・場所などの	性格，気質
feature	注意を引く際立った	特徴，特色，性能

FOCUS

- **characteristic** は「典型的な性質」を表し，人・物事のいずれにも広く使われる。特に人の内面的な特性，物の本質的な特徴，科学的な特性などを表すのによく用いられる。
- **character** は表せる範囲がより狭く，人の性格，人々の気質，物事の雰囲気，場所の土地柄などに用いる。
- **feature** は「目につく際立った特徴」を表す語。characteristic とは対照的に，人や建物などの外見の特徴や，物事の重要で目立つ特徴，機器の特徴的な性能などについてよく用いられる。記事の「特集」やイベント・作品の「目玉」の意味もある。

EXAMPLES

One of her characteristics is that she resents speaking in public.
彼女の特徴の１つは人前で話すことをひどく嫌うことです。

Every car has its unique characteristics.
どの車にも独自の特徴があります。

The main characteristic of the oil is its durability.
その油の主な特徴はその持続性です。

The team members have some great character traits.
そのチームのメンバーはすばらしい個性を持っています。

The new landmark completely changed the character of this area.
その新しいランドマークが，この地域の雰囲気を一新しました。

The computer has several distinguishing features.
そのコンピューターにはいくつかの際立った特徴があります。

Most delivery services have auto-tracking features these days.
最近ではほとんどの配達サービスに自動追跡機能があります。

TIPS 「特徴的な」を意味する形容詞

「特徴的な」に当たる形容詞にもいくつかの語があります。**characteristic** は名詞と形容詞が同じつづりで,「(あるものに）特有の，典型的な」という意味があります。

The weakness in its design is characteristic of the products made by the company.
その設計における弱点は，その会社の製品に特有のものです。

signature は名詞で「署名, サイン」などの意味がありますが, 形容詞としては「見てすぐに『それだ』とわかるほど, あるものにとって特徴的であること」を意味します。the signature look of a car（車の特徴的な見た目), their signature dish（彼らの看板料理), her signature smile（彼女のトレードマークの笑顔）のように使います。

marked は「mark（印）のついた」という意味から派生して,「見てすぐにわかるほど際立った」, つまり「明白な，著しい」といった意味があります。marked difference（際立った違い), marked increase（著しい増加）のような使い方ができます。

取引 ≒ 商談，貿易

単語	意味	
deal	ビジネス，政治に関わる	取引，契約，商談
business	利益を生むための	商売，ビジネス
trade	国内外での	取引，貿易，通商
account	一定期間にわたる	（他社との）取引，得意先，顧客

FOCUS

- **deal** は「取引」「契約」「取り決め」などを表す語で, make[have] a deal with A（A と取引をする）, close a deal with A（A との商談をまとめる）のように使われる。
- **business** は「商売」の意味で，do business with A（A と取引〔事業，商売〕をする）のように，「利益を生むための製造・売買・サービス提供」などを広く表す。
- **trade** は「国内外での商品やサービスの売買」を指し，business よりも規模の大きな取引を指す。trade fair（見本市，展示会），trade mark（登録商標），trade name（商標名，商号）のように使われる。
- international trade（国際貿易），a trade agreement（貿易協定），trade deficit [surplus]（貿易赤字〔黒字〕）のように「貿易，通商」には **trade** が使われる。
- **account** は「一定期間，商品やサービスを提供する取引」を表し，「取引先，顧客」の意味もある。

EXAMPLES

Believe it or not, I've just closed a deal!
信じられないかもしれませんが，たった今，私が商談をまとめたんですよ！

The deal may collapse if we cannot meet the requirements.
もし我々が要件を満たせなければ，破談になるかもしれません。

Business was disrupted by the earthquake.
地震によって取引が混乱しました。

What is the best way to boost business with GI Corp.?
GI 社との取引を拡大するのに一番良い方法は何でしょうか。

Domestic trade in small vehicles is sluggish.
小型車両の国内取引は低迷しています。

Port cities are usually important centers of trade.
港湾都市は通常，重要な貿易の中心地です。

Does your company have an account with this branch?
あなたの会社は，この支店と取引がありますか。

TIPS 「お世話になっております」は英語で何と言う？

日本ではほとんどの場合，取引先へのメールは「お世話になっております」で始めますね。英語圏では，基本的にそうした挨拶は省略し，**I am writing to ...**（…するためにご連絡しました）などと直接要件に入ります。ただ，久しぶりに連絡を取る場合，次の表現を使うこともあります。

I hope this e-mail finds you well.
お元気でいらっしゃいますか。〔ご健勝のことと存じます。〕

また，商品・サービスを購入してくれるお客様・取引先に対しては，次の表現がよく使われます。1つ目の文は「*貴社の事業を高く評価しています*」という意味ではありません。ここでの appreciate は「感謝する」，business は「取引」という意味で使われています。

We always appreciate your business.
いつもご愛顧いただき感謝申し上げます。

Thank you for choosing our company.
当社をお選びいただきありがとうございます。

努力する ≒ 頑張る，尽力する，励む

単語	意味	
make an effort	目的に向かって	努力する，頑張る
work hard	目的に向かって	一生懸命働く，熱心に取り組む
do *one's* best	不可能かもしれないが	最善を尽くす
struggle	逆境・困難な状況で	奮闘する，もがく
commit	仕事や活動に	真剣に取り組む，専念する
strive	何か（の獲得）を目指して	懸命に努力する，励む

FOCUS

- **make an effort** は目的を表す to *do* とともに用いることが多く，「…するために〔…しようと〕努力する」という意味を表す。effort は「苦労や決断を伴う努力」を意味し，「大変だが頑張る」という場合に適している。
- **work hard** は「一生懸命働く，熱心に取り組む」という意味で，仕事だけでなく勉強や研究など幅広い物事に使うことができる。hard は形容詞・副詞とも同じつづりで，「熱心に」は *hardly*（ほとんど…ない）とはならないことに注意。
- **do *one's* best** は「自分なりに最大限の努力をする」という意味。「期待に添えないかもしれないが」あるいは「結果はどうあれ」という意味合いを含む。
- **struggle** は「困難な状況にもかかわらず懸命に努力・奮闘する」ことを表す。
- **commit** は「（仕事や活動）に真剣に取り組む」ことを表す。commit *oneself* to A または be committed to A で「A に専念〔尽力〕する」という意味を表す。
- **strive** は上記の語より堅い響きがあり，状況の改善，能力・権利の獲得などのために懸命に努力することを表す。

EXAMPLES

The government has made every effort to abolish pay gaps.
賃金格差をなくすために政府はあらゆる努力をしてきました。

The sponsor has made a great effort to promote the goods.
そのスポンサーは商品を宣伝するために多大な努力をしてきました。

We have worked hard to meet our sales quota.
私たちは販売ノルマを達成するために懸命に取り組んできました。

The sales team did their best to try to win over new customers.
営業チームは新規顧客を獲得しようと最善を尽くしました。

We had to struggle to get a better deal from the supplier.
供給業者から好条件の取引を獲得するために奮闘しなければなりませんでした。

We are committed to improving customer service quality.
顧客サービス品質の向上に力を尽くす所存です。

The marketing team constantly strives to get a larger market share.
マーケティングチームは市場シェアを拡大するために絶えず努力しています。

TIPS 「頑張ります」は英語で何と言う？

英語で「頑張る」を表す言葉にはどんなものがあるでしょう。**Do your best!** は大きな〔困難な〕挑戦をする人に対して使い，「悔いのないよう全力で頑張れ！」というメッセージを伝えることができます。

一方で，「頑張ります，全力を尽くします」と宣言する場合には要注意です。「結果はどうあれ」というニュアンスがあるので，場面によっては無責任な印象を与える恐れがあります。例えば「再発防止に全力で取り組みます」という場面で **We will do our best ...** とすると，文脈によっては「努力するにとどまる」と受け取られる可能性があります。なお，会社として対応している場面では I will do my best ... はNGです。

確実に遂行・達成すべきことは，EXAMPLESの6つ目のように We **are committed to** *do*ing ... とすると，真摯な姿勢をよりアピールできます。再発防止を約束する場面では，行動を伴う印象を与える **take every measure**（あらゆる対策を講じる）という表現も効果的です。

We will take every measure to prevent a recurrence of such a problem.
このような問題の再発を防ぐために，あらゆる対策を講じて参ります。

Column 4

「依頼」を表すさまざまな表現

誰かに何かを依頼する際，友達には「ちょっと，これ確認してくれる？」と頼めても，上司には「すみませんが，これを確認していただけますか。」のように表現を変えますよね。英語も同様に，表現を使い分けます。以下の表は丁寧さのおおよその度合いで，下にいくほど丁寧です。

命令文	Please ...	…してください。
カジュアルな依頼	Can you ... ? Will you ... ?	…してくれますか。
標準的な依頼 ★おすすめ★	Could you ... ? Would you ... ?	…していただけますか。
丁寧な依頼	Would you mind *doing* ... ?	…していただけますでしょうか。

※その他の表現も，p.317 で紹介しています。

原則として，命令文より疑問文のほうが，同じ助動詞でも現在形より過去形のほうが，丁寧な印象です。命令文は必ずしも高圧的な印象とは限らず，以下のように指示を出す場面や，慣用表現として多く用いられます。

Please raise your hand if you have any questions.
何か質問があれば，手を挙げてください。

ただし，相手に受けてもらえるかどうかわからない依頼については，Please は適切ではありません。**ビジネスシーンの依頼におすすめなのは，Could you ... ? や Would you ... ? です。**この 2 つは多くの場合交換可能ですが，厳密には could は相手の能力や状況からしてできるかできないかを，would はできることはわかった上で相手の意志を尋ねる表現です。

英語では，**時制を過去にずらすことで「距離感」を伝える**というルールがあります。例えば Can you ... ? より Could you ... ? のほうが丁寧なのは，過去形が「現実的なことから距離がある」ことを表し，「難しいかもしれませんが」という配慮を感じさせるためです。また，基本的に長い文のほうが丁寧な印象で，Would you mind *doing* ... ? はとても丁寧な表現です。

な 行

など ≒ その他，例えば，（〜の）ような

単語	意味	
such as	直前の内容の具体例を示して	…例えば〜， 〜などの…
like	直前の内容の具体例を示して	〜のような…
for example	直前の内容の具体例を示して	例えば〜
including	直前の内容に含まれているものを具体的に挙げて	〜を含めて， 〜などの
and so on	例を挙げたあとに（他にもあることを表して）	など， その他いろいろ
and others	例を挙げたあとに（他にもあることを表して）	など，その他

FOCUS

▶ **such as, like, for example** は，直前の内容の具体例を挙げる表現。like は会話で好まれるくだけた表現で，文章では such as または for example を使うと良い。なお，品詞としては，such as と like は前置詞（句）なのに対し，for example は副詞句である。

▶ **including** は「〜を含めて」という意味で，あとに続く具体例が，直前の内容の一部であることを示す場合に適している。

▶ **and so on** は A, B, and so on のように，例を挙げたあとに添えて「A と B とその他いろいろ」という意味を表す。一般的に見て A・B に共通点がある場合に使われ，共通点のない，バラバラのものには使えないことに注意。

▶ **and others** は and so on と使い方は同じだが，A・B に人を挙げた場合は and others を用いる。物に使うべき and so on を人に対して使うと，失礼な印象になる。

▶ *such as A, B and so on* のように，例示の前後両方に上記の語句を使うのは間違いなので，注意が必要。

EXAMPLES

Screens in the station show useful information, such as train delays.
駅のスクリーンは列車の遅延など，有用な情報を表示しています。

You will find a rich variety of herbs, like basil and time.
バジルやタイムなど，多種多様なハーブが見つかるでしょう。

The store offers small parts, for example chains, beads and rings, for use in handicraft.
その店では，例えばチェーン，ビーズ，リングなど，手工芸に使用される小さなパーツを提供しています。

We visited several museums during the tour, including the Vatican Museum.
私たちはそのツアーの間に, バチカン美術館を含むいくつかの美術館を訪問しました。

We serve drinks made from fresh fruit, herbs, and so on.
当店は新鮮な果物やハーブなどから作られた飲み物を提供しています。

I talked with the project manager and others about that.
私はプロジェクトマネージャー他数名と，その件について話しました。

TIPS and so on を使えるのはこんな時！

and so on はよく「など」と訳されますが，日本語の「など」がすべて and so on に変換できるわけではありません。and so on は「一般的に見て共通点があるもの」，つまり，聞き手がそれに続くものを無理なく想像できる場合に使われます。③のような使い方は間違いなので，注意しましょう。

① **I went shopping for eggs, some ham, and so on.**（○）
私は卵やハムなどを買いに出かけました。
→スーパーのようなところで，食料品を買ったのだと想像できる。

② **I went shopping for food, daily necessities and so on.**（○）
私は食料品や日用品などを買いに出かけました。
→大型のスーパーやドラッグストアで，生活必需品を買ったのだと想像できる。

③ **I went shopping for *food, books, pets and so on*.**（×）
私は食料品や本，ペットなどを買いに出かけました。
→実際に食料品・ペット・本・カメラ・メガネを同じ日に買ったのだとしても，food / books / pets に続くものが何なのか，聞き手が想像できない。

似ている ≒ そっくりの

単語	意味
resemble	【動詞】人・物事が～に似ている
similar	【形容詞】外見・性質・程度などが似ていること
alike	【形容詞】外見・性質などがそっくりであること
like	【前置詞】外見・性質などが～に似た

FOCUS

- **resemble** は「～に似ている」という意味を表す動詞。他動詞のため，A resemble(s) B（A は B に似ている）のように用い，目的語の前に to などの前置詞は不要。また，know，have などと同じ状態動詞（p.322）のため，「(だんだん）似てきている」という推移を表す以外は進行形にしない。また，受動態も不可。

- **similar** は「類似した，同じような」を表す形容詞。similar to A（A と似た），similar in A（A に関して似た）のように用いられる。外見以外の類似性に関しても広く使われる。

- **alike** は「外見や性質などがよく似た，そっくりの」という意味の形容詞。叙述用法でのみ用い，A and B are alike ... のように，通例複数の主語をとる。

- **like** は「類似した」という意味の前置詞。look like A（A のように見える，A に見た目が似ている）のように動詞と結びついて，「外見・声・特徴などの面で他の物〔人〕と似た」という意味を表す。他に sound / feel / taste / smell などの五感を表す動詞や，be 動詞や seem とともに用いられることが多い。

EXAMPLES

The products resemble each other in their looks.
それらの製品は見た目が互いに似ています。

She resembles her mother in taste [appearance, looks].
彼女はお母さんに好み〔容姿〕が似ています。

They may not be identical; they are, however, similar to one another.
それらはまったく同じというわけではないかもしれませんが，互いに似ています。

What sets them apart from similar devices is their sturdiness.
それらが似たような装置に比べて際立っているところはその頑丈さです。

Both copiers are similar in pricing and performance.
どちらの複写機も値段と性能は同程度です。

The policies are alike, yet differ in how they should be implemented.
それらの政策はよく似ていますが，どのように実行されるかが違います。

It may sound like a crazy idea, but what do you think of it?
それは奇抜なアイディアのように聞こえるかもしれませんが，あなたはどう思いますか。

な

TIPS similar と alike の使い方に注意

similar と alike に関して，形容詞の使い方の違いに注意しましょう。similar は，下のAのように名詞を修飾する限定用法でも，Bのように文の補語となる叙述用法でも，どちらでも使うことができます。

A: I have some similar books at home.
似たような本が何冊か家にあります。

B: The books are similar in size.
それらの本はサイズが同じくらいです。

一方，alike は〈複数の主語＋ are [look] alike〉のように叙述用法でのみ用いられます。

The book covers are [look] alike and can easily be mistaken.
それらの本の表紙はそっくりなので間違えられやすいかもしれません。

他にも，a- で始まる形容詞には，alive（生きている），alone（孤立している），awake（目覚めている），aware（気づいている）など，叙述用法のみのものが多くあります。単語の意味だけでなく，使い方もあわせて確認しましょう。形容詞の用法についてはは p.332 で詳しく解説しているので，参照してください。

認識する ≒ 気づく，実感する，理解する

単語	意味	
notice	① 人や物の存在に	（五感で）気づく
	② …ということに	気づく
perceive	① 人や物の存在を	知覚する
	② …ということを	理解する
realize	事実や状況，物事の重要性などを	実感する，はっきりと理解する
recognize	① …ということを	認識する，理解する
	② 人が〔物が〕	誰だか〔何だか〕わかる
be aware of	事実や状況に	気づいている

FOCUS

- **notice** は「何かに注意を引かれて認識する」という意味で，「気づく」の意味で一般的に使われる。
- **perceive** は「知覚する」を表す改まった語で，五感で気づく場合にも，頭で理解する場合にも使える。
- **realize** は real（現実の）の派生語で，「実感する」という意味の語。考えたことや新しく得た情報のおかげで，事実や意味に気づき，実感を伴って理解することを表す。
- **recognize** は「物事を認識している」という意味や，「以前の経験・記憶から，その人〔物〕が誰〔何〕だかわかる」という意味がある。その他の意味は p.296 ～ 297 を参照。
- **be aware of** は「…に気づいている」という意味で，問題や危険などに警戒心を払う場合に用いる。be aware は「認識している」状態を表すので，「認識する」という動作（状態の変化）を表すときは become aware を用いる。become aware は，瞬間的に気づくのではなく，「徐々に気づく」場合に用いられる。

EXAMPLES

Please notice the difference between the two types of projector.
その2種類のプロジェクターの違いに着目してください。

Did you notice anything strange before you left the office last night?
昨晩あなたが退社する前に何か変わったことに気づきましたか。

It was hard to perceive his real intentions.
彼の真の意図に気づくことは困難でした。

Nobody realized how important the issue was.
その問題がどれほど重要であるかに誰も気づきませんでした。

We recognize how hard it is to deliver an introductory speech.
我々は初めの言葉を述べるのがいかに難しいかを認識しています。

I recognize you from somewhere. Did we go to the same college?
あなたをどこかでお見かけした覚えがあります。同じ大学に通っていましたか。

Please be aware of the dangers of driving on snow.
雪道の運転の危険性にご注意ください。

We soon became aware of our lack of preparation.
我々はすぐに準備不足だったことに気づきました。

TIPS 「認識のずれがある」は英語で何と言う？

仕事をしていく上で,複数のメンバーで認識を合わせるのは大切なことですね。「認識〔考え〕が一致している」あるいは「認識がずれている,考えが一致していない」は **be on the same page**（＝同じページにいる）を使って表現できます。

Perhaps we are not on the same page.
もしかすると，我々は認識がずれているかもしれません。

Make sure everyone is on the same page.
全員の認識を合わせるようにしてください。

能力 ≒ 才能

単語	意味	
ability	実際に…できる	能力
capacity	潜在的な	能力，力量，生産・収容能力
capability	特定のことができる	能力，技量，性能
talent	持って生まれた	（芸術分野の）才能
gift	神や自然の恩恵による	天賦の才能

FOCUS

▶ **ability** は「能力」を表す最も一般的な語。主に人について用い，「(今・その時点で）実際にできる」ことに重点がある。先天的・後天的な能力，精神的・肉体的な能力を広く表すことができる。

▶「…する能力がある」は have the ability to *do*，「能力を発揮する」は demonstrate [display] *one's* ability が使われる。

▶ **capacity** は「潜在能力」を表し，元々備わっていて，何かに応じて引き出すことのできるものを表す。ability が実際に発揮できる能力を表すのに対して，capacity は「(これから）できる可能性」を表す。人にも使えるが，特に物の生産能力，収益力，収容・保管能力についてよく用いられる。

▶ **capability** は ability，capacity より堅い語で，知識や技能を要する事柄を処理できる技量，物の性能などを表す。

▶ **talent** は「生まれ持った才能」を表し，通例，あとから身につける外国語の能力などには用いない。芸術分野における才能を指すことが多い。

▶ **gift** は「贈り物」を意味するが，神から与えられた「天賦の才能」という意味がある。talent よりもさらに意味が強く，称賛を込めて使われる語。

EXAMPLES

She has the ability to efficiently perform two tasks simultaneously.
彼女は2つの仕事を同時に効率的に行うことができる**能力**を持っています。

We highly evaluate his ability to organize a team as leader.
私たちはリーダーとしてチームをまとめる彼の**能力**を高く評価しています。

The factory has won the order and is now working at full capacity.
その工場は注文を勝ち取り，現在はフル稼動しています。

The parking area has the capacity to accommodate 500 bicycles.
その駐輪場は500台の自転車を収容することができます。

He has considerable capability in this field thanks to the experience he gained overseas.
海外で得た経験のおかげで，彼はこの分野で相当高い**能力**を持っています。

She has a natural talent for developing industrial design.
彼女は工業デザインを考案する生まれながらの**才能**を持っています。

She has the gift of being able to conclude deals favorable to our company.
彼女は我が社に有利な取引を成立させることができる**才能**を持っています。

TIPS 「理解力」は英語で何と言う？

日本語では何でも「○○力」と言いますが，英語ではどうでしょうか。もちろん，problem-solving abilities [skills]（問題解決能力），communication skills（コミュニケーション力），information processing capacity（情報処理能力）のように「能力，技術」に当たる語を使って表現するものもあります。

一方で，**comprehension**（理解力），**creativity**（発想力），**leadership**（統率力）のように一単語で表現できるものもあります。こうした言葉が出てこないときには，the ability to understand something（物事を理解する力）のように **the ability to *do*** を使って言い換えることができます。こうした汎用的な表現を覚えておくと，コミュニケーションがスムーズになるでしょう。

Column 5

「頻度」を表す副詞（いつも～時々～一度も…ない）

頻度を表す表現はいろいろありますが，おおよその頻度の目安を知っておくと便利です。

副詞	頻度の目安	意味
always	100%	いつも
usually	70 ～ 80%	たいてい
often [frequently]	60 ～ 70%	しばしば
sometimes	30 ～ 40%	時々
hardly ever	1 ～ 10%	めったに…ない
never	0%	一度も…ない

このような，捉え方に個人差のある頻度を表す副詞は，置く場所に注意が必要です。twice a week（週に 2 回）などの明確な頻度を表すものは文尾に置くのに対して，こうした副詞は通例一般動詞の直前，be 動詞や助動詞がある場合はその直後に置きます。

I always [often] go out for lunch with my colleagues.
私はいつも〔よく〕同僚と一緒に昼食を食べに行きます。

また，never の使い方には要注意です。never は not と ever（いつか，一度でも）が一緒になった語で，「一度も…ない」という頻度を表します。「絶対に…しない」と強調する際に not の代わりに用いられることもありますが，原則的に never は一度だけの動作や一時的な状態を否定する場合には適しません。そのような場合は下の B の文のように not を用います。

A: I never thought about starting my own business at that time.
当時は自分が起業するなんて考えたこともありませんでした。

B: I am not happy with the result.
私はその結果に満足していません。　【一時的な状態】

なお，not は did not think のように〈助動詞＋ not ＋動詞の原形〉となるのに対し，never は後ろに続く動詞の形に影響しません。I thought ... を否定する場合，単に I never thought と間に挿入します。

は 行

発売する ≒ 売る

単語	意味	
release	CD・本・映画・商品などを	（宣伝とともに）新しく市場に売り出す
launch	事業・サービス・商品などを	（宣伝とともに）新しく市場に売り出す，立ち上げる
publish	本・雑誌・新聞などを	出版する，刊行する
go on sale	商品・CD・本などが	発売される，店頭に並ぶ
come out	商品・CD・本などが	発売される，世の中に出る

FOCUS

- **release** は「CD や本などを新発売する」，「映画を公開する」，「新商品を発表する」などの意味を表す。
- **launch** も release と同様の意味を持つが，事業やサービスの開始・立ち上げには launch が使われる。launch には「ロケットを打ち上げる」などの意味もあり，勢いよく世の中に送り出すイメージがある。
- **release** と **launch** は大々的に宣伝して売り出す場合に用いられ，「新製品・新サービスを発表する」と言う場合に適している。いずれの語も，同じつづりで名詞の用法もある。
- **publish** は書籍・雑誌・新聞などの出版物を「刊行する」という意味。
- 「発売される」と言う場合，商品を主語にして **go on sale**，**come out** を使うことができる。「発売されている」という状態は，be on sale，be in stores などで表せる。

EXAMPLES

The singer released her new album together with a photo book.
その歌手は写真集付きの新しいアルバムを発売しました。

D-ton Inc. is set to launch a multi-million-dollar publicity campaign.
Dトン社は数百万ドル規模の宣伝キャンペーンを開始することになっています。

Details of the launch will shortly become available.
発売の詳細はまもなく発表されます。

The magazine is published on the 25th of each month.
その雑誌は毎月25日に発売されます。

Eco-friendly paper straws will go on sale at the beginning of next month.
環境にやさしい紙製のストローが来月初めに発売になります。

The tablet PC is on sale in select appliance stores.
そのタブレットパソコンは一部の家電販売店で販売されています。

Recently, many interactive books and magazines have come out.
最近では，双方向性のある多くの本や雑誌が出版されています。

は

TIPS 「売っている」「売れる」を表す表現

「(物が店で) 売っている」と言う場合は，**sell** を使って表現することができます。「販売している」という状態を表すので，原則として進行形にはしません。このような動詞については p.322 で解説しています。

Do you sell eye drops?
(この店では) 目薬を売っていますか。

This product is sold at drugstores nationwide.
この商品は全国のドラックストアで売られています。

また，sell は自動詞で「売れる」という意味もあり，「よく売れている」「あまり売れない」などと売れ行きについて話す場合にも適しています。「〜個売れる」と言う場合も sell を使って表現できます。

This model has been selling well since its release.
このモデルは発売以降よく売れています。

Thirty thousand cases of Blue Soda have sold in the first year alone.
ブルーソーダは，初年度だけで3万ケース売れました。

話す ≒ 言う，述べる，話し合う

単語	意味	
say	① …と	言う，述べる
	② 主語によると	…である
speak	①（言語を）	話す，口をきく
	②（人に）	話す，講演する
talk	（人と）	話す，話し合う
discuss	問題などを（人と）	話し合う
state	意見や事実を	正式にはっきり述べる
mention	何かについて	言及する，触れる

FOCUS

say

speak

talk

- **say** は「（人が）言った内容を，そのまま伝えること」に重点があり，「人が…と言っている〔言った〕」と伝えるのに適している。新聞・報告書などの情報源を主語にして，「主語によると…である」という意味でもよく使われる。

- **speak** は「話をする行為」に重点がある。特に「（英語などの）言語を話す」「ゆっくり話す」「大きな声で話す」などの場合には speak を用いる。また,「一方が話し, 他方が聞く」という状況が多く,「講演する」の意味もある。ただし, この意味では make [give] a speech が使われることが多い。

- **talk** は「互いに話す〔話し合う〕」ことを表し，speak と違って「双方向のコミュニケーション」を意味する。仲間内で気軽に話す場合にも，改まった場で議論する場合にも使える。自動詞のため，目的語をとるには **talk about A**（A について話す），**talk with A**（A と話す），**talk to A**（A に話しかける）のように前置詞が必要。

▶ **discuss** は talk より堅く，徹底的に話し合う，議論することを表す。他動詞のため，目的語の前に about などの前置詞は不要。

▶ **state** は口頭や書面で「…と正式に述べる，言明する」ことを表す。

▶ **mention** は口頭や書面で「詳細は述べずに軽くふれる, 言及する」ことを表す。

EXAMPLES

Could you say that again, please?
もう一度言っていただけませんか。

The newspaper article says that it will snow later this week.
新聞の記事によると，今週後半には雪が降るとのことです。

He spoke in a louder voice to attract attention.
彼は注意を引くために声をより大きくして話しました。

The parties have agreed to talk at a later date.
双方が後日話をすることで合意しました。

Let's discuss the details over lunch.
昼食を食べながら詳細を話し合いましょう。

The insurance policy clearly states the conditions for full coverage.
その保険証券には完全補償の条件が明記されています。

All requirements for the qualification are mentioned below.
その資格のすべての要件は以下に記されています。

TIPS　say と tell の違い

say：**「何を言ったか」を重視**　（≒　…だと言う）
tell：**「誰に言ったか」を重視**　（≒　人に…だと知らせる）

say は，**I said no**.（ダメだと言いました。）のように「内容」を目的語にとります。I said to him that ...（私は彼に…と言いました）と to を使って「誰に」を表すこともできますが，あくまでも内容に重点が置かれます。

これに対し，**tell** は **I told you**.（だから言ったでしょう。）のように「人」を目的語にとり，「話す，言う」という意味ではこれを省略することはありません。つまり，本質は「人に伝える」という点にあるのです。本書では tell を「知らせる」(p.166) の項目で取り上げていますので，そちらで使い方を確認しましょう。

は

反対する ≒ 異議を唱える

単語	意味	
do not agree	人・意見・提案・計画などに〔と〕	賛成ではない，同意はしない
disagree		反対する，意見が合わない
object	人・計画・行動などに	反対する，異議を唱える
oppose	意見・提案・計画などに	反対する，対抗する
be opposed to		反対している
be against	意見・主義・行為などに	反対している

FOCUS

- **do not agree** は「賛成ではない」「同意はしない」という意味。明確に「反対」を示す他の表現と比べて，控えめな表現。agree の意味や，with / on / to の使い分けについては p.140 を参照。
- **disagree** は「相手と意見が一致しない」という意味で，do not agree よりもはっきりと反対の立場を表明するのに使う。
- **object** は「異議を唱える」という意味で，disagree よりも強い印象を与える。目的語を伴って「～に反対する」と言う場合, **object to** とする。that 節を伴って「…だと（言って）反対する」という使い方もできる。
- **oppose** はより堅く, 阻止するための行動をとる含みがある場合に適している。
- 「反対している」という状態を表す場合は，話し言葉では **be against**，書き言葉では **be opposed to** が適している。

EXAMPLES

Actually, I do not agree with you about the necessity of the measure.
実を言うと，その措置の必要性についてはあなたに同意はしません。

Very few board members disagreed on the revised budget.
その修正予算案に反対した役員はほとんどいませんでした。

They disagreed that they should change their policy.
彼らは自分たちの方針を変えることに反対しました。

He objected that the manufacturing process would harm the environment.
彼はその製造工程は環境を破壊するだろうと意義を唱えました。

The directors opposed the nomination of the leading candidate for the job.
役員たちは最有力の候補者をその職に指名することに反対しました。

Many voters were opposed to the construction plan.
多くの有権者はその建設計画に反対していました。

Is the majority for or against the proposal?
大半の人はその提案に賛成ですか，それとも反対ですか。

は

TIPS 反対意見をやわらげるフレーズ

意見を明確に伝えることは大切ですが，ぶしつけな言い方では相手との関係性を損ねてしまいます。反対意見を伝える際は，相手を尊重する表現を用いましょう。**I'm sorry, but** あるいは **I'm afraid (that)** は，言いにくいことを伝える際に広く使える定番フレーズです。

また，**I do not agree ...** が「(自分の意思で）賛成しない」ことを表すのに対し，**I cannot agree ...** や **I have to disagree ...** は「(何らかの事情によって）賛成できない」ことを表し，より客観的な印象になります。

I'm sorry, but I cannot agree with you.
申し訳ありませんが，あなたの意見には同意できかねます。

I'm afraid I have to disagree with the plan.
恐れ入りますが，その計画に反対せざるを得ません。

All things considered, we cannot agree with the proposal.
総合的にみて，その提案には賛成できかねます。

反対の ≒ 逆の，矛盾した

単語	意味	言い換え
opposite	考え・性質・方向などが正反対であること	正反対の，反対側の，向かいの
contrary	考え・言動・性質・方向などが反対であること	反する，対立する
contradictory	考え・言動・情報などが矛盾していること	矛盾した
reverse	逆，逆さまであること	逆の

FOCUS

- **opposite** は，方法・考え方・意味・効果・性質などが「正反対である」ことを表す。opposite side（反対側）のように位置関係・方向を表す場合にも使われる。形容詞のほか，副詞で「反対に」，前置詞で「～と反対に」，名詞で「反対のもの」などの意味がある。
- **contrary** は考え方などが「対立する」ことを意味し，contrary to A（A と反対に）のように使われる。名詞で「反対のもの」という意味もあり，to the contrary（反対に），on the contrary（反対に，それどころか）のように使われる。
- **contradictory** は 2 つの考えや，話，情報などの内容が「論理的に矛盾していて，両立しない」ことを意味する。なお，**contrary** には「論理的に矛盾した」という意味はなく，基本的に違っていて，一致する点がないことを表す。
- **reverse** は「後ろに曲がる」が原義で，位置・方向・順序・状況・手順などが「普通の状態，あるいはすでに述べた状態と逆（向き）である」ことを表す。反対方向（reverse direction），逆効果（reverse effect），裏側（reverse side），逆の順（reverse order）などは，正反対を表す opposite とほぼ同様に使える。
- 「A と反対の」を表す場合，いずれの語も **to** を使って **opposite to A** のようにする。

EXAMPLES

I'm afraid the advertising campaign runs opposite to what it was intended for.
残念ながらその広告キャンペーンは意図されていたのとは反対の方へ向かっています。

We lost our way and ended up walking in the opposite direction. 私たちは道に迷い，結局反対方向に歩いてしまいました。

Contrary to our expectations, the survey results turned out in favor of our competitor.
我々の予想に反して，調査結果は競合他社に有利なものとなりました。

Wouldn't that run contrary to general customs and practice? それは一般的な慣習に反することになりませんか。

Parts of the lecture are contradictory to what is considered realistic.
その講義はところどころ，現実的と思われることと矛盾しています。

The managers hold contradictory opinions about how to do business.
部長たちはビジネスの仕方について相反する意見を持っています。

She tried to assist me, but it had the reverse effect on me.
彼女は私を助けてくれようとしましたが，それは私には逆効果でした。

TIPS　to the contrary と on the contrary の違い

よく似た2つの表現の使い分けに注意しましょう。**to the contrary** は文頭で「(直前の内容と）反対に」という意味を表します。また, something to the contrary（反対のこと）のように, 名詞の後ろに続けて 「反対の～」という意味を表します。

It was expected that share prices would fall due to the unrest in the Middle East; to the contrary, they have risen.
中東における情勢不安の影響で株価は下がるだろうと予想されていましたが, 反対に, 株価は上昇しました。

一方，否定的なニュアンスを込めて「それどころか」と言う場合は **on the contrary** を使います。

It was not a huge success. On the contrary, we can even view it as a failure.
それは大成功とはいきませんでした。それどころか，失敗とさえ言えます。

は

引き受ける ≒ 受け継ぐ，引き継ぐ

単語	意味	
accept	仕事・責任などを	引き受ける
undertake	① 仕事・責任・地位などを	引き受ける
	② 仕事に	着手する
assume	役割・責任などを	引き受ける
take over	仕事・責任などを	受け継ぐ，引き継ぐ

FOCUS

- **accept** は「受け入れる」ことを広く表し，依頼された仕事や，発生する責任などを「引き受ける」という意味がある。
- **undertake** は,「仕事･責任を引き受ける」という accept と同じ意味のほか,「地位・役職を引き受ける」場合にも使われる。また，「仕事に着手する」という意味でも用いられる。
- **assume** は，役割や責任などを「引き受ける」という意味では undertake とほぼ同様に用いられる。ただし,「仕事を引き受ける」と言う場合には使わない。
- **take over** は, 仕事や責任などを「(人から／ある時点から)受け継ぐ, 引き継ぐ」ことを表す。「(企業を）買収する」という意味でもよく使われる。

EXAMPLES

Rumors abound that Green Manufacturing is likely to accept the offer.
グリーン社がその依頼を受けるだろうという噂が飛び交っています。

The team is set to undertake the experiment on Tuesday.
そのチームは火曜日にその実験に着手することになっています。

As of April 1st, Mr. Johnson will assume the position of chairperson.
４月１日付けでジョンソン氏が議長の職に就任する予定です。

It is only reasonable for manufacturers to assume liability for defective products.
欠陥製品の責任を負うことは，製造者にとって至極当然のことです。

After the merger, the new entity will take over the control of its predecessors.
合併のあと，新しい企業体がその前身の管理を引き継ぐことになります。

I would like you to take over some of Ms. Walton's responsibilities.
あなたにウォルトンさんの任務の一部を引き継いでいただきたいのです。

TIPS 仕事を引き受ける・断るフレーズ

仕事を「引き受けます」と言う場合の表現を押さえましょう。打ち合わせをしていて，「誰がやる？」となったときは，**I'll take care of it.**（私がそれをやります。），**I can handle it.**（私に任せてください。）などの表現が使えます（p.18 を参照）。

何かを依頼されたときには，**I am glad [pleased, delighted] to *do* …**（喜んで…します）や **I would definitely like to *do* …**（ぜひとも…したいです）などが使えます。

I am glad to accept your request for an interview.
インタビューのご依頼を喜んでお引き受けいたします。

断らなければならない場合は，**I would like to say yes, but …**（はいと言いたいのですが），**I wish I could, but ...**（そうできたら良いのですが）のような一言をつけ加えると，残念がっている気持ちが伝わります。また，「申し訳ない」という気持ちを伝えたいときには **I'm afraid (that) …** がよく使われます。

I'm afraid I have to decline your offer this time.
申し訳ありませんが，今回はご依頼をお断りしなくてはなりません。

非常に ≒ 極めて，とても

単語	意味
very	とても，非常に
so	とても，すごく
really	とても，本当に，実に
greatly	大いに，非常に
extremely	大いに，極めて
highly	非常に，高度に

FOCUS

- **very** は「とても，非常に」を表す最も一般的な語で，話し言葉でも書き言葉でも用いられる。
- **so** は話し言葉で very の代わりによく用いられ，very よりも主観的なニュアンスが強い。また，相手もすでに「非常に…だ」と知っている前提で話す場合には，very より好まれる。
- **really** は主に話し言葉で，very や so とほぼ同様の意味で用いられる。「本当に」という意味で，より実感のこもった印象を与える。
- **greatly** は改まった印象の語で，好ましい増減・変化・感情・影響などを表す動詞とともに用い，その程度を「大いに」と強調する。
- **extremely** は「極めて」という意味で，主に書き言葉で，very より程度が強いことを表す場合に用いる。
- **highly** も改まった印象の語で「高度に」というニュアンスがある。一緒に使う語句が限られていて，日常的な短い語とともには用いず，主に評価の意味を含む語句とともに用いる。例）highly respected（非常に尊敬されている），highly prominent（非常に高名な），highly sensitive（非常にデリケートな〔注意を要する〕）など。

EXAMPLES

I was very impressed by the guest lecturer's straightforward explanations.
そのゲスト講演者のわかりやすい説明に大変感銘を受けました。

He was so excited to hear the good news.
彼はその良い知らせを聞いてとても喜んでいました。

It can be really frustrating when your computer crashes unexpectedly.
コンピューターが予想外に故障するととてもイライラすることがあります。

The user interface was greatly improved in the recent software.
最近のソフトウェアではユーザーインターフェースが大いに改善されました。

Belief in your product is extremely important for your sales pitch.
製品に対する信頼はセールストークをする上で極めて重要です。

The candidate was highly recommended by a current client.
その候補者は既存の顧客から強く推薦されました。

は

TIPS very で修飾できない語に注意

perfect（完璧な）など，**形容詞の中には very で修飾できないものがあります。**「完全さ」はそれ自体が「絶対的な価値」を持っているからです。そのため，*more [most] perfect* のように，**比較級・最上級にすることもできません。**言い換えると，perfect = 100% であって，それ以上でもそれ以下でもなく，「80% くらい完璧」という状態や，他と比べて「一番完璧」という状態はあり得ないということです。

また，**delicious**（とても美味しい）や **wonderful**，**fantastic**（すばらしい）のように，その語自体に「とても」という意味を含んでいる語も，very で修飾する必要がありません。

他にも，20% になったり 80% になったりという「程度」が存在しない形容詞があり，こうした語を強調するときは **absolutely**（絶対に，間違いなく）や **completely**（完全に）を使うのが自然です。really はこうした語を修飾するのにも使われることがあるので，特に会話であれば，迷ったときは really を使うと良いでしょう。

□ absolutely [really] **essential**（絶対に不可欠の）
□ absolutely [really] **impossible**（絶対に不可能な）
□ absolutely [completely / really] **right**（絶対的に〔完全に〕正しい）

必要な ≒ 不可欠な

単語	意味	言い換え
necessary	何か（をするため）に必要なこと	必要な
essential	何か（をするため）に本質的に不可欠なこと	不可欠な，必須の
indispensable	ある目的を達成するために，なしでは済ませられないこと	不可欠な，必須の
required	ある目的を達成するために，規則などに基づいて必要とされること	必要とされる，必須の，必修の

FOCUS

- **necessary** は「必要な」を表す最も一般的な語で，目的のために「さしあたり必要である」ことを表す。
- **essential** と **indispensable** は「不可欠な」「必須の」を表し，ほぼ同様に使うことができる。微妙な違いとして，**essential** は「本質的あるいは根本的な要素であること」，**indispensable** は「何かを達成するために，絶対に欠かせないほど有用な要素であること」を表す。
- **required** は require（～を必要とする，要求する）の過去分詞で，「人や規則によって要求されている」という意味である。日本語の「必修の」「所定の」などに当たり，資格・要件を表す語とよく一緒に用いられる。
- 上記の語を使って It is necessary that SV. のように言う場合，that 節の述語動詞は原形または〈should ＋原形〉となる。理由についてはp.179 の TIPS を参照。

EXAMPLES

Some expenditures like rent are inevitable and necessary in business.
賃貸料などの費用はビジネスにおいて不可避かつ必要なものです。

Please feel free to contact customer service whenever necessary.
必要なときはいつでも，遠慮なくカスタマーサービスへご連絡ください。

It is essential that everyone (should) understand the gravity of the situation. 全員が事態の重大さを理解することが不可欠です。

Let me just check some of the essential features of the product.
その製品の本質的な特徴のいくつかをちょっと調べさせてください。

Your assistance has been indispensable to the success of the project.
あなたの助けはプロジェクトの成功になくてはならないものでした。

Please find the required documents attached to this e-mail.
本メールに添付した必要書類をご確認ください。

A password is required to read the files.
そのファイルを読むにはパスワードが必要です。

TIPS necessary の関連表現

よく使われる表現に **if necessary**（必要があれば），**whenever necessary**（必要なときはいつでも）があります。本来は if it is necessary のように SV が必要ですが，省略され，定型フレーズとして使われています。また，副詞 **necessarily** は主に，否定文で「必ずしも…ない」と言う場合に使われます。

Information found online is not necessarily correct.
オンライン上で見つかる情報は，必ずしも正しいとは限りません。

関連する名詞も見てみましょう。**necessity** は衣食住などの「必需品」を意味します。特に「生活必需品，日用品」を表す **daily necessities** はよく使われるので覚えておきましょう。また，**need** は動詞と同じつづりで「必要性」を意味します。

There is no need to send the complete study report; an abstract will do.
研究報告書全体を送る必要はありません。抜粋で十分です。

費用 ≒ 経費，支出

単語	意味	
cost	物の購入・製造・サービス提供などにかかる	費用，経費，原価
expense	特定の目的のための	費用，経費，支出
expenditure	特定の目的のための大規模な	費用，経費，支出
fee	サービスに対して支払う	費用，料金

FOCUS

- **cost** は，物の購入・生産・維持・治療など，特定の物事のためにかかる費用を表す。製品を作ったり，サービスを提供するためにかかる費用，いわゆる「原価」には cost が使われる。「(～の金額) の費用で」は〈at a cost of ＋金額〉で表す。また，at low cost（低コストで），at (no) additional cost（追加料金（なし）で），at any cost（いくら費用がかかっても）のように at とともに用いられることが多い。
- **expense** は cost と同様の意味も持つが，特に会計用語として，travel expense（旅費），advertising expense（広告宣伝費）のように，原価以外の「経費」を表すのに使われる。
- **expenditure** は，cost や expense より改まった表現で，特定の目的のための大規模な支出に用いられる。government expenditure（政府支出），public expenditure（公共支出）などと言う場合に適している。
- **fee** は「サービスに対して支払う実費」を表し，参加費・入場料・会費や，弁護士などの専門家に支払う報酬などに用いる。例えば maintenance expenses は業務上の経費としての「維持管理費」を指し，maintenance fee はメンテナンス業者などに支払う費用としての「維持管理費」を指す。

EXAMPLES

Production costs have risen, which has led to falling revenues.
製造原価が上がっており，それが収益の落ち込みへとつながっています。

The equipment was installed at a cost of three million yen.
その設備は 3 百万円の費用をかけて設置されました。

All receipts must be submitted with the travel expense report.
出張旅費精算書と一緒に，すべての領収書を提出しなければなりません。

Building maintenance expenses can be significant.
建物の維持管理費は相当な額になりかねません。

Household expenditures have decreased since the latest tax hike. 最近の増税以降，家計支出は減少しています。

The group tour includes admission fees for the museum.
その団体旅行には博物館の入場料が含まれています。

は

TIPS 動詞として使う場合の cost の用法

cost には動詞の用法もあり，**〈主語＋ cost ＋金額〉**で「主語は（～の金額）がかかる」を表します。過去形・過去分詞は *costed* ではなく，まったく同じつづりで cost となることに注意が必要です。

The service costs $10 per month.
そのサービスには月額 10 ドルかかります。

The machine costs [cost] a lot of money.
その機械には多額の費用がかかります〔かかりました〕。

「…するのに 10 ドルかかる」と言う場合は，**It costs $10 to *do***. のように it を主語にします。「誰に費用がかかるか〔誰が払うか〕」という情報は重要でないことが多いですが，あえて言及する場合には**〈cost ＋人＋金額〉**の語順になります。下の例文で，単に修理費用を尋ねたい場合には A，自分もプリンターを修理しようとしていて，「あなたの場合はいくらかかりましたか」と尋ねたい場合には B が適切です。

A: How much did it cost to have the printer repaired?
そのプリンターを修理するのにいくらかかりましたか。

B: How much did it cost you to have the printer repaired?
そのプリンターを修理するのに，あなたはいくらかかりましたか。

評価する ≒ 査定する，批評する

単語	意味	
evaluate	金銭以外のさまざまな価値を	慎重に評価する
rate	特定の水準にあると	みなす，位置づける
assess	（専門家が）価値・性質・程度などを	査定する
estimate	数量・価値などを	推定する
review	商品・作品などを	批評する，論評する

FOCUS

▶ **evaluate** は，人の能力や仕事ぶり，物の使いやすさや効果，品質など，さまざまなものの価値を，「実績・実態に基づいて細かく慎重に判断する」ことを表す。金銭的価値については用いられない。

▶ **rate** は人や物事の価値・重要性について「特定の水準にあるとみなす」ことを表す。evaluate の持つ「慎重に判断する」意味合いはなく，評価を下すことに重点がある。よく high / low（高い／低い）と一緒に使われるほか，同種のものをA・B・Cのようにランク付けする際にも用いられる。

▶ **assess** は，どれだけ優れているか，どの水準に達しているかなどを決めることを表す。税額を決定するための専門家による土地の評価や，環境の評価などのほか，従業員や学生の能力の査定などによく用いられる。

▶ **evaluate** や **rate** は「評価する」こと自体に重きが置かれるのに対し，**assess** は「評価して，課税・処遇・教育など，その後の事柄に生かす」ことに重きが置かれる傾向がある。

▶ **estimate** は「見積もる」という意味で，数量や価値，人物や能力，性格などを「大まかに，あるいは主観的に評価する」場合に用いられる。

▶ **review** は日本語でも「レビュー」と言うように，商品などを批評することを表す。

EXAMPLES

Much time was spent in evaluating and improving workflow efficiency.
作業の流れの効率を評価し改善するのに，多くの時間が費やされました。

He was awarded the prize because his latest work was highly rated.
彼は最新の作品が高く評価され，表彰されました。

Critics rated *Analysis* as a 4-star movie.
評論家たちは，「アナリシス」を４つ星映画として評価しました。

Biennial reports are assessed by internal and external auditors. 隔年の報告書は，内部と外部の監査役に監査されます。

Can you roughly estimate what it is going to cost?
費用がどのくらいかかりそうか大まかに見積もってくれませんか。

Revenue for the second quarter is estimated to rise three percentage points.
第２四半期の収益は，（前期に比べて）3% の増加と推定されます。

Specialist magazines generally review our products favorably.
専門誌は概して当社の製品を好意的に評価しています。

は

TIPS ポジティブな評価を表す語

「彼の統率力が評価された」のように，日本語の「評価する」はポジティブな意味合いを含むことがあります。そうした場合，英語では **be highly rated [evaluated]**（高く評価されている）のように highly などの語を使って表現します。

他にも，**appreciate** は「感謝する」以外に「良さがわかる，正当に評価する」という意味があります。また，「価値」という意味の **value** は，動詞で「価値あるものと認める，尊重する」という意味があります。

なお，ポジティブ・ネガティブ両方の文脈で使うことができる **deserve**（～に値する）も便利な語です。例えば **You deserve it.** は直訳すると「あなたはそれに値する」ですが，文脈によって「（努力したのだから）当然ですよ。」にも「（怠けていたのだから）自業自得ですよ。」にもなります。

Your opinion deserves further analysis.
あなたの意見は，さらに分析する価値がありますね。

含む ≒ 伴う

単語	意味	
contain	成分・要素として	含んでいる，入っている
include	一部分として（ある範囲の中に）	含んでいる
involve	必要なものとして〔結果として〕	必ず含む，伴う

FOCUS

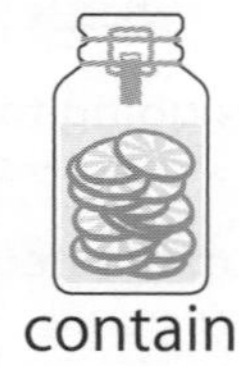
contain

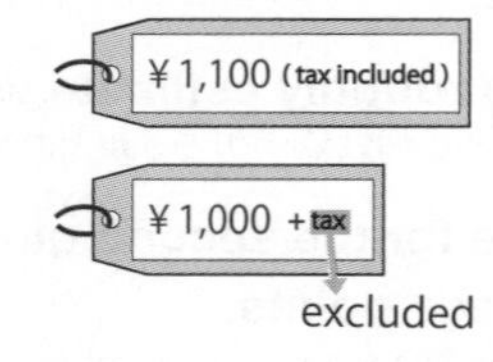

▶ **contain** は「中身」を表すのに適した語で，中に入っている物や，構成要素として含まれている物・成分などを具体的に表すのに使われる。名詞 container は「容器，入れ物」あるいは「貨物用コンテナ」を意味する。

▶ A contain(s) B.（A は B を含む。）はやや堅い印象の表現で，日常会話では **There is [are] B in A.** で同様の意味を表すことができる。

▶ **include** は「含まれているか，除外されているか」を表すのに適した語。「料金に含まれている」,「メンバーに含まれている」などと言う場合に適している。反意語は **exclude**（除外する）。

▶ **involve** は「必要なもの，または結果として（必ず）含む」「（付随的に）伴う」ことを表す。仕事・計画・決定などに含まれる内容を具体的に述べる場合にも適している。

EXAMPLES

The cabinet contains contracts and information on accounting.
その戸棚には契約書や経理関係の情報が入っています。

The prototype still contains some imperfections that need ironing out.
その試作品にはまだ解消されるべきいくつかの不具合があります。

Does the guided tour include a visit to the gardens?
そのガイド付きツアーにはその庭園への訪問が含まれていますか。

Tax and service charges are not included on the menu.
メニューには税とサービス料は含まれていません。

Any shipping of goods involves an element of risk.
商品をどのような配送方法で送っても，リスクが伴います。

Many of the early testing involved learning by trial and error.
初期段階のテストの多くには試行錯誤が伴いました。

The job involves gathering and analyzing information on the Asian market.
その仕事には，アジア市場に関する情報収集と分析が含まれています。

TIPS 「税込み」は英語で何と言う？

「含まれているか, いないか」を考えるとき, 使うべき語は **include / exclude** です。「税込み」は **tax included**,「税抜き」は **tax excluded** と言い，よく **tax incl. [excl.]** と省略されます。メニューや価格表では，下の例文のような注意書きをよく目にします。

All above prices are tax excluded.
上記金額はすべて税抜きです。

サービス料なども同様で, **service included**（サービス料込み）のように表します。サービス料は，価格表の注意書きのような文面以外では，**service charge** と言い表すのが自然です。

Is the tax [service charge] included?
税〔サービス料〕は含まれていますか。

不足

単語	意味	
shortage	必要とされる〔標準的な〕分量に対する	不足
lack	必要な物・資金・人材・能力などの	欠如，不足
want	特に必要不可欠な物の	欠乏

FOCUS

▶ **shortage** は物や人が「必要な数量より少ない状態」を表す。「不足額」という意味でも用いられる。

▶ 形容詞 **short** は「不足した」という意味があり，be short of A（A が不足している）のように用いられる。

▶ **lack** は「必要なものがまったくないか，十分でない状態」を表す。物や資金，人材のほか，理解，自信，能力など，何かをするのに必要とされるものの欠如・不足について広く用いられる。

▶ **want** はやや堅い表現で，「必要不可欠な物，望ましい物がないこと」を表す。shortage や lack よりも差し迫った必要性がある場合に用いる。

▶ 動詞 **want** は「(希望として) 欲しい」ではなく,「(不可欠なものを, 必要があって) 欲する」という意味合いがあることを覚えておくと，「不足」の意味が理解しやすい。

EXAMPLES

Many companies in the area faced an oil shortage after the disaster.
災害のあと，その地域の多くの企業が石油不足に直面しました。

The manufacturing industry is facing a shortage of parts.
製造業界は，部品不足に直面しています。

At the moment, our division is short of manpower.
現時点で，我々の部署は人手不足です。

The project has miscarried mainly due to a lack of communication.
そのプロジェクトは主にコミュニケーション不足が原因でうまくいっていません。

The lack of cash is the main issue we have to address.
現金の不足は，我々が取り組まなくてはならない主要な問題です。

We could not launch the advertising campaign for want of funds.
資金不足により，広告キャンペーンを立ち上げることができませんでした。

Experienced developers are wanted to create the mobile app.
そのモバイルアプリを作成するために経験のある開発者を募集中です。

TIPS 不足を表すさまざまな表現

「不足している」という意味の表現は，EXAMPLES で取り上げた **be short of A**, **face a shortage** の他にもいくつかあります。例えば **run out of A** は，単に不足しているだけでなく，「使い切った」ことを指します。

The printer must have run out of ink.
プリンターがインク切れになっていたに違いありません。

なお，「十分な」を意味する enough を not で否定し，「十分でない，不足している」という意味を表すこともできます。

There will not be enough time for us to visit a museum after that.
そのあとに博物館を訪れるには時間が足りないでしょうね。

The warehouse does not have enough in stock to deliver all the orders.
その倉庫には，すべての注文に対応するのに十分な在庫がありません。

普通の ≒ ありふれた，いつもの

単語	意味	言い換え
common	多くの人・物事にありがちで，よく見聞きすること	一般的な，よくある，共通の
usual	ある人・物事に関して，状況や展開がいつも通りであること	いつもの，普段通りの，よくある
ordinary	他と比べて特別ではないこと	並みの，平均的な，ありふれた

FOCUS

▶ **common** は「ありふれた，一般的な」という意味。common mistakes（よくある間違い）のように，多くの人・物事にありがちなことや，common sense（常識）のように，人々が共通に知っている，持っていることなどを表す。

▶ **usual** は「いつも通りの」という意味で，高い頻度でよく起こることを表す。したがって，同じ人・物事について「普通である，いつものことだ」と言う場合には common ではなく usual を用いる。

▶ **as usual** は「いつも通り，いつものように」の意味でよく使われる。**business as usual** は「いつも通りの状況〔生活〕」を表す。

▶ **ordinary** は「並みの」「通常の」という意味。ありふれていて平凡なこと，他と比べて特別なところがないことを表す。

EXAMPLES

Defects are common in newly released products.
新しく発売された製品に不具合があるのはよくあることです。

It is in the common interest of both parties to make compromises.
妥協することは双方にとって共通の利益になります。

It is usual for beginners to make mistakes.
初心者がミスをするのはよくあることです。

Just start the letter with the usual greeting.
とにかく通常の挨拶で手紙を始めてください。

It was business as usual, notwithstanding the inclement weather.
ひどい天気にもかかわらず，いつも通りでした。

It was an ordinary meeting that ended without any surprises.
驚くようなことはなく終わった，通常の会議でした。

I am an ordinary clerk but I love my job.
私は平凡な事務員ですが，自分の仕事を愛しています。

は

TIPS common / usual / ordinary の反意語

それぞれの反意語を紹介します。反意語の意味や使われ方をあわせて知っておくことで，それぞれの語の意味がよりはっきりと見えてくるはずです。

uncommon, rare：めったにない，珍しい　⇔ **common**
unusual：普段通りでない，珍しい　⇔ **usual**
extraordinary：並外れた　⇔ **ordinary**

It is no longer uncommon to see solar panels on office roofs.
オフィスの屋上に太陽光パネルを見かけることも，珍しくなくなりました。

The company outing was a rare event.
その社員旅行は珍しいイベントでした。

It is unusual for her to be late for work.
彼女が仕事に遅れるなんて珍しいことです。

He has an extraordinary knowledge of computer software.
彼は並外れたコンピューターソフトウェアの知識を持っています。

増える，増やす

≒ 上がる，増加する，引き上げる

単語	意味	
increase	数量・大きさ・程度・価値などが〔を〕	増える，増やす
grow	数量・大きさ・程度・価値などが〔を〕	(次第に) 増える，増やす
rise	数量・程度・価値などが	増える，上がる
raise	数量・程度・価値などを	増やす，引き上げる
boost	生産・売上・利益などを	増やす
go up	数量・程度・価値などが	増える，上がる

FOCUS

- **increase** は，数量・金額・程度・価値・割合などが増加することを表す。「(主語が) 増える」という自動詞の用法のほか，「(主語が) 〜を増やす」という他動詞の用法もある。
- **grow** は「次第に増える」場合に用いられる。increase と同様さまざまなものの増加に用いられるが，特に数量・サイズや，経済活動・取引の総量などを表すのに適している。
- **rise** (自動詞) と **raise** (他動詞) も，increase と同様に数量・金額・程度などの増加を表すが，やや堅い響きがある。程度や水準の増加や引き上げを表す場合により適している。
- **boost** は「生産量・売上高などを増やす」場面でよく使われる。「景気を回復させる」「士気を高める」などの意味もあり，「成功のために何かを高める」というポジティブなニュアンスがある。
- **go up** は特に話し言葉で，increase や rise の代わりによく用いられる。

EXAMPLES

Third-quarter sales have increased dramatically thanks to aggressive advertising.
第3四半期の売上は積極的な宣伝のおかげで劇的に増加しました。

Many retail stores have increased their stock to accommodate Christmas shopping.
クリスマスの買い物に対応できるように多くの小売店が在庫を増やしています。

A growing number of office workers are commuting by bicycle. 自転車で通勤する会社員の数が増えています。

Prices have started to rise for the first time in a decade.
物価は10年ぶりに上昇し始めました。

Companies are constantly looking for incentives to raise prices. 企業は絶えず価格を上げる誘因となるものを探しています。

Allen Industries boosted output in order to meet demand.
アレン工業は，需要に応えるために生産量を増加させました。

Contrary to all expectations, the IPO did not go up in price on opening day.
すべての人の予想に反して，その新規公開株の値は初日に上がりませんでした。
※ IPO（=Initial Public Offering）：新規公開株

は

TIPS 増え幅・増え方を表す表現

増え幅・増え方を表す表現を確認しましょう。下記はincrease以外の語句や，p.272～273の減少を表す語句にも共通して使うことができます。

□ increase **by** 10%（10% 増加する）
□ increase **by** 10 **to** 15%（10% 増加して 15% **に**なる）
□ increase **five-fold**（**5倍に**増加する）
□ increase **gradually**（**徐々に**増加する）
□ increase **rapidly**（**急激に**増加する）
□ increase **steadily**（**着実に**増加する）
□ increase **year-on-year**（**対前年比で**増加する）
□ increase **year by year**（**年々**増加する）

また，increase [decrease] は「増加〔減少〕」を表す名詞の用法もあり，increase **in** number（数の増加），decrease **in** value（価値の減少）のように，よくinとともに使われます。その他，**growth**（増大，成長），**rise**（上昇），**decline**（衰退），**reduction**，**cut**（削減）などの名詞もあわせて押さえておきましょう。

減る，減らす ≒ 減少する，下がる，削減する

単語	意味	
decrease	数量・大きさ・程度・価値などが〔を〕	減る，減らす
decline	数量・質・価値・水準などが	（徐々に）下落する，衰退する
reduce	数量・程度・金額などを	減らす
go down	数量・程度・価値などが	減る，下がる
cut	金額・時間・人員などを	削減する，切り詰める

FOCUS

- **decrease** は increase の反意語で，数量・サイズ・金額・程度などが減少することを表す。「（主語が）減る」という自動詞の用法のほか，「（主語が）～を減らす」という他動詞の用法もある。
- **decline** は「下に傾く」が原義で，状況の悪化や勢いの衰えにより数量・質・価値・水準などが「（徐々に）減少する」場合に用いられる。
- **reduce** は，他からの力で数量・金額・速度・程度などを減らすことを表す。「痛み」や「マイナスな感情」などを「軽減する」と言う場合にも用いられる。
- **go down** は特に話し言葉で，decrease の代わりによく用いられる。
- **cut** は特に金額・時間・文章・話などを「（大きく）削減・短縮する」ことを表す。

EXAMPLES

The population in rural areas has gradually decreased.
農村地域の人口は徐々に減ってきています。

The company has decreased the number of new recruits it planned to hire.
その会社は雇用を計画していた新入社員の数を減らしました。

Stock prices declined after the announcement.
その発表のあと，株価が下落しました。

The board made a surprise proposal to reduce distribution costs. 取締役会は流通コストを削減するという驚きの提案をしました。

Speed bumps have reduced the number of accidents in the area. 減速帯によってその地域の事故件数が減ってきています。

The team saw its fan base go down after it was demoted to a lower division.
そのチームは下位リーグに降格したあと，ファン層が縮小しました。

The newspaper has decided to cut its workforce to 1,500.
その新聞社は従業員を 1,500 人に削減することに決めました。

は

TIPS 増減・拡張・縮小などを表すさまざまな語句

増減を表す語句は p.270 ～ 273 で取り上げた以外にも多くあります。まずは基本的な語句を使いこなせると良いですが，次のような語句も頻繁に使われます。

☐（値が）下がる：**fall , drop** ※どちらも「落ちる」の意味。
☐ 急上昇する：**skyrocket , soar** ☐ 急落する：**plunge**
☐ 急上昇〔急落〕する：**spiral** ※「らせん状に上昇〔下降〕する」の意味。
☐ 次第に減る〔弱まる〕：**taper (off)** ☐ 段階的に廃止する：**phase out**

また，増減に関連して，形容詞から派生して，拡張や縮小を表す動詞が多くあります。-en をつけることが多く，-er をつけるものもあります。

☐ short（短い）→ **shorten**（短くする，短縮する）
☐ long（長い）→ length（長さ）→ **lengthen**（長くする）
☐ broad（広い）→ **broaden**（広げる，拡大する）
☐ deep（深い）→ **deepen**（深める）
☐ high（高い）→ height（高さ）→ **heighten**（高くする，高める）
☐ low（低い）→ **lower**（低くする）

変更する ≒ 交換する，転換する，取り替える

単語	意味	
change	人・物事を	変更する，取り替える
alter	性質・内容などを	部分的に変更する，改める
switch	話題・意見・立場などを	転換する，切り換える
replace	① 人・物を（～と）	取り替える，交換する
	② 人に〔の〕	取って代わる，後任になる
modify	目的・基準に合わせて計画・内容などを	部分的に修正する

FOCUS

▶ **change** は「変える」を表す最も一般的な語。元の形をとどめない変更のほか，内容の一部を変える場合にも，別のものに取り替える場合にも使える。「変更」を表す名詞も同じつづりで change。

▶ **alter** は「部分的な変更」の意味合いが強く，住所変更，パスワード変更のような「全体が変わる変更」には用いない。書き言葉で用いられることが多い。

▶ **switch** は，日程の変更や，話題・意見・立場・政策などについて「転換」を表す場合に適している。

▶ **replace** は「交換する」という意味で，「一部ではなく丸ごと取り替える」場合に適している。replace A with B（A を B と取り替える）のように使われる。また，replace A as B（B として A の後任になる）のように「人に取って代わる」という意味でも使われる。

▶ **modify** は「尺度に合わせる」という原義があり，「他のものや基準に合わせて，部分的に修正する」ことを表す。

EXAMPLES

I changed my mind after listening to the presentation.
そのプレゼンテーションを聞いたあとで，私は考えを変えました。

Dates for the discussions are subject to change.
話し合いの日程は変更の可能性があります。

I'm afraid we cannot alter the plan at this stage.
申し訳ありませんが，この段階で計画を変更することはできません。

The speaker kept switching back and forth between topics.
その演説者はずっといくつかの話題を行ったり来たりしていました。

I need to replace the battery in my car.
私は車のバッテリーを交換する必要があります。

Mr. Darwin replaced Mr. Helms as CEO after he became incapacitated.
ヘルムズ氏が最高経営責任者の職務ができなくなったあと，ダーウィン氏が彼の後任になりました。

We could modify the entrance and create a waiting room for the patients.
玄関を（部分的に）改修して患者のための待合室を作ることができるでしょう。

TIPS 変更・交換の言い回しに関する注意点

セットで使われる前置詞について確認しましょう。switch は change と同じ前置詞の組み合わせを使います。

□ change A **to** B（A を B に変える）
□ change A **from** B（A を B から変える）
□ change A **with** B（A を B と交換する）
□ change **according to** A（A に応じて変わる）

Could I change my order from a medium to a large?
注文を M サイズから L サイズに変更できますか。

Would you mind changing seats with me?
私と席を交換していただけないでしょうか。

change seats（席を交換する），**change trains**（電車を乗り換える）などは，物が 2 つなければ成立しない動作なので，必ず seats，trains と複数形になることに注意しましょう。

は

便利な ≒ 役に立つ，有用な

単語	意味	言い換え
convenient	① 物・場所が使いやすく，目的にかなっていること	使いやすい，手ごろな，重宝な
	② 場所の利便性が高いこと	便利な
	③ 時間・場所の都合が良いこと	都合が良い
useful	物・情報などが役に立つこと	役に立つ，有用な
helpful	情報・助言・人などが助けになること	助けになる，有用な
handy	物や方法が手ごろで扱いやすいこと	使いやすい，手ごろな，重宝な

FOCUS

▶ **convenient** は「物が目的にかなっていて使いやすい」ことや，「場所が近くて行きやすい」ことを表す。「時間・場所の都合が良い」ことについては，p.212を参照。反意語は inconvenient（不便な）。

▶ **useful** は物・情報などが「実用的で役に立つ」ことを表し，**helpful** は情報・助言・人などが「助けになる」ことを表す。道具や機械などの便利さには useful を用いるが，helpful を使って It is helpful if you have ～ .（～を持っていると便利です。）のように表すことも可能。反意語は useless , helpless（役に立たない）。

▶ **handy** はややくだけた表現で，convenient と同様に，「物が手ごろで使いやすい」ことや，「場所が近くて行きやすい」ことを表す。

EXAMPLES

People like to live around a station that is convenient for shopping.
人は買い物に便利な駅の周辺に住むことを好みます。

The convention center is in a convenient location and minutes away from everything.
その会議場は便利な場所にあり，いろいろな施設から数分のところにあります。

Sensor Tab is a useful device to measure air quality.
センサータブは大気質を測定するのに便利な装置です。

Electronic dictionaries have many useful functions that users can no longer do without.
電子辞書には，今やなくてはならない便利な機能がたくさんあります。

The data is useful in calculating consumer satisfaction.
そのデータは消費者の満足度を推定するのに役に立ちます。

She found the guidebook particularly helpful on her overseas trip.
彼女は海外旅行中に，そのガイドブックが特に役に立つことがわかりました。

A bag of this size may come in handy for shopping.
このサイズのバッグは，買い物に重宝するかもしれません。

TIPS 「…しやすい」を表す表現

便利さを表す言い回しとして，**easy to *do***（…しやすい）があります。どのように便利かを伝える表現として，使いこなせると良いでしょう。もちろん，単に「…しやすい」ことを表すので，ネガティブな内容にも使うことができます。反意語を使った **difficult [hard] to *do***（…しづらい）もよく使われます。

☐ **easy to** use（使いやすい）
☐ **easy to** see（見やすい）
☐ **easy to** find（見つけやすい）
☐ **easy to** understand（わかりやすい）
☐ **easy to** access（行きやすい，アクセスしやすい）
☐ **easy to** put into practice（実行しやすい，応用しやすい）
☐ **easy to** overlook [miss]（見落としやすい，目立たない）
☐ **easy to** say but **hard to** do（言うのは簡単だが，やるのは難しい）

方法 ≒ 手段，対策

単語	意味	
way	何かをする	方法，やり方
measure	特定の問題に対処するための	（公的な）対策，措置
method	体系的な〔確立した〕	方法，手法
means	何かをする・達成するための	手段，手立て
manner	他と異なる独特な	やり方

FOCUS

- **way** は「方法, やり方」を表す最も一般的な語。「…する方法」と言うときは, a way to *do* や a way of *doing* で表す。「（人）が…する方法」と主語を示す場合は，the way (that) SV とする。通例，〈a way of ＋名詞〉は使われない。「…なやり方で」と言う場合は前置詞 in を用いて in a ... way とする。
- **measure** は特定の問題に対処するための「（公的な）対策，措置」を表す。
- **method** は way に比べてやや堅い印象の語で，「体系化されていて，すでに確立した方法」を表す。
- **means** は，何らかの目的を達成するための「具体的な手段, 手立て」を表す。例）means of payment（支払い方法），means of transportation（交通手段）。
- **manner** は堅い印象の語で，「他と異なる独自のやり方」を表す。慣習や，個人に特有のやり方について, その様子・様態に焦点を当てる場合に適している。例）manner of speaking（話し方），manner of living（生き方，暮らし方）

EXAMPLES

Tell me the best way to address this issue.
この問題に対処する最良の方法を教えてください。

Abrams Inc. has adopted measures to increase its annual turnover of lower-priced stationery.
アブラムズ社は低価格の文房具の年間売上高を増加させるための対策を講じました。

The manager is calling for measures to prevent a recurrence of the problem.
課長はその問題の再発防止策を要求しています。

No matter which method is employed, we have to act promptly.
どの方法が採用されようと，我々は迅速に行動しなければなりません。

It was the only method of transportation available.
それは利用できる唯一の輸送方法でした。

This table represents the most common means of cashless payment.
この表は最も一般的なキャッシュレスの支払い手段を示しています。

His manner of speaking is always very polite.
彼の話し方は，いつもとても丁寧です。

は

TIPS 「…のやり方」を表す how to *do*

way を使った表現のほかに，how to *do* も「…する方法」という意味ですが，使われ方には一定の傾向があります。代表的なケースを見てみましょう。

① 「方法を教える」と言う場合

次のように，「人に…する方法を教える」と言う場合は，〈tell [show] ＋人＋ how to *do*〉が用いられます。

Let me show you how to use the new functions of this camera.
このカメラの新しい機能の使い方をお見せしましょう。

② 「最善の方法」のように修飾語がつく場合

best（最善の），fastest（最も速い），cheapest（最も安い），easiest（最も簡単な）など，way に修飾語がつく場合は，the best way to *do* のように表現します。

What would be the best way to prevent this kind of problem?
このような問題を防ぐ最善の方法は何でしょう。

肯定文では基本的に同じように使われますが，日常会話では how to *do* が使われる傾向にあり，way を使うとやや堅い印象になります。

The result is the most important; I leave it up to you how to achieve it [the way you achieve it is up to you].
結果が最も重要です。それをどうやって達成するかは，あなたにお任せします。

他の〔に〕≒ その他の，別の

単語	意味	言い換え
another	今あるものと別のものであること	もう１つの，別の，他の
other	ある一方のものと異なるものであること	その他の，別の
else	前述のものの追加であること	その他の，それ以外の
alternative	既存のものの代替であること	代わりの

FOCUS

▶ **another** は an ＋ other から「もう１つの」という意味を表し，〈another ＋単数名詞〉で用いられる。another cup of coffee（もう１杯のコーヒー）のように，「追加の新しいもの」というニュアンスを含む場合もある。

▶ **other** は〈other ＋複数名詞〉で用いられ，「その他の複数の物事」を表す際に使われる。

▶ 例えば，借りたペンのインクが切れていて，「ペンをもう１本お持ちですか」と言う場合には，Do you have **another** pen? となる。一方，会議でいくつか質問が出て，「他に質問はありますか」と言う場合，質問が「もう１つ」とは限らないので Do you have any **other** questions? となる。

▶ **else** は「（追加で）他に」を表す。ある人や物事があった上で, anyone else（誰か他に），nothing else（他に何もない）のように使われる。

▶ **alternative** は「代わりの」を意味する。alternative approach（代替手段）のように「既存のものに取って代わる」という意味の語。

EXAMPLES

I suggest we (should) think of another plan beforehand.
前もって他の案を考えておくのはいかがでしょうか。

We are staying for another week.
私たちはもう１週間滞在します。

I will now explain the two other options we have.
これから我々の持っている他の２つの選択肢について説明いたします。

I'm afraid I have some other plans for Saturday afternoon.
残念ながら土曜日の午後は他にいくつか予定があります。

Let's be honest, what else could we have done?
正直に言って，他に何ができたのでしょうか。

We need to make alternative arrangements in case of inclement weather.
悪天候の場合に備えて，**代わりの**手配をしておく必要があります。

は

TIPS 「他のもの」を表す語句の使い分け

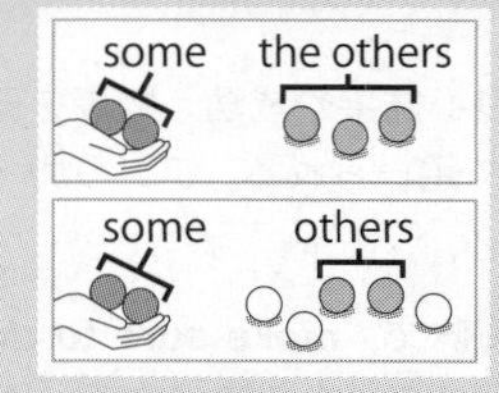

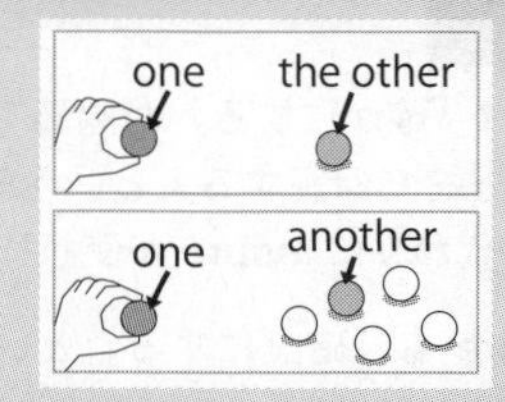

区別がつきにくい表現の１つに，「他のもの」を意味する **another / others / the other(s)** があります。次の文の違いを考えてみましょう。A は，例えば「30 人の回答者のうち 18 人が音楽に興味があり，残りの 12 人は興味がない」という状況です。一方 B では，そうした特定の集団は念頭に置かれていません。

A: Some of the respondents are interested in music; the others are not.
回答者のうち何人かは音楽に興味があり，それ以外の人たちは興味がありません。

B: Some people like sports; others like reading.
スポーツが好きな人もいれば，読書が好きな人もいます。

このように，同じグループに属するものをいくつかに分けて，**「X（・Y・Z...）以外の全部」**と言う場合，**the others** を使います。これは「特定できるものを指す」という the の性質によります。一方 **others** は B のように，残り全部ではなく，**「X（・Y・Z...）以外のいくつか」**を指します。

なお，the other と another (=an + other) も同様に考えることができます。つまり，
・２つしかないもののうち，１つは **one**，もう１つは **the other**
・いくつかあるもののうち，１つは **one**，どれかもう１つは **another**
ということになります。

保証する ≒ 請け合う，確実にする

単語	意味	
ensure [insure]	～を〔…ということを〕	保証する，確実にする
make sure	～を〔…ということを〕	確実にする，確かめる
guarantee	人に事を〔人に…だと〕	確約する，請け合う，保証する
assure	人に（…ということを）	保証する，請け合う

FOCUS

- **ensure** は「確かにする」が原義で，良い結果や成功，物事を確実に実行することなどを「保証する」という意味で用いられる。アメリカ・カナダでは ensure の代わりに **insure** が使われる。
- **make sure** も「確実にする」という意味で，**make sure to *do***（必ず…する）または **make sure that SV**（…ということを確実にする〔確かめる〕）のように用いられることが多い。*make sure their safety* のように直後に目的語となる名詞（句）を置くことはできないことに注意。この場合，make sure of their safety とするか，make sure that they are safe のように言い換えると良い。
- **guarantee** は「確実性や品質を保証する」「損害などがないことを保証する」という意味で，物事の実現のほか，製品の品質・権利・債務などの保証〔保障〕を約束する語である。
- **assure** は「人を安心させるために，物事の確実性などを断言する」という意味。多くの場合，ensure，guarantee との交換が可能である。ただし，assure は人を目的語にとることに注意。〈assure ＋人＋ that SV〉で「人に…だと保証する」という意味を表す。
- 「人や生命などに保険をかける」という意味では **insure** が用いられるが，イギリス英語では **assure** が用いられる。

EXAMPLES

The cabin crew ensures [insures] the safety of the passengers.
客室乗務員は乗客の安全を確保します。

Which company insures your vehicle against theft?
あなたの車の盗難を補償するのはどの会社ですか。

Make sure to read the manual carefully before using the scanner.
スキャナーの使用前に必ず取扱説明書をよく読んでください。

Please make sure that your project is done in time.
あなたのプロジェクトが必ず時間内に終わるようにしてください。

We guarantee 100% customer satisfaction or refund the full purchase price.
私どもはお客様に100パーセント満足していただけることをお約束します，満足いただけない場合は，購入価格の全額を返金いたします。

The company guarantees equality of opportunity.
その会社は機会均等を保証しています。

I can assure you that we will do everything possible to correct the defect.
その不具合を修正するため，私どもはできる限りのことをするとお約束いたします。

TIPS　商品の保証に関する表現

商品の保証に関する表現を確認しておきましょう。

□保証書：**warranty**
□保証期間：**warranty period**
□１年保証：**a one-year warranty**
□３年保証：**a three-year warranty**
□保証期間内の：**in-warranty**
□保証期間外の：**out-of-warranty**
□返品する：**return**
□交換する：**exchange [replace]**
□修理する：**repair**（p.156）
□返金する：**refund [give a refund]**
□解約する：**cancel**
□解約金：**cancellation penalty [fee]**

warranty は，(written) guarantee とも呼ばれます。**valid**（有効な）や **expire**（期限が切れる）などの語とよく一緒に使われるので，あわせて覚えておきましょう。

The warranty has expired [is no longer valid].
この保証書は有効期限が切れています。

ほとんど

単語	意味
almost [nearly]	（数量・状態が）ほぼ…，…も同然
few	（数が）ほとんどない
little	（量が）ほとんどない
hardly [scarcely]	（程度が）ほとんど…ない
rarely [seldom]	（頻度が）ほとんど〔めったに〕…ない

FOCUS

- **almost** と **nearly** は，ある値・状態に近いことを表す。almost のほうがより到達点に近く，almost ＝ very nearly と解釈されることもある。
- almost は no / none / never などの否定語と併用が可能だが，nearly は不可。nearly は程度を強調する very / so / pretty との併用が可能だが, almost は不可。
- **few** と **little** は，後ろに続く名詞が可算名詞か不可算名詞かによって使い分ける。〈few ＋可算名詞の複数形〉または〈little ＋不可算名詞〉が主語となり,「…はほとんどない」という意味を表す。a few / a little についてはp.344 を参照。
- few は叙述用法もあるが，堅い表現。little は叙述用法はなく限定用法のみ。ただし，この意味の little は堅い表現なので，口語では not much や only a little などを使うことが多い。叙述用法・限定用法についてはp.322 を参照。
- **hardly** は**程度**が「ほとんど…ない」という意味を表す。**scarcely** は同じ意味のより堅い表現。**頻度**が「ほとんど…ない」という意味の hardly [scarcely] ever との混同に注意。
- **rarely** は**頻度**が「ほとんど〔めったに〕…ない」という意味を表す。**seldom** は同じ意味のより堅い表現。

EXAMPLES

The latest report is almost 1,500 pages long.
最新の報告書は 1,500 ページ近くあります。

The refinery produces nearly 10,000 barrels of oil daily.
その精製所は毎日10,000バレル近くの油を生産しています。

At the time of the release, few details about the features were available to the public.
発売時には，性能についての詳細はほとんど一般には公表されていませんでした。

There is little [not much] ink remaining in the cartridge.
カートリッジにはインクがほとんど残っていません。

I studied Chinese at college but I can hardly [scarcely] read it.
私は大学で中国語を勉強しましたが，ほとんど読むことができません。

I used to go on business trips, but now I rarely [seldom] go.
私は以前は出張に行っていましたが，今ではほとんど行きません。

は

TIPS most と almost の違い

most は，**形容詞** many / much の最上級で，「最も多くの」あるいは「大部分の，大多数の」という意味があります。**名詞**で「大部分，大多数」という意味もあります。それに対して **almost** は**副詞**です。「ほぼ…，あと少しで…」という意味を持ち，**almost late**（遅刻しそうな），**almost finished**（もう少しで終わりそうな）のように使います。「ほとんどの人」と言いたい場合は，次のように使い分けましょう。

（不特定の）ほとんどの人：**almost all** people , **almost** everyone
（不特定の）大多数の人：**most** people
（特定の集団の）ほぼ全員：**almost all of the** people
（特定の集団の）大多数の人：**most of the** people

Almost all people sleep more than six hours a night.
ほとんどの人は1日6時間以上睡眠をとります。

Almost all of the employees at Grand Publishing have the weekend off.
グランド出版のほとんどの従業員は，週末はお休みします。

almost は形容詞の all や every を修飾して，「ほとんどすべての」という意味を表します。almost は原則として名詞を修飾しません。もし *almost people* とすると「あと少しで人間である何か」のような不自然な意味になってしまいます。なお，almost everyone の everyone は代名詞ですが，almost every day（ほぼ毎日）と同じように，almost は（one ではなく）every にかかっています。

本当の ≒ 現実の，実際の

単語	意味	言い換え
true	① 事実に基づき，偽りがないこと	本当の，真実の
	② 相応の資質がある〔を持つ〕こと	本物の，真の
real	① 架空ではなく，現実である〔実在する〕こと	現実の，実在の
	② 人工または偽物でないこと	本物の
actual	空想・理論上のことでないこと	実際の
genuine	偽物・見せかけでないこと	本物の，心からの，真の

FOCUS

- **true** は「忠実な」が原義で，話などが「事実に基づいていて，偽りがないこと」を表す。事実と事実でないものを選り分ける○×問題は，英語で a true or false question と言う。また，「その名にふさわしい資質のある，真の」という意味も持つ。「正しい」(p.196) でも取り上げているので参照のこと。
- **real** は「架空ではなく現実であること」や「人工･偽物でなく本物であること」を表す。
- **actual** は「実際の」という意味で，予想や理論上の物事との対比を強調する際に用いられる。EXAMPLES の 1 つ目の true cost は「偽りのない本当の費用」，5 つ目の actual cost は「見積もりではなく実際にかかった費用」を指している。
- **genuine** は「感情などが見せかけでなく心からであること」，「物などが偽りなく本物であること」を表す。後者の意味では real との交換が可能。

EXAMPLES

It is unlikely that they will ever reveal the true cost.
彼らは決して本当の費用を明らかにしないでしょう。

Do we have any real facts or evidence we can rely on?
我々が依拠することができる真相や物的証拠はそろっていますか。

It is hard to believe they are artificial flowers and not real ones.
それらが造花で，本物ではないなんて信じられません。

The product looks big for its actual size.
その製品は実際の大きさの割に大きく見えます。

The actual cost of the refurbishment was less than we had estimated.
改装の実費は我々が見積もっていたよりも少なかったです。

She showed a genuine interest in their job.
彼女は彼らの仕事に心から興味を示しました。

TIPS 「実は」を表すさまざまな表現

「実は」に当たる表現はいくつかあります。**as a matter of fact** は，「A です。（さらに言えば）実際のところ B なのです」と，相手の知らない情報をつけ加えます。また，**to tell the truth** と **to be honest** は，「実を言うと（私は）A なのです」のように，相手と異なる意見や，言いにくいことを伝える際に使われます。

I wasn't at home. As a matter of fact, I was on vacation in France.
私は自宅にいませんでした。実を言うと，フランスへ休暇に出かけていたのです。

To tell the truth, I really don't feel like it.
実を言うと，私はあまり乗り気ではないのです。

さらに，**in fact** は「意外なことに実際は」という意味のほか，直前の内容を強調して「事実 A です」あるいは「もっと言えば A なのです」のように使われます。

In fact, few people have noticed the change.
実際には，その変化に気づいている人はほとんどいません。

He is an expert programmer. In fact, the system he developed won an award last year.
彼は優秀なプログラマーです。事実，彼の作ったシステムは昨年賞を獲りました。

actually は最も意味が広く，多くの場合上記の表現と言い換えることができます。日本語で「実は」と言うと深刻な印象を与えることもありますが，actually はもう少し軽く「それが（実は）」といった意味合いで，特に会話で頻繁に使われます。

Actually, he looks young for his age.
それが，彼は年齢の割に若く見えるのです。

Column 6

「確信度」を表す副詞（絶対に～たぶん～ひょっとすると）

probably や maybe は，いずれも「おそらく，たぶん」と訳されることが多いですが，**実は話し手の意識にはかなり差があります。**それぞれの語は，下のパーセンテージにぴったり一致するわけではありませんが，目安として話し手は以下のような確信度をもって話している場合が多いです。

副詞	確信度の目安	意味
absolutely	100%	絶対に，間違いなく
definitely	90 ～ 100%	確実に
probably	80 ～ 90%	十中八九，きっと
likely	70%	おそらく
maybe	50%	たぶん
perhaps	30%	もしかすると
possibly	20%	ひょっとすると，ことによると

皆さんが使う場合にも，相手にこのように受け取られるということを意識しましょう。例えば，営業・提案の場面で以下のように言った場合，**「あなたがどれだけ売上増を確信しているか」の伝わり方が異なります。**それが，広告を出すか・出さないかという意思決定に関わってくるでしょう。伝えたいニュアンスを正しく伝えられるよう，違いを理解して使いこなしましょう。

If you take out the ad, sales will probably increase.
この広告を出せば，売上高は十中八九増加します。
If you take out the ad, maybe sales will increase.
この広告を出せば，売上高はたぶん増加するでしょう。

ま　行

待つ

単語	意味	
wait	人・物事を	待つ
await	人・物事を	待つ
look forward to	事を	楽しみに待つ，期待する

FOCUS

- **wait** は「何かが起こることを待つ」「人の到着を待つ」という意味の語。主に自動詞として，wait for A（A を待つ），wait for A to *do*（A が…するのを待つ）のように使われる。ただし，wait *one's* turn（順番を待つ），wait *one's* chance（チャンスを待つ）と言う場合は，wait を他動詞として用いるのが一般的。
- **await** は，返事・結果など「特に抽象的な物事を待つ」ことを表す。多くの場合，wait for と交換可能だが，より堅い語。await は他動詞であるため，目的語の前に for などの前置詞は不要である点が wait とは異なる。
- **look forward to** は「〜を楽しみに待つ」という意味。日常会話ではしばしば be looking forward to と進行形で用いられる。進行形にするとカジュアルな印象になるので，距離感を保つべき相手へのメールや，提案書などに書き添える場合には現在形が適している。to は前置詞であるため，後ろには名詞や動名詞（*doing*）が続く。to *do* とするのは誤り。

EXAMPLES

I had no idea you were waiting for me outside.
あなたが外で私を待っているなんて思いもしませんでした。

The members were waiting for the team leader to start the workshop.
メンバーはチームリーダーがワークショップを始めるのを待っていました。

I will be waiting for you at the entrance at 2:00 P.M.
午後２時に玄関でお待ちしております。

We await the approval from the board of directors.
我々は取締役会の承認を待っています。

I'm looking forward to seeing you tomorrow.
明日会えるのを楽しみにしています。

We look forward to receiving your positive reply.
前向きなお返事がいただけることを楽しみにしております。

TIPS 「お待たせしてすみません」は英語で何と言う？

「お待たせしてすみません」という表現にも使い分けが必要です。下のように，自分が遅刻した場合にはA，メールの返信や支払いなど，何かの対応が遅れてしまった場合にはB・Cの表現が適切です。Cでは，まだ相手を待たせている場合はhave keptではなくkeepとします。

A: I'm sorry for being late.
遅刻してしまい申し訳ありません。

B: I'm sorry for the delay.
対応が遅くなり申し訳ありません。

C: I'm sorry to have kept you waiting.
お待たせしてしまい申し訳ございませんでした。

一方，英語では，待ってくれることへの「感謝」を伝えることもあります。例えばお店の列に並んでいて案内されるとき，店員さんはよく **Thank you for waiting.** と言ってくれます。相手に不便をかけたり時間をとってしまったときは，**Thank you for your patience.** と言ったりします。patienceは「我慢，忍耐」という意味です。sorryを使って丁寧に謝罪する必要がある場面もありますが，よりポジティブなThank you for ～．も使いこなしましょう。

まとめる ≒ 整理する，並べる

単語	意味	
organize	人・物・情報などを	整理する，組織する
arrange	人・物事を	配列する，整頓する
put together	人・物・情報などを	まとめあげる， 組織する
put 〜 in order	物事を	整理・整頓する， 順序立てる
summarize	話・意見・問題などを	要約する

FOCUS

▶ **organize** は「秩序よく整える」という意味。「物や情報を整理してまとめる」ことや，「人々をまとめる，組織する」という意味もある。イベントなどを「企画して準備する」という意味については，「調整する」（p.208）を参照のこと。

arrange

▶ **arrange** は「見た目よく整える」という意味で，人・物などを「順番に配置・配列・整頓する」などの意味を表す。

▶ **put together** は「バラバラなものを集約してまとめる」ことを表す語で，「アイディアなどを集めて計画などをまとめあげる」，「人を集めてグループなどを作る」，「部品を組み立てて機械を作る」などの意味を表す。

▶ **put 〜 in order** は「物事を秩序立った状態にする」ことを表す。put *one's* desk in order（机を片づける），put *one's* house in order（自分の問題を片づける），put 〜 in alphabetical order（アルファベット順に並べる）のように使う。

▶ **summarize** は「話などの要点を手短にまとめる」ことを表し，主に「要約する」という意味で用いられる。

EXAMPLES

Let me just organize my ideas.
ちょっと考えをまとめさせてください。

The raw data needs to be organized before we can analyze it.
その生データを分析する前に整理する必要があります。

Organize your cabinets with our latest tools and make your office an attractive workspace!
当社の最新の道具を使って戸棚を整理し，オフィスを魅力的な作業環境にしてください！

Who is in charge of arranging the list of participants?
参加者リストをまとめる担当は誰ですか。

The report we have put together focuses mainly on future improvements.
我々がまとめた報告書は，主に将来的な改善に焦点を当てています。

Why don't we put the files in chronological order?
ファイルを時系列順に並べてはどうでしょうか。

Allow me to summarize the different views.
さまざまな意見を要約させていただきます。

ま

TIPS organize に関連した表現

organize は「書類をまとめる」「チームを組織する」のように，日本語の「整理する，まとめる」に当たる意味を幅広く表すことができます。ビジネスシーンでよく使われる関連表現も押さえておきましょう。

◆ **well-organized**：きちんと整理された，要領よくまとまった
⇒「机や棚が整然とした」「組織やシステムがよく整備された」「話・計画などがうまくまとまった」など，さまざまなものがよく整理された状態を表します。

He submitted a well-organized report with a clear objective and logical conclusions.
彼は明確な目的と論理的な結論のある，よくまとまった報告書を提出しました。

◆ **organize *oneself***：頭を整理する〔働かせる〕，心の準備をする
⇒人が何かをするにあたって，頭〔心〕をそれに向けて整えることを表します。心の準備ができている状態は，be organized で表します。

As a team leader, you will have to organize yourself accordingly.
チームリーダーとして，状況に応じて頭を働かせなければならないでしょう。

見込み ≒ 可能性，期待

単語	意味	
prospect	① 何かが実現する	可能性，見通し
	② （複数形で）将来的に成功する	見込み
expectation	① …という	予想，予期，可能性
	② （複数形で）…するという	期待，将来の見込み
chance	特に好ましいことが起こる	見込み，可能性，公算
outlook	人・物の	将来の見通し，先行き，展望

FOCUS

- **prospect** は良い可能性・悪い可能性の両方に使える語。prospect of A で「Aが実現する可能性」を表す。career prospects（キャリアの将来性）のように「成功する見込み」を表す際には複数形となる。
- **expectation** は「良い悪いにかかわらず，何かを予期すること」を表す語。不可算名詞で「可能性」という意味があり，expectation of A は「A の可能性」という意味。(*one's*) expectations for A（A に対する期待）のように，ポジティブな「期待」の意味では複数形となる。
- **chance** は「あることが起こる可能性」を表し，「特に望ましい可能性」を述べる際によく用いられる。There is a good [little / no] chance of A [that...]. のように見込みのある・なしを表すことができる。なお，chance to *do* は「…する機会」という意味で，「可能性」の意味では後ろに to 不定詞を続けることはできないことに注意。
- **outlook** は「見通し」という意味で，予測に基づく将来の展望を表す。outlook for A（A の見込み），economic outlook（経済見通し）のように用いられる。また，見通しの明暗は，gloomy, bleak（暗い）や rosy, bright（明るい）などの形容詞を用いて表す。

EXAMPLES

Is there any prospect of recovering the lost data?
消失したデータを復元できる見込みはありますか。

The prospects for the company's future look promising.
その会社の将来の見通しは期待できそうです。

The invention has exceeded all expectations as far as its applications are concerned.
アプリケーションに関して，その発明はあらゆる期待を超えています。

Expectations are high that the dispute will be resolved before long.
その紛争はまもなく解決されるだろうと大いに期待されています。

According to the weather forecast, there is little chance of rain today. 天気予報によると，今日は雨の可能性はほとんどありません。

Business is brisk and the outlook for the next quarter is bright. 商売は好調で，次の四半期の見通しも明るいです。

Click here for details about job outlook and salary information.
仕事の展望と給与情報の詳細についてはここをクリックしてください。

TIPS 「見込み顧客」は英語で何と言う？

「見込みのある」という意味の表現を見てみましょう。

potential：可能性のある，見込みのある，潜在的な
prospective：見込みのある，予想される，将来的な
⇒いずれも「これから…する可能性のある」という意味です。potential [prospective] customers（見込み顧客）のように通例限定用法で，*The customer is potential.* のような叙述用法では用いません。（形容詞の用法はp.332を参照。）

promising：有望な，期待できる，うまくいきそうな
⇒ promise（約束する）の派生語で，将来が約束された，つまり「有望な」という意味の語です。

expected：見込まれる，予想される
estimated：見積もりの，推定の
⇒ expected は，expected orders（受注見込み），expected date of completion（完成予定日）のように，「根拠があってそうなるだろうと思われる」と言う場合に適しています。なお，expecting は，「（女性が）妊娠している」という意味ですので，正しく区別しておきましょう。estimated はもう少し大まかな推定で，estimated time（見積もり時間），estimated amount（概算額）のように使われます。

認める ≒ 許可する，承認する

単語	意味	
approve	① 計画・提案などを	正式に認可する
	② 人・考えなどに	賛成する，同意する
recognize	① 人・組織・文書などを	公式に承認する
	② 物事を（…だと）	認識する，認める，みなす
accept	① 話・説明などを	事実だと認める
	② 責任などを	引き受ける
admit	誤り・可能性などを	しぶしぶ認める
allow	人に…することを	許可する
permit	人に…することを	公式に許可する

FOCUS

▶ **approve** は，製品の販売・計画などを「正式に認可する」という意味や，人の行動・考えなどに「賛同する」という意味がある。

▶ **recognize** は，組織・文書などを「公式に承認する」という意味がある。また，事実・存在・重要性・正しさなどを「認識する」という意味もある。この意味では，recognize A（A を認識する，A に気づく），recognize A as B（A を B とみなす），recognize that SV（…だと認識する，認める）のように使われる。

▶ **accept** はさまざまなものを「受け入れる」ことを表し，話などを事実だと認める，責任を認める，不本意なことを容認するなどの場合に使われる。

▶ **admit** は，失敗・可能性などについて，「しぶしぶ事実を認める」ことを表す語で，事故や事件の責任を認める場合にも用いられる。

▶ **allow** は，主に親・教師や権限のある人が，行動・計画などに対する「許可を出す」ことを表す。必ずしも積極的な同意でなく消極的な同意のニュアンスを含むこともある。「アロゥ」ではなく「アラゥ」に近い発音であることにも注意。

▶ **permit** は，書面や告示などでよく用いられる堅い語で，規則などに従い，行動・使用などを公に認めることを表す。「認めない」という否定についてはp.121 の TIPS を参照。

EXAMPLES

When do you think the budget will be approved?
予算はいつ承認されると思いますか。

Earlier this year, the United Nations recognized the island as an independent state.
今年，国連はその島を独立国家として承認しました。

Failure to recognize a defect can have serious financial consequences.
欠陥を認めない場合，財政面に深刻な影響が出かねません。

We will have to accept the current situation as it is and move on. 現状をそのまま受け入れ，先に進まなければならないでしょう。

He admitted having prior knowledge of the structural defect. 彼は構造的な欠陥を事前に認識していたことを認めました。

Identification and swipe cards are issued to allow access to restricted areas.
立入禁止区域への出入りを許可するためにID磁気カードが発行されています。

You are not permitted to take photos here.
ここでは写真撮影は許可されていません。

TIPS recognize の幅広い意味

recognize は「認める」の意味で広く使うことができます。「認識する」(p.240)でも取り上げていますが，ここで改めて5つの意味をまとめておきます。

① **人が誰だか〔物が何だか〕わかる** ⇒p.241のEXAMPLESの6つ目を参照。

② **正式に承認〔認可〕する** ⇒本ページのEXAMPLESの2つ目を参照。

③ **物事を（…だと）認識する** ⇒本ページのEXAMPLESの3つ目を参照。

④ **（高く）評価する，（価値を）認める**

The company is generally recognized as the leader in aerospace.
その会社は航空宇宙産業界のリーダーとして広く認められています。

⑤ **（認めて）称える，表彰する**

We are here today to recognize everyone's hard work.
本日は，みなさんの多大な努力を称えるためにお集まりいただいています。

見る

単語	意味	
look at	人・物を〔に〕	見る，目を向ける
see	人・物が	見える，目に入る
watch	動くもの・変化するものを	じっと見る， 気をつけて見守る

FOCUS

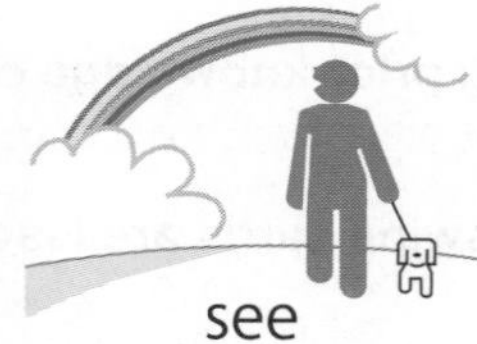

- **look at** は，静止している人や物の方に「意識的に視線を向ける」という意味がある。look at the signboard（看板を見る）のように，特に1点に目を向ける場合に適している。「壊れたコピー機を見る」のように「調べる，点検する」という意味もある（p.206）。会話では have [take] a look at が好まれ，特に「これを（ちょっと）見てください」のように，何かを積極的に見る場面，1回見るだけで済む場面で使われる。
- **see** は，自然と視界に入ってくるという意味で，「目に入る，見かける」ことを表す。wait and see で「事態を見守る」という意味でも用いられる。
- **watch** は，動いたり，変化しているものを「じっと見る」ことを表す。静止しているものには使われず，物事の変化や推移に注目しながら一定期間〔時間〕注視する場合に適している。Watch your children.（お子様から目を離さないでください。），Watch your step.（足元にご注意ください。）のように，watch には「気をつけて見守る」という意味もある。
- 「映画・試合・テレビ番組などを見る」という意味では see または watch が使われる。特に「映画館で映画を見る」場合は，スクリーンが自然に目に入るため，see が好まれる。

EXAMPLES

She had to look at her notes to remember some of the details.
彼女は詳細の一部を思い出すためにメモを見なければなりませんでした。

He could not hide his satisfaction when he looked at the sales figures.
彼は売上高を見て満足感を隠せませんでした。

Please take a look at the handout.
配布資料をご覧ください。

You will see a concrete building of a bank when you turn right at the corner.
その角を右に曲がると，銀行のコンクリートの建物が見えます。

We need to wait and see how things develop.
事態がどう発展していくか様子を見守る必要があります。

I do not really like watching movies or sports at home.
私は家で映画やスポーツを見るのはあまり好きではありません。

We all watched the outcome of the negotiations with high expectations.
我々は皆，大いに期待して交渉の結果を見守りました。

TIPS 〈look ＋前置詞〉のさまざまな意味

look は後ろに続く前置詞によって意味が変わります。at は「1 点」を表すので，look at は「（1 点に）注意を向けて見る」を表しますが，前置詞のコアイメージとともに，他の表現も押さえておきましょう。

◆ **look up**：up は「上に」を表すので，物理的に「見上げる」という意味があるほか，「（上に見る＝）尊敬する」という意味もあります。また，辞書やリストなどで何かを「調べる」という意味でも使われます（p.138）。

◆ **look in(to)**：in(to) は「中へ」を表すので，「覗く」という意味があるほか，中をよく見ることから「調査する，研究する」という意味があります。

◆ **look through**：through は「最初から最後まで（通して）」を表すので，「全体に詳細に目を通す，確認する」という意味があります（p.74）。

◆ **look for**：for は「〜を求めて」を表すので，「〜を探す」という意味があります。

難しい ≒ 困難な，大変な，複雑な

単語	意味	言い換え
difficult	① 知恵や技術を要するために達成・解決が難しいこと	困難な
	② 人が扱いにくいこと	気難しい
hard	労力を要すること	大変な
challenging	難度が高くやりがいのあること	やりがいのある
complicated	複雑で処理が難しいこと	複雑な
complex	込み入っていて複雑なこと	複合的な

FOCUS

difficult

hard

- **difficult** は，多くの問題を含み，達成・理解・対処などが困難であることを表す。question / decision / situation / problem などとよく一緒に用いられる。また，人が気難しい，扱いにくいという意味もあわせ持つ。

- **hard** は difficult ほど堅くなく，日常会話でよく用いられる。細かな違いとして，**difficult** は知恵や技術を，**hard** は（肉体的に）つらく多大な努力を必要とすることを表す場合によく用いられる。例えば，situation（状況）は difficult で，labor（労働）は hard で表すのが一般的である。

- **challenging** は難しいゆえに意欲をかき立て，やりがいのあることを表す。単に大変なだけでなく，挑戦しようとするポジティブさを表せる語。

- **complicated** と **complex** はいずれも system / process / situation などの語と結びつき，「複雑で難しい」という意味でしばしば交換可能である。厳密には，**complicated** は「理解・処理しづらい」という点に，**complex** は「多くの要素が複合的に絡んでいる」という点に重点を置いて使われる。

EXAMPLES

How do you suggest I handle such a difficult situation?
そのような難しい状況に対処するにはどうしたら良いと思いますか。

The speaker somehow managed to avoid answering the difficult questions.
その講演者は答えにくい質問への回答を何とか回避しました。

Everyone's hard work made the event a huge success.
皆さんの大変な頑張りが，イベントの大成功につながりました。

I think the idea would be hard [difficult] to realize. Why don't we try another one?
そのアイディアは実現が難しいと思います。他の案を試してみませんか。

It is really challenging to attract a lot of people to buy our products through advertising.
広告を通して製品に多くの人々を引きつけることは非常にやりがいがあります。

The instruction manual is too complicated; it needs rewriting. 取扱説明書がとても複雑なので，書き直す必要があります。

The problem turned out far more complex than we had imagined.
問題は我々が想像していたよりもずっと複雑であることがわかりました。

TIPS 「(難しいので) できない」と言う場合に要注意

日本語では，依頼や要望に対して「それは少し難しいです」と言って，暗に断りの意思を伝えることがありますね。直訳すると **a little difficult** ですが，英語でそのように言うと「少し難しいだけで，実現可能性はある」と受け取られてしまう恐れがあります。断る意思は明確に伝えるようにしましょう。

unfeasible は「実現不可能な」という意味で，「できそうにない」ことをはっきりと伝える語です。**impossible** to realize のように言い換えることも可能です。ただし，ただ「できません」の一点張りでは失礼ですから，きちんと理由を説明し，円滑なコミュニケーションを心がけましょう。

I'm afraid the idea has proven to be unfeasible this time. We found a technical difficulty in developing a prototype.
申し訳ありませんが，今回はそのアイディアが実現不可能だということが判明しました。試作品を開発することが技術的に困難だとわかったのです。

ま

迷惑 ≒ 手間，不便

単語	意味	
trouble	人をわずらわせる	面倒，手間，問題
inconvenience	人が…する上での	不便，迷惑（な人・物事）
annoyance	人の邪魔をして腹立たしい思いをさせる	迷惑（な人・物事）
nuisance	人に不快な思いをさせたり，問題を起こしたりする	迷惑（な人・物事・行為・状況）

FOCUS

▶ **trouble** は「人をわずらわせる余計な面倒・手間」を表す。人に時間や労力を使わせることや，自分の不手際で迷惑をかけることについて述べる場合に適している。「問題」の意味についてはp.308 を参照。

▶ **trouble** は動詞としても使われ，trouble A は「A に迷惑をかける」という意味。名詞を使って cause trouble to A と表すこともできる。

▶ **inconvenience** は人に不便な思いをさせることや，そのような不便さの原因となっている物事を表す。「本来満たされるべき要望に応えられないこと」について述べる場合に適している。

▶ **annoyance** は，人の邪魔をして，イライラさせたり腹立たしい思いをさせることを表す。そのような迷惑の元となる人や物事についても用いる。

▶ **nuisance** は人を不快にさせたり，不便をかけたりする「厄介な人・物事」「迷惑行為」を表す。be a nuisance to A（A の迷惑になる），make a nuisance of *oneself*（迷惑をかける）のように使われる。

EXAMPLES

If it is not too much trouble, would you mind going over the contract with me?
もしご面倒でなければ，この契約書を一緒に検討していただけないでしょうか。

In any case, avoid trouble with the regular customers.
どんな場合でも，常連客とのトラブルは避けてください。

Have you ever experienced any inconvenience living abroad?
海外で生活していてこれまでに何か不便を経験したことはありますか。

The latest snowstorm was a serious inconvenience for the passengers.
最近の吹雪は乗客にとって大変迷惑なものでした。

Traffic noise at night can be a real annoyance to the people in the neighborhood.
夜間の車の騒音は近隣の人々にとって実に迷惑なものになりかねません。

It is a nuisance having to show ID cards whenever you move around the office.
オフィスの中を移動するたびにIDカードを提示しなければならないのは面倒です。

ま

TIPS 状況に応じたtroubleとinconvenienceの使い分け

迷惑をかけたことを謝罪する場面では，状況に応じてこの2つを使い分けます。相手に迷惑をかけた直接の責任が自分（たち）にあって謝罪する場合や，面倒なお願いをする上で恐縮の気持ちを示す場合は，**trouble**が適しています。

We are sorry to trouble you.
ご迷惑をおかけして申し訳ございません。

I'm sorry to trouble you, but could you send the file again?
お手数をおかけして申し訳ございませんが，そのファイルをもう一度送っていただけますか。

inconvenienceは，交通機関の遅れや悪天候など，自分で扱える範囲を超えている原因や，必要があって行う変更やメンテナンスなどについてお詫びする場面に適しています。なお，下の例文で，これから起こることについて事前にお詫びする場合はthis may causeとしますが，すでに起きたことはthis has [may have] causedと完了形にします。may haveは「…した可能性がある」という意味で，特定の相手に実際に迷惑をかけたのであればhasとします。

We sincerely apologize for any inconvenience this may cause.
このたびはご迷惑をおかけして申し訳ございません。

目的，目標 ≒ 意図

単語	意味	
purpose	行動の	目的，意図
aim	達成すべき具体的な	目標，ねらい
target	生産・販売・成長などの	達成目標（額，値）
objective	中長期的で具体的な	目標，目的
goal	長期的な努力の末に達成すべき	目標
end	究極的な	目的，意義

FOCUS

- **purpose** は「行動の目的, 意図」を表す語。the purpose of a trip（旅行の目的）のように of を伴うことが多い。commercial purposes（営利目的）のように「用途」を表すこともできる。
- **aim** は「ねらいを定める」という意味があり，purpose よりも「達成すべき」というニュアンスが強い。明確で具体的な目標を表すのに適している。
- **target** は生産・販売・成長などの達成目標，特に金額や数値を表す。
- **objective** は，中長期的で具体的な目標・目的を表すのに適している。aims and objectives（目標と目的）はよくセットで使われる。
- **goal** は長期的な計画における「目標，ゴール」を表す。達成に努力を要するイメージがあり，努力の終着点を強調するのに適している。
- 例えば会社・組織の活動は，最終目標である **goal** の達成に向け，各活動の目標やプロジェクトの目的として **objective** が設置され，さらに具体的な数値目標として **target** が掲げられる，というイメージ。実際にどのような目標を指してどの語が使われるかは，場面や文脈によって異なる。
- **end** は goal と似ているが，より最終的かつ究極的な目的を表し，存在や行動の意義を表す。「手段と目的」は慣例的に means and end と表す。

EXAMPLES

What is the purpose of your visit, business or pleasure?
あなたの訪問の目的は何ですか，ビジネスですか，それとも休暇ですか。

The company's aims and objectives are laid out in its growth plan. その会社の目標と目的は同社の成長計画に示されています。

The campaign was mapped out with the aim of boosting the company profile.
その会社の知名度を上げるという目的で，そのキャンペーンが計画されました。

The section has set a target of increasing sales by 5%.
その課は5パーセントの売上増加を目標に掲げました。

The main objective of this paper is to outline corporate spending trends.
この報告書の主な目的は企業の支出傾向を概説することです。

The merger proved successful because both firms shared common goals.
両社とも共通の目標を持っていたので合併はうまくいきました。

Keep in mind that we sometimes confuse the means with the end.
我々は時に手段と目的を混同してしまうということを心に留めてください。

TIPS 「目的」を表すさまざまな表現

(in order) to *do*（…するために）は，行動の目的を表すのに最もよく使われる表現です。to は意味がたくさんあるため，長い文中などで，目的を示すことを明確にしたい場合は in order をつけます。

We have gathered here today in order to exchange information about the options we have.
本日は，我々にできることについて情報交換をするためにお集まりいただきました。

他にも，**for the purpose of A [*doing*]** は「A〔…する〕という目的のために」や，**aim**（～をねらう）を動詞として使って表すことも可能です。

They established an organization for the purpose of supporting working women.
彼らは働く女性を支援することを目的として組織を立ち上げました。

The design is aimed at enhancing the user interface.
その設計はユーザーインターフェースの向上を意図しています。

ま

持つ ≒ 所有する

単語	意味	
have	具体的・抽象的なものを	持っている，身につけている
hold	① 具体的なものを	手に持つ
	② 財産・権力・意見などを	保持する
carry	持ち運べるものを	持ち運ぶ，携行する
lift	動かせるものを	持ち上げる
own	家・車・店などの高価なものを	所有している
possess	財産・能力・特性・権利などを	有している

FOCUS

have

hold

carry

▶ **have** は「持っている」を表す最も一般的な語。対象が非常に幅広く，具体的なものを手に持っている・身につけていること，能力・属性・権利・地位・考えなどを持っていること，家族・友人・組織の人材など愛情や世話が及ぶ対象を持っていることなどを表すことができる。

▶ **hold** は「手で持つ」を表し，「強く握る，落とさないように抱える」という意味。財産・権力・意見・資格などを「保持する」という意味でも用いられる。

▶ **carry** は「携行する」という意味で，バッグやお金などを「持ち歩く」ことを表す。

▶ **lift** は「持ち上げて動かす」ことを表す。

▶ **own, possess** は have より堅い語。own は高価なものの「所有権がある」ことを表す。**possess** は財産・能力・特性・権利などを「有している」ことを表す。

EXAMPLES

The shop had the machine for two years before it broke down.
その店はその機械が壊れるまで2年間保有していました。

I will not have much time to discuss the matter today.
今日はその件について議論する時間があまりありません。

Could you hold these documents for me while I answer the phone? 私が電話に出る間，この書類を持っていてくださいませんか。

We do not really hold an opinion on the venue location for the conference. 我々は会議の開催場所についてあまり意見はありません。

Most people always carry their own smartphone these days.
最近では大多数の人が自分のスマートフォンを常に持ち歩いています。

Can you help me lift this machine?
この機械を持ち上げるのを手伝ってくれませんか。

Did you know Tom owns a pleasure boat?
トムがプレジャーボートを所有しているのを知っていましたか。

UV curable inks possess a special quality which enables them to dry quickly.
紫外線硬化インクには迅速に乾くという特性があります。

ま

TIPS 「持っている」は進行形にしない

have , own , possess は「持っている」という状態を表すので，原則的に進行形にしません。一方，**hold , carry , lift** は「持ち上げる」などの動作を表すので，「今持ち上げているところだ」のような場合は進行形にします。（状態動詞・動作動詞の区別については，p.322 を参照。）

なお，have は「持っている」の意味では進行形にしませんが，一時的に特定の状態である場合や，「開催する」などの別の意味では進行形にすることができます。

I'm having trouble with my PC.
私のパソコンに不具合が起きています。

We are having a winter sale now.
現在冬のセールを開催中です。

問題 ≒ 課題，苦労，事情

単語	意味	
problem	対処が困難な	問題
trouble	厄介で面倒な	問題，悩みの種
challenge	やりがいのある	課題，難題
issue	議論の対象となる	問題（点）
matter	① 考慮・処理すべき	問題，事柄，事情
	②（the matter で）解決すべき	問題，困難
question	① 物事を尋ねるための	質問，問題
	② 考慮・処理すべき	問題，事柄，事情
	③ ～に対する〔関する〕	疑問，疑念

FOCUS

- **problem** は「対処が困難なこと」，いわゆる「問題」を表す最も一般的な語。
- **trouble** は「厄介で面倒なこと」を表す。単に対処が難しいだけでなく，深刻な影響があったり，人に迷惑がかかる場合に適している。have trouble *doing*（…するのに苦労する）もよく用いられる。
- **challenge** は「課題，難題」を表す。「やりがいのある」という意味が含まれ，積極的に乗り越えようとしている問題を表すのに適している。
- **issue** は「議論の対象となる問題」を表し，subject（話題）や agenda（議題）に近い意味を持つ。problem や trouble のようなネガティブな印象を含まず，客観的な響きがあり，議論の対象を中立的に表すのに適している。
- **matter** は a matter of time（時間の問題）のように，「考慮すべき事柄」を表す。the matter は problem と同様に「解決すべき問題」という意味もある。
- **question** は「質問」「事柄・事情」「疑問，疑念」などの意味がある。

EXAMPLES

I will show you three easy ways to fix common problems.
次に，よくある問題を修正する３つの簡単な方法を説明いたします。

No trouble has occurred with the computer.
そのコンピューターに問題が発生したことはありません。

I am having trouble figuring out some of the details.
詳細の一部を解明するのに苦労しています。

We face the challenge of adjusting to changing customer preferences. 我々は，変化する顧客の好みに適応するという課題に直面しています。

One remaining technical issue is the limited range.
あと１つ残っている技術上の問題は範囲が限られていることです。

Price is not really an issue, guaranteed product quality is.
価格はたいした問題ではありません。問題なのは製品の品質保証です。

It is just a matter [question] of preference.
それは単に好みの問題です。

Let's try and settle the matter [problem] as soon as possible. できるだけ早くその問題の解決を試みましょう。

The persistent glitches pose a question to its reliability.
いつまでも続く故障が，その（製品の）信頼性に疑問を投げかけています。

TIPS 「問題がある」と伝える表現の違い

下記はどちらも日本語では「新しいスケジュールに問題があります」という意味になりますが，意味する状況は異なるため，注意が必要です。

A: I have a problem with the new schedule.
B: There is a problem with the new schedule.

A は主語が I なので，他に予定があるなどの理由で，自分自身が，そのスケジュールでは都合がつかないことを意味します。一方 B は，会場の都合がつかない，納期が間に合わないなどの理由で，スケジュール自体に問題があることを表しています。

また，**face** a problem [challenge]（問題〔課題〕に直面する）というコロケーションもよく用いられます。**have**（～がある）よりも差し迫った印象や，立ち向かう・乗り越えるべきというニュアンスがあります。また，「一時的に問題を抱えている」と言う場合は **I'm having [facing] a problem ...** と現在進行形にします。

ま

Column 7

「理由」を表す because / since / as

because / since / as はいずれも「…なので」という意味ですが，この3つにも実は違いがあります。まず，最も一般的に使われるのが **because** です。I think ... because ～. が定型となっているように，行動や判断の理由・根拠を「なぜなら…だから」と伝えるのに使います。基本的に，**相手の知らない理由を，新しい情報として伝える**表現です。このため，Why ～？と聞かれたら because で答えます。

一方 **since** は，「…なのだから」「…である以上は」という意味で，**相手も認識している理由**を，行動や判断の理由として述べるのに適しています。

接続詞	意味	役割
because	なぜなら…	相手の知らない理由を伝える
since	…である以上	相手も知っている理由を伝える
as	…なので	理由を補足する

以下の2つの文を比べてみましょう。A は「配達が遅れていること」を相手が知らない場合に，B は「配達が遅れていること」を相手も知っていて，改めて伝える場合に適しています。since 節は，通例主節の前に置かれます。

A: It is impossible to get everything ready by tomorrow because the delivery is delayed.

配達が遅れているので，明日までにすべて準備するのは不可能です。

B: Since the delivery is delayed, it is impossible to get everything ready by tomorrow.

配達が遅れているのですから，明日までにすべて準備するのは不可能です。

最後に，**as** は理由を補足的に述べるのに使われます。このとき，理由自体はそれほど重要ではありません。重要な理由を明確に述べる場合は，because か since を使うようにしましょう。

I will e-mail the file to you as I'm viewing it at the moment.

ちょうど今そのファイルを見ているところなので，メールで送りますよ。

や行

休み ≒ 休暇，休日

単語	意味	
break	仕事・授業などを中断して取る	休憩（時間），休止
rest	疲労・心労からの	休息，休養
day off	平日に対する	休日
leave	申請して許可された	休暇
vacation	一定期間の	休暇《米》
holiday	① 法定の	祝祭日《米》
	② 一定期間の	休暇《英》

FOCUS

- **break** は仕事・授業などを中断して取る「休憩時間，休み時間」を表す。without a break（休みなく）のように一時的な休止という意味でも用いる。
- **rest** は疲労や心労から解放されて「体を休めること」を意味する。
- **day off** は work day（平日，出勤日）に対する「休日」を表す。off には「仕事や学校を休んで」という意味がある。*dayoff* という 1 つの単語ではないことに注意。複数形は, two days off（2 日間の休み）のように day の部分を複数形にする。two weeks off（2 週間の休み）のように期間を変えることも可能。
- **leave** は「申請し，許可を得た上で取る休暇」を表す。paid leave（有給休暇），sick leave（傷病休暇），maternity leave（産休）のように使われる。
- **vacation** は主にアメリカ英語で，**holiday** は主にイギリス英語で「一定期間の休暇，休暇旅行」を表す。
- アメリカ英語では holiday は法定の祝祭日を表す。

EXAMPLES

Could I take a short break?
少し休憩を取ってもよろしいでしょうか。

Take a few days' rest and your knee will feel much better.
2，3日休みなさい。そうすれば膝はかなり良くなりますよ。

How do you usually spend your day off?
休みの日は普段どのように過ごしていますか。

I took a day off and visited my aunt in Seattle.
私は1日休みを取ってシアトルのおばを訪ねました。

I was asked to fill in for someone on maternity leave.
私は産休の人の代わりをするように頼まれました。

It may be a good idea to plan your vacation ahead.
休暇の予定を前もって立てるのは良い考えかもしれません。

Do we have any national holidays this month?
今月は国民の休日はありますか。

This means we have three consecutive holidays!
これは3連休になるということですね！

TIPS 「休む」「休みを取る」という表現

「休む」「休みを取る」と言う場合，**take** a break [rest]（休憩する），**take** a day off（1日休む），**take** a holiday [vacation]（休暇を取る）のように，**take** を使って表現します。

なお，これらはいくつもある休憩・休日・休暇のうちの1つなので，いずれも不定冠詞 a をつけて表現します。ただし，maternity [paternity] leave（女性の出産育児休暇〔男性の育児休暇〕）や sick leave（傷病休暇）のような特別な休暇は無冠詞で，take sick leave のように言います。

また，**be absent (from A)** との区別を押さえておきましょう。これは「(A を）欠席する」という意味で，仕事や学校など，本来いるべきところに「いない」と言う場合に用いられます。

She is absent from the regular meeting today.
彼女は今日定例会議を欠席しています。

や

有名な ≒ なじみのある

単語	意味	言い換え
famous	（良い意味で）広く多くの人に知られていること	有名な，名高い
well-known	ある範囲でよく知られていること	よく知られた
familiar	よく知られていて，なじみのあること	なじみのある
renowned	優れた特性や功績などによって名高いこと	高名な，名声ある
prominent	ある分野における突出した技能や技術でよく知られていること	卓越した，傑出した

FOCUS

- **famous** は「有名な」を表す最も一般的な語。通常肯定的な意味で，広い地域において，あるいは長期間にわたって有名であることを表す。
- **well-known** は主に「ある範囲でよく知られていること」を客観的に述べる語。famous と違って「称賛」のニュアンスはなく，単に「よく知られている」ことを表す。
- famous，well-known の反意語は **unknown**。**infamous** は悪い意味で有名であることを表し，「悪名高い，不名誉な」という意味になるので要注意。
- **familiar** も「よく知られた」という意味だが，知識としてではなく，「身近で，なじみのある」と言う場合に用いられる。
- **renowned** は，人や場所などがその特性や優れた技術，功績などによって，多くの人々に知られ，話題にされたり，賞賛されたりしていることを表す。
- **prominent** は「重要な」というニュアンスを含み，その分野において他より卓越した技能や技術でよく知られていることを表す。

EXAMPLES

I heard a famous actor is filming in town this weekend.
有名な俳優が今週末，町で映画撮影をするらしいです。

The city is world-famous for its soccer team.
その都市は，そこのサッカーチームで世界的に有名です。

The restaurant is well-known in the local community.
そのレストランはその地域ではよく知られています。

Thanks to its extensive promotion campaign, the drink has become familiar to Japanese people.
集中的な販促キャンペーンのおかげで，その飲料は日本人になじみのあるものになりました。

The bookstore is renowned for its collection of specialist literature. その書店は専門文献の品揃えで有名です。

It can be hard to make an appointment with a prominent surgeon. 有名な外科医の予約は難しいでしょう。

TIPS famous，familiar の前置詞の使い分け

前置詞による意味・使い方の違いを押さえておきましょう。

famous for ＋名物：～で有名な，～で知られる
famous as ＋それ自体の機能：～として有名な

The hotel is famous for its dinner shows.
そのホテルはディナーショーで有名です。

The hotel is famous as a family resort.
そのホテルは家族層向けのリゾートとして有名です。

familiar to ＋人：（人）になじみのある，（人）によく知られた
familiar with ＋物事：（物事）に詳しい，（物事）に精通した

The territory [topic] is familiar to me.
その分野〔話題〕にはなじみがあります。

Are you familiar with that part of the neighborhood?
その地域のそのあたりに詳しいですか。

要求する ≒ 依頼する，頼む，求める

単語	意味	
ask	物事を人に	頼む
request	物事を正式に〔丁寧に〕	要請する
require	規則・基準に照らして必要性のある物事を	要求する，命ずる
claim	当然の権利として	要求する，請求する
demand	物事を権利として強く	要求する，請求する

FOCUS

▶ **ask** は「頼む」を表す一般的な語。〈ask ＋人＋ to *do*〉（人に…するよう頼む）がよく用いられる。また，ask for A で「A を要求する」という意味を表す。

▶ **request** は「要請する」という意味で，物事を正式に依頼する場面で使われる。ask よりも意味が強く，改まった語。

▶ **require** はやや堅い語で，何かをする上で必要となるものを法律・規則・基準などに照らして要求することを表す。

▶ **claim** は当然の権利として物事を要求したり，金銭を請求したりすることを表す。商品・サービスの返金や，手当・保険金・賠償金などの請求には claim が使われる。日本語の「クレーム」のように文句を言ったり理不尽な要求をする意味合いはない。また，自分の所有物を要求するという意味もある。claim *one's* baggage は「(空港などで) 荷物を受け取る」という意味。

▶ **demand** は謝罪や説明，何らかの行為を強く要求することを表す。正当性がない場合にも用いられる。

EXAMPLES

She asked me for advice about her presentation.
彼女は私に，自分のプレゼンテーションについてアドバイスを求めてきました。

Can I ask you to go to the post office and buy some stamps? 郵便局に行って切手を買ってきてほしいのですが。

Proper identification is requested when applying for membership.
入会の申込をするには適切な身分証明書が必要です。

We request non-disclosure until the deal is finalized.
契約が合意されるまで非公開とすることを要請します。

Expenditure over $500 require the manager's approval.
500ドルを超える支出には課長の承認が必要です。

In order to claim a refund, the defective product must be returned together with its receipt.
返金を請求するには，領収書と一緒に不良品を返品していただかなければなりません。

Where should I go to claim my baggage?
手荷物を受け取るにはどこへ行けば良いでしょうか。

I demand an apology for your inappropriate actions.
あなたの不適切な行動に対する謝罪を求めます。

や

TIPS 気をつけたい依頼表現の使い分け

正式な依頼・要請ではなく，通常のやりとりで何かを依頼する場合，request や require では堅すぎるので，普通 ask を使います。話を切り出す際によく使われるのが，ask a favor という表現です。favor は「親切，好意」という意味です。

Can I [May I] ask you a favor?
お願いがあるのですが。（※ May I ... ? はより丁寧）

また，**I would like to ask you to *do*** ...（…していただきたいのですが）という表現には要注意です。would like to を使っており一見丁寧な印象ですが，これはあくまで「あなたに…してほしい」という要求を述べています。「…していただくようお願いします」という日本語に近いかもしれません。

「締め切り厳守で送ってほしい」のように当然対応してもらえるはずのことについてであればこの言い回しも可能ですが，相手が応じてくれるかわからないことについては，**Could you ...?** をはじめとする疑問文が基本です。p.234 で整理しているので参考にしてください。また，**I would appreciate it if ...** のような仮定法を使って，相手に可否をゆだねるとより丁寧な印象になります。

I would like to ask you to reconsider their request.
彼らの要請を再検討していただくようお願いいたします。

I would appreciate it if you could reconsider their request.
彼らの要請を再検討していただけたらありがたいのですが。

予測する ≒ 予定する

単語	意味	
expect	十分な理由があって	予想する，予期する
anticipate	① 差し迫ったことを	見越して対策する
	② 確実に起こるプラスの出来事を	楽しみに待つ
predict	経験・事実・法則などによって	予測する
forecast	専門知識に基づいて	予測する

FOCUS

▶ **expect** は根拠のある推論を表し，「十分な理由があり，当然のこととして予期する」ことを表す。良いことにも悪いことにも用い，予定を表すこともできる（TIPS 参照）。〈expect（＋人・物＋）to *do*〉で「(人・物が）…するだろうと思う」という意味。be expected to *do*（主語が…すると考えられている）という受動態でもよく用いられる。

▶ **anticipate** は今にも起こりそうなことを予期し，前もって備えるという意味。「悪いことに対策を立てて備える」という意味でも，「楽しみに待つ」という意味でも使える。「(人が）…することを予期する」は〈anticipate（＋人＋）*doing*〉で表し，expect と違って動名詞を用いることに注意。

▶ **predict** は，経験・事実・法則などによって，これから起こることや何かの結果を予測することを広く表す。

▶ **forecast** は，専門的な知識に基づいて，起こりそうなことや傾向を公的に予測する場合に用いられる。特に天気や政治・経済状況についての予測に適している。名詞で「予報，予想」という意味もある。

EXAMPLES

Scientists expect global temperatures to continue to rise.
科学者たちは，地球の気温が上昇し続けるだろうと予想しています。

Energy demand is expected to rise sharply in the winter.
エネルギー需要は冬季に急上昇する見込みです。

We had anticipated the problem and built a strategy to cope with it.
私たちはその問題を見越して，それに対処するための戦略を立てました。

Record crowds are anticipated for the festival.
そのフェスティバルには記録的な人出が予想されています。

The weather forecast predicts snowfall over the weekend.
天気予報は週末にかけて雪が降ると報じています。

It is hard to predict how long it will take to commute due to the road works.
道路工事のため，通勤にどのくらいかかるか予測するのが難しいです。

Analysts forecast a 2-percent growth in the stock market.
アナリストは株式市場において2パーセントの成長を予測しています。

や

TIPS　expect を使って「予定」を表す

expect は予定を表すのにもよく使われます。次の2つの言い回しを押さえておきましょう。なお，I'm expecting A. は何かを待っていることを事実として伝えるのに適した表現です。「お返事をお待ちしています」のように相手に行動を促す場合には，よりポジティブな look forward to (p.290) を使うようにしましょう。

◆ **be expected to *do***：…することになっている

The renovation work is expected to be completed by the end of the year.
その改修作業は，年末までには完了する予定です。

◆ **be expecting A**：A が来る予定である，A が来るのを待っている

I'm expecting the merchandise later this afternoon.
今日（の午後）このあと，商品が届く予定なのです。

I'm afraid I'm expecting visitors. Can you come back later?
すみませんが，お客様がいらっしゃる予定なのです。またあとで来てもらえますか。

Ms. Gomez is expecting you in the meeting room A.
ゴメスさんが A 会議室でお待ちです。

予約する

単語	意味	
reserve	乗り物・レストラン・ホテルなどを	予約する
book	乗り物・レストラン・ホテルなどを	予約する《英》
make an appointment	① 面会の	約束をする
	② 美容院・診療などを	予約する

FOCUS

appointment

- **reserve** は「予約する」を表す最も一般的な語。乗り物・劇場・レストランの席・ホテルの部屋・会場・スポーツ施設など「場所」の予約に用いる。
- **book** は主にイギリス英語で reserve と同様の意味で用いられる。旅行業界においては，アメリカ英語でも主に book が用いられる。
- いずれも，目的語をとらずに「予約する」という自動詞のような意味を表す場合，**make a reservation [booking]** と make を使って表現する。
- **make an appointment** は，「人と会うための予約」を意味する。仕事上の面会の約束や，美容院・病院などの予約に使われる。

EXAMPLES

I would like to reserve a table for four for Saturday evening.
土曜日の夜，４人でテーブルを予約したいのですが。

I have reserved a room in the vicinity of the conference center.
私は会議場の近くに部屋を予約しました。

You should not wait too long to make a reservation.
予約するのが遅くなりすぎないようにしたほうが良いです。

Do you want me to make a reservation?
私が予約をしましょうか。

Book your flight online and enjoy extra benefits.
オンラインでフライトを予約するとさらに特典を受けられます。

I would like to make an appointment with the dentist.
歯科者の予約をしたいのですが。

Do I have to make an appointment to have my hair done?
髪を切ってもらうのに予約をしなければなりませんか。

TIPS　予約に関する表現

レストランなどを予約する際に使う言い回しを確認しましょう。「～人で」は for (a party of) を使います。party は「グループ，一行」という意味です。また，「佐藤で予約しています」のように名前を伝える際は under を使います。

I would like to make a reservation for (a party of) four, for 12 o'clock, September 6th.
9月6日の12時に，４名で予約したいのですが。

Do you have a reservation, ma'am? ― I have a reservation for 12 o'clock under the name of "Alexander."
お客様，ご予約はされていますか。―12時にアレキサンダーという名前で予約しています。

なお，予約制に関する注意書きは次のようなものがあります。

- ☐ 予約不要：No reservation(s) required.
- ☐ 予約優先制：Reservations first
- ☐ 完全予約制：Reservation-only
- ☐ 先着順：First come, first served.

Column 8

動詞の種類（自動詞と他動詞，動作動詞と状態動詞）

本書にも何度か登場する動詞の種類について理解しておきましょう。

◆自動詞と他動詞

自動詞	目的語を必要としない動詞 （目的語をとる場合は前置詞が必要）	**arrive** at the airport （到着する）
他動詞	目的語を必要とする動詞	**reach** the airport （～に到着する）

※目的語：動作や状態の対象となる語。「何を」「何に」などに当たり，上の場合，到着するという動作の対象である「空港」が目的語となる。

自動詞 arrive は必ずしも「どこに」に当たる語を伴う必要はなく，I arrived.（私は到着しました。）という文もあり得ます。目的語をとるには，目的語の前に「～に」に当たる at のような前置詞が必要です。

一方，他動詞は常に目的語を伴います。他動詞 reach は「～に到着する」という意味なので，目的語をとらずに *I reached.* と言うと「私は，に到着しました。」となり，聞き手は「どこに？」と気になってしまいます。他動詞のあとは目的語を忘れないようにしましょう。

◆動作動詞と状態動詞

動作動詞	1回の行為を表す。進行形も可。	get, play, eat など
状態動詞	一定期間継続する状態や感覚などを表す。原則，進行形にしない。	be, live, know, like, feel など

両者の違いは，その動詞が表す「時間の幅の違い」です。下の A は「1回の行為」なので動作動詞 get を，B は「一定期間継続する状態」なので状態動詞 be を使っています。日本語では「結婚した」と「結婚している」のように，同じ動詞を変化させることで動作と状態を区別しますが，英語では多くの場合，動詞を使い分けます。

A: I got married in 2000.　私は2000年に結婚しました。

B: I am married.　私は結婚しています。

また，have のように両方の使い方をする動詞もあります。

C: Please have a seat.　どうぞ席に着いてください。　【動作動詞】

D: He has two brothers.　彼には2人の兄弟がいます。　【状態動詞】

ら 行

利益，利点 ≒ メリット

単語	意味	
benefit	何かから得られる	利益，恩恵，メリット
advantage	他と比較してより勝っている	有利な点，強み，メリット
merit	計画・システム・方法などの	長所，利点
profit	主に金銭的な	利益，得
gain	① 金銭的・物質的な	利得，もうけ
	② 計画・努力によって得られた	利点，進歩

FOCUS

▶ **benefit** は金銭面だけではなく，人の生活にもたらされる利点・恩恵について広く用いる。そのものが持っている長所や利点ではなく，「他の何かによってもたらされるもの」を表す。企業の福利厚生や手当，年金・保険などの給付金の意味もある。

▶ **advantage** は他と相対的に比較して，それが持っている「より有利な点，強み」を指す。

▶ **merit** は特に計画・システム・方法などについて，それが最適な選択だと判断するために考慮する長所を指すのに適している。advantage のように他より相対的に有利だというニュアンスはない。

▶ **profit** は，会計用語では収益（revenue）から費用（expenses）を差し引いた残りの「利益」を指す。反意語は loss。「金銭面以外での得」を表す場合もある。その場合は不可算名詞。

▶ **gain** も loss の反意語として，「金銭的・物質的な利益」を表す。「金もうけ」のような否定的なニュアンスを含む場合は gain を使うが，必ずしも否定的な意味を含むわけではない。また，計画・努力によって得られた利点・進歩という意味でも用いられる。

EXAMPLES

Membership entails benefits such as discounted prices.
会員になると割引価格などの特典が受けられます。

The company provides a number of benefits to lure competent candidates.
その会社は有能な志願者を引きつけるためにいくつもの福利厚生を提供しています。

Working for a large corporation has many advantages.
大企業で働くことにはたくさんの利点があります。

Allow me to explain some of the merits of our program.
私どものプログラムの長所のいくつかを説明させていただきます。

The profit margin has grown after analysis of big data.
ビッグデータの分析のあと，利鞘が増大しています。

Very often, short-term losses overshadow long-term gains.
短期の損失が長期の利益を見劣りさせることはよくあることです。

5

TIPS 「メリット」は advantage で表すことが多い！

advantage と merit について，もう少し詳しく見てみましょう。日本語では「メリット」が「利点」という意味で浸透していますが，「他と比べた場合の利点」は merit ではなく advantage が用いられます。

The merits of the plan are to make our products known to many people.
その計画の利点は，当社の製品を多くの人に知ってもらえることです。

The advantage of plan A is to make our products known to many people.
（B と比べた）計画 A の利点は，当社の製品を多くの人に知ってもらえることです。

また，「我々にとってのメリット」のように「特定の側に有益な点」は advantage または benefit で表します。merit は「一般的に見て良い点」を表すので，*merit for us* のように使われることはあまりありません。

There is no merit in the plan even if we implement it.
その計画を実施したとしても，何も良いことはありません。

There is no benefit to us in the plan even if we implement it.
その計画を実施したとしても，我々にとっては何も良いことはありません。

旅行 ≒ 出張

単語	意味	
trip	観光・仕事などが目的の	旅行，出張，外出
travel	① 観光・仕事などが目的で	旅行すること
	② 観光目的の遠方・外国への	旅行
tour	観光・視察などが目的の，複数箇所を巡る	ツアー，周遊旅行
journey	① 長距離で長時間の	旅
	② 長く困難を伴う	道のり，過程

FOCUS

▶ **trip** は可算名詞で，「旅行」を意味する最も一般的な語。長期・短期のいずれにも用いることができる。a business trip（出張），a day trip（日帰り旅行），a long trip（長旅）のように目的や期間を表すことができる。他に「外出，短距離の移動」という意味もある。

▶ **travel** は不可算名詞で，特定の旅行ではなく「旅行すること」一般を指す。可算名詞では「遠方への旅行」を表し，通例複数形で用いる。travel expenses（旅費），the travel industry（旅行業界）のようによく形容詞的に用いられる。

▶「旅行に行く」は go on a trip と言い，*go on <u>a travel</u>* は誤り。travel を動詞で用いる場合は，travel abroad（海外を旅する），travel alone（一人旅をする）のように副詞（句）を伴うことが多い。

▶ **tour** は複数の場所を巡るという意味を含む。観光目的の「ツアー，周遊旅行」の意味でよく用いられる。

▶ **journey** は，長距離で長時間の「旅」を指す。また Life is a journey.（人生とは旅である。）のように，長く困難を伴う過程を比喩的に表す。

EXAMPLES

This is just a small present from my business trip.
これは私の出張のささやかなお土産です。

Isn't it supposed to be only a 1-hour trip?
たった1時間の移動のはずではありませんでしたか。

Have you declared your travel expenses yet?
もう旅費の申告をしましたか。

Do not forget to take something to read on your travels.
旅行に読み物を持っていくのを忘れないようにしてください。

The last time I went there I joined a tour.
前回そこへ行ったとき，ツアーに参加しました。

Sightseeing tours leave daily at 9:30 A.M.
観光ツアーは毎日午前9時30分に出発します。

After retirement, I am planning a journey around the world.
退職後，世界一周の旅を計画しています。

On behalf of the flight crew, I wish you all a pleasant journey.
乗務員を代表して，楽しい旅行となりますことを願っております。

ら

TIPS travel の動詞としての意味

travel は動詞としてもよく使われ,「旅行する」以外にもさまざまな意味があります。なお，trip にも動詞の用法がありますが，「旅行する」という意味はなく，「つまずく」というまったく別の意味になるので注意が必要です。

① 旅行する

Candidates should be willing to travel [×*trip*] worldwide on business.
候補者は仕事で世界中へ旅することをいとわない人であるほうが良いです。

② 移動する，(電車など) が進む

The Shinkansen train travels at a maximum speed of 320 kilometers per hour.
新幹線は最高時速320キロメートルで進みます。

③ (音・光) が伝わる，進む

Light travels at an enormous speed.
光はすごいスピードで進みます。

連絡を取る

単語	意味	
contact	人と	連絡を取る
get in touch with	人と	連絡を取る
reach	人と	連絡がつく
hear from	人から	連絡をもらう

FOCUS

- **contact** は「人と連絡を取る」ことを表す。他動詞のため，目的語の前に with などの前置詞は不要である。
- in touch は「接触して，連絡して」を表し，**get in touch with** で「人と連絡を取る」という意味になる。**keep in touch with**（〜と連絡を保つ〔取り合う〕）もよく用いられる。
- **reach** は「電話などで人と連絡がつく」ことを表し，I can be reached at 123-456.（123-456 で私につながります。）のように，特に「連絡がつくかどうか」に重点を置く語である。
- **hear from** は「人から連絡をもらう」ことを表す。「連絡があるかないか」に重点を置く語で，長い間連絡がない場合に I have not heard from her in five years.（彼女とはもう 5 年音信不通である。）のように用いることができる。

EXAMPLES

What is the best way to contact you while you are out of the office?
あなたの外出中に連絡するのに一番良い方法は何でしょうか。

Ms. Jones wants to contact you about her order.
ジョーンズさんが注文のことであなたに連絡を取りたがっています。

He will get in touch with you as soon as the meeting is over.
会議が終わったらすぐに彼からあなたに連絡があるでしょう。

Kevin can be reached by e-mail.
ケビンにはＥメールで連絡が取れます。

I have been trying to reach him for hours.
私は何時間も彼に連絡を取ろうとしています。

Have you heard anything about it from our boss?
それについて何か上司から連絡がありましたか。

If you are interested, we would love to hear from you.
もしご興味があるようでしたら，ぜひご連絡ください。

TIPS 「連絡先」は英語で何と言う？

「連絡先」は **contact details [information]**,「メールアドレス」は **e-mail address** と言います。address だけでは「住所」の意味になるので要注意です。また，通信手段を表す際は無冠詞なので「メールで連絡する」は contact **by e-mail** と言い，*by an e-mail* と言うのは間違いです。また，近年では e-mail が動詞としても使われています。

I'll e-mail you later.
あとであなたにメールします。

Can you e-mail me the file?
私にそのファイルをメールで送ってもらえますか。

連絡先を尋ねる際は **Can I have …?** が定番です。お客様などにはより丁寧に **May I …?** としましょう。「連絡先を交換する」には **exchange A with B**（A を B と交換する）を使います。Do you happen to know ...? については p.337 の TIPS を参照してください。

Can [May] I have your e-mail address?
メールアドレスをお伺いできますか。

I exchanged contact details with Mr. Evans at the seminar.
そのセミナーでエヴァンズさんと連絡先を交換しましたよ。

Do you happen to know his phone number?
ひょっとして彼の電話番号をご存じですか。

論点 ≒ 核心，主張，要点

単語	意味	
point	議論における重要な	論点，主張，要点
issue	議論が必要な	問題（点），論点，争点
gist	話・記事などの	要点，要旨
core	物事の	核心，最も重要な点
crux	問題・質問・議論などの	核心，最も重要な点

FOCUS

▶ **point** は，議論の核となる「論点」を指す語。go on to the next point（次の論点に移る），make the point clear（論点を明確にする）のように使う。*one's* point で「人の意見，主張」という意味を表すほか，「要点，核心」など幅広い意味がある。

▶ **issue** は「賛否が分かれ，議論が必要な問題」を指す語だが，「問題点，争点」などの意味もある。

▶ **gist** は「文書・会話などの主旨」という意味を表す。follow *one's* gist（人の話の主旨を理解する）のように，get, understand, follow, grasp（理解する），convey（伝える）などの動詞とよく一緒に使われる。

▶ **core** は「物事の中心部」を広く表す語。the core of the argument（議論の核心），be at the core of A（A の中核をなす）など，通例 the をつけて「物事の核心」を意味する。

▶ **crux** は「問題・議論などの最も重要な点」を表す堅い語。the crux of a matter [problem]（問題の核心，肝心な点）のように用いられる。多くの場合，point, core と交換が可能である。

EXAMPLES

Now, let me summarize the key points of this report.
それでは，この報告書の要点をまとめさせていただきます。

I see your point, but what else would you expect us to do?
あなたのおっしゃることはわかりますが，私たちに他に何ができると思うのですか。

Pricing is not really an issue right now.
今は価格設定はそれほど問題ではありません。

The gist of the paper can be found before the first chapter.
その論文の要旨は第１章の前に書かれています。

I could somehow grasp the gist of the discussion.
その議論の主旨を何とか把握することができそうです。

The economic situation is most likely to be the core of the problem.
経済状況が問題の核心である可能性が最も高いでしょう。

We need to draw attention to the crux of the matter, which is not prospective sales figures, but product quality.
肝心な点に注意を向ける必要があります。つまり予想される売上ではなく，製品の品質です。

ら

TIPS 「的を射た」「的外れの」は英語で何と言う？

日本語でも「ここがポイントです」と言うように，point には「要領，重要な点」という意味もあり，**have a point, be to the point** は「的を射た，要領を得た」を意味します。

You have a point here.
それは一理ありますね。〔確かにそうですね。〕

The presenter had a point when he explained about tax systems.
その講演者が税制度について説明したとき，彼は要領を得たことを言っていました。

The message was polite and to the point.
そのメッセージは丁重かつ的を射たものでした。

反対に，「的外れの，見当違いの」という意味の表現には，**beside the point, irrelevant** などがあります。

I'm afraid that's beside the point.
失礼ですが，それは話がそれてしまっています。

We have focused too much on irrelevant details.
見当違いの細かい事柄に注意を向けすぎてしまいました。

Column 9

形容詞の使い方に注意（限定用法と叙述用法）

本書にも何度か登場しますが，形容詞には「限定用法」と「叙述用法」という２つの異なる使い方があります。一度押さえておくと単語の理解がスムーズになるので，ぜひ違いを確認しておきましょう。

	用法	例
限定用法	名詞の前後について，名詞を修飾する	a new mall
叙述用法	文の補語になって，名詞を説明する	The mall is new.

限定用法は，「～な○○」に当たるものと考えるとわかりやすいでしょう。a good idea（良い考え），an interesting book（面白い本）のように名詞を修飾する用法です。something new（新しい物事）のように，名詞を後ろから修飾する場合もあります。

【限定用法】 A new mall will open near the station.
駅の近くに**新しい**商業施設がオープンします。

一方叙述用法は，形容詞が，SVC文型またはSVOC文型のC（補語）として働くものです。「SはCである」または「OをCにする」のように，S（主語）やO（目的語）に入る名詞を説明します。

【叙述用法】 The mall near the station is very new.
(The mall = S, is = V, new = C)
駅の近くのその商業施設は，とても**新しい**です。

I found the mall near the station very nice.
(I = S, found = V, the mall = O, nice = C)
駅の近くのその商業施設は，とても**すばらしい**ことがわかりました。

alike（p.238）のように**叙述用法でしか使えない**単語もあれば，certain（p.194）のように**限定用法と叙述用法で意味が異なる**単語もあります。意味・ニュアンスだけでなく，例文を通して正しい使い方も確認しましょう。

わ 行

わかる① ≒ 理解する

単語	意味	
understand	人の話・物事を	理解する
see	（主に話し言葉で）人の話・物事を	理解する
get	（話し言葉で）人の話を	聞き取る，理解する
find	経験などを通して	知る，気づく，理解する
follow	人の話・説明などに	ついていく

FOCUS

▶ **understand** は「わかる，理解する」という意味の最も一般的な語。「新しい情報を頭の中に取り込んで理解する」ことを意味する。

▶ **see** は understand と同様の意味を持つが，話し言葉で使われることが多い。I see your point [what you are saying].（ご意見はわかります。）のように使われる。

▶ **get** はくだけた語で，話し言葉で使われる。特に「言葉を聞き取る」「言葉の意味がわかる」などの場合によく用いられる。

▶ **find** は実際にやってみた経験を通して「気づく」ことを表す語。find it difficult（それが難しいとわかる）のように，〈find ＋物事＋形容詞〉がよく用いられる。

▶ **follow** は「話についていく，意味などを理解する」ことを表し，否定文・疑問文でよく使われる。

EXAMPLES

It is hard to understand why they changed such a nice piece of engineering.
彼らがなぜあれほどすばらしい技術の一部を変更したのか理解しがたいです。

I hope you will understand my situation.
私の状況を理解してくださることを願っています。

I just cannot see the reason behind their conduct.
彼らがなぜそのような行動をとったのか私にはどうしても理解できません。

I could not get what the presenter was talking about.
講演者が何について話しているのかわかりませんでした。

I found it challenging to remember all their names.
それらの名称を全部覚えるのは難しいことがわかりました。

The customers found the food tastier than ever.
そのお客様はその食べ物は以前よりおいしいと思いました。

As the documents were not translated, we were unable to follow what he was saying.
その資料は翻訳されていなかったので，私たちは彼の話についていけませんでした。

TIPS 「わかりました」「わかりません」の使い分け

「わかりました」を意味する代表的な表現は次の3つです。下記のように，右に行くにつれてカジュアルになります。例えば社外宛ての丁寧なメールではI understand.を，同僚との会話ではI got it. を使うというイメージです。さらに親しい間柄では，主語を省略してGot it!（わかった！）やGot it?（わかる？）が使われます。

I understand. > I see. > I got it.
承知しました。＞了解しました。＞わかりました。

また，「わかりません」という次の表現も，相手に与える印象が異なりますので，しっかり区別しておきましょう。

I don't know.：知りません。わかりません。
I have no idea.：見当もつきません。まったくわかりません。
I'm not sure.：正確にはわかりません。よくわかりません。

自分の担当業務の状況を聞かれたとき，I don't know. やI have no idea. は不自然です。知っているべきことについて「知りません」と答えるのは無責任な印象になってしまいます。sure （p.194）を使って今はわからないことを述べた上で，とるべき対応や自分の意見を添えるようにしましょう。

I'm not sure. I'll check it immediately.
よくわかりません。すぐに確認します。

I'm not quite sure, but it's probably up to 50 cases.
あまり正確にはわかりませんが，おそらく最大で50ケースだと思います。

わ

わかる② ≒ 知っている

単語	意味	
know	見聞きしたり経験したりして	直接知っている
know about	物事を	知識として知っている
know of	① 物事を話に聞いて	間接的に知っている
	② ～があることを	知っている
be familiar with	物事を	熟知している

FOCUS

▶ **know** は「知っている」という状態を表す。that 節を続けて「…であることを知っている」と言う場合や，見聞きしたり体験したりして直接知っている場合は他動詞として用い，目的語の前に前置詞は不要。例えば I know him. と言えば彼と直接面識があることになる。

▶ **know about** は「人や物事について知識として知っている」場合に用いる。人であれば「名前や仕事など，どんな人かは知っているが，面識はない」，物事であれば「知識はあるが，実際に扱うことはできない」などの場合に適している。

▶ **know of** は間接的に知っていることを表し，「話に聞いたことがあるだけで，直接は〔詳しくは〕知らない」と言う場合に適している。「その存在について知っている」という意味もある。

▶ **be familiar with** は，「物事に精通している，物事を熟知している」という意味。同じ意味の know ～ well もよく使われる。

EXAMPLES

Do you know how long it takes on foot from the station?
駅から歩いてどのくらいかかるか知っていますか。

Do you know Mr. Suzuki? He came back from Manila office last month.
鈴木さんと面識がありますか。先月マニラ支店から戻ってきたのですが。

I know little about accounting.
私は経理の知識はほとんどありません。

I would like to know more about your online payment service. 御社のオンライン決済サービスについて，詳しく知りたいのですが。

I just know of her. We have never met in person.
彼女のことは噂に聞いているだけです。直接お会いしたことはありません。

She knows of a few good restaurants in the neighborhood.
彼女はこの近くに数箇所良いレストランがあることを知っています。

Actually, I am not very familiar with the situation.
実は私は状況をよくわかっていないのです。

わ

TIPS 「知っていますか」は Do you know ...? だけじゃない

「知っていますか」と聞く表現にもいくつかのバリエーションがあります。

A: Do you happen to know the company?
B: Have you heard of the company?
C: Do you know the company?

Aは「**ひょっとして知っていますか**」という意味で，「この人なら知っているかも」あるいは「知っていたら良いな」という気持ちが込められています。Bは「(誰もが知っているものではないけれど）**聞いたことはありますか**」という言い回しになります。

一方で，CのDo you know ...? は相手の知識を直接的に尋ねているので，A・Bに比べるとやや当たりの強い印象になります。「(人）と面識がありますか」と聞く場合はDo you know ...? を使うなど，状況によっては必ずしも失礼ではありませんが，場面に応じてA・Bの言い回しも使いこなせるようにしましょう。

また，自分の話が「おわかりいただけましたか」と尋ねる際も要注意です。日本語を直訳したDo you understand? は，実は失礼な言い回しです。p.187で解説しているので，確認しておきましょう。

分ける ≒ 区別する，引き離す，分割する

単語	意味	
divide	人や物をいくつかに	分割する，区切る
separate	① 複数の要素から成るものを	分離する，引き離す
	② 物を区別して	分ける
share	物を～の間で（均等に）	分け合う
distribute	物を（人などに）	分配する，配布する

FOCUS

separate
eggs

▶ **divide** は「1 つのものを 2 つ以上に分割する」ことを表す。divide 12 by 4（12 を 4 で割る）のように「割り算をする」という意味があることを覚えておくとわかりやすい。

▶ **separate** は「複数の要素が混在した状態」が前提としてあり，そこから一部の要素を区別したり，分離したりすることを表す。

▶ **share** は「等分にして，（主語と）他の人との間で分け合う」ことを表す語。物理的に「食料・金銭・利益などを分ける」という意味では，divide と交換可能。「情報・意見などを共有する」という意味もある。

▶ **distribute** は「（主語以外の人に）物を計画的に分配する，割り当てて配る」ことを表す。「難民に食料などを配給する」場合などにも用いられる。hand out で同じ意味を表すことができる。

EXAMPLES

Why don't we just divide the work on the project?
そのプロジェクトの作業を単に分割してみてはどうでしょうか。

The issue sharply divided the board members' opinions.
その問題は役員会のメンバーの意見をはっきりと対立させました。

A road separates the parking lot from the office building.
道路によってオフィスビルと駐車場が隔てられています。

They had to separate the applicants according to their qualifications.
彼らは応募者の資格によって彼らをグループ分けしなければなりませんでした。

My wife and I share many of the house chores.
妻と私は家事の多くを分担しています。

It is prohibited to distribute pamphlets in front of the station. 駅前でパンフレットを配布することは禁じられています。

TIPS 「区別する」という意味の表現

separate には separate the facts from your opinion（事実と意見を区別する）のように，「区別する」という意味もありますが，この意味で最も多く使われるのが tell です。**can tell A from B** や **can tell the difference (between A and B)** で「A と B の区別がつく」という意味です。特に話し言葉では tell の使用頻度が高いです。

We've been in this business long enough to tell facts from fantasy.
私たちは事実と空想を区別できるほど長い期間，この商売を続けています。

やや堅い語としては次の 2 つがあります。これらは「区別する，区別がつく」という意味だけでなく,「違いをつけて際立たせる」「差別化する」という意味もあります。

distinguish：複数のものを，特徴によって分類する
differentiate：同種の複数のものを，違いによって区別する

What differentiates our products from the competitors' is performance and ease of use.
当社の製品を競合他社のものと差別化しているのは，性能と使いやすさです。

これらは交換可能なことも多いですが，It must be in a different folder.（それはきっと違うフォルダにあるでしょう。）のように, 形容詞 different は「同じ種類で別のもの」を表します。そのため，differentiate は特に同種のものの中で，あるものと別のものを区別する場合に用います。

Column 10

「話し言葉」と「書き言葉」の違いに注意！

日本語で「だから…」という理由をＥメールや報告書に書くときは，「そのため…」と言い換えますね。英語にもくだけた「話し言葉」と堅い「書き言葉」があり，混同して使うと違和感があります。ただ，気軽なＥメールであれば「話し言葉」のまま「書」いて問題ありませんし，逆に，改まったスピーチでは「書き言葉」を意識して「話す」ほうが良いでしょう。ここでは，フォーマル度合いに関する以下のルールを押さえましょう。

(1) and / so / but / because は文頭に置かない

これらの接続詞を文頭に置くと，カジュアルな印象を与えます。書き言葉では文頭に置くのを避け，以下の表現にそれぞれ置き換えましょう。

and	also, in addition, moreover
so	therefore
but	however
because	This is because …

(2) 10 以下の数字・文頭の数字は「スペルアウト」する

「スペルアウト」とは，1 と書かずに one と書くことです。10 以下の数字は，書き言葉では原則スペルアウトします。また，文の始まりがわかりにくいため，文頭に数字が来る場合もスペルアウトします。

(3) 短縮形は用いない

I'm → I am，I've → I have，I'll → I will とし，書き言葉では短縮形は用いません。don't や doesn't も do not，does not とします。なお，can の否定形は書き言葉では can't ではなく cannot とするのが一般的です。

(4) 改行は段落ごとに行う

特にＥメールにおいて，日本語では文ごとに改行する傾向があります。しかし英文では，改行は段落（＝意味のまとまり）ごとに行います。文ごとに改行するとかえって読みにくいので注意しましょう。

基本の形容詞

大きい ⇔ 小さい

単語	意味	言い換え
big	サイズ・数量・規模・程度・重要性などが大きいこと	重大な
large	サイズ・数量・規模・程度などが大きいこと	広い，L サイズの
great	サイズ・数量・規模・程度・重要性などが大きいこと	多大な，偉大な
major	重要性・深刻さなどが他と比べて大きいこと	主要な，大部分の，重大な
small	サイズ・数量・規模・程度・重要性などが小さいこと	ささいな，年少の，S サイズの
little	サイズ・数量・規模・程度・重要性などが小さいこと	ささいな，年少の
minor	重要性・深刻さなどが他と比べて小さいこと	ささいな，（けがなどが）軽い

FOCUS

▶ **big** は話し言葉で多く用いられ，数量・規模のほか，重要度や問題などさまざまなものが大きいことを表す最も日常的な語。

▶ **big** が感覚的に大きいことを表すのに対し，**large** は客観的に大きい・広いことを表す。「重要さ」の意味はない。

▶ **great** は規模が大きく立派なことや，数量・程度・重要性などが大きいことを表し，驚き・敬意といった感情を含む場合に適している。「大量の，多大な，多額の」などの意味を表す a great deal of がよく使われる。また，人物などが「偉大な」という意味もある。

▶ **major** と **minor** は，語源が「より大きな／小さな」という意味であることから，重要性などが「他と比べて大きい／さほど大きくない」という意味を表す。

▶ **small** は large の反意語で，客観的にサイズや数量，重要度などが小さいことを表す。S サイズが Small size，L サイズが Large size であることを考えるとわかりやすい。

▶ **little** も「小さい」の意味だが,「小さくてかわいらしい」などの感情を含む場合によく用いられる。なお, little は通例限定用法で, 叙述用法では用いないことにも注意。「このバックは小さい」は *This bag is little.* ではなく, This bag is small. となる。形容詞の用法については p.332 を参照のこと。

▶「ささいな」の意味では, small / little / minor は同様に使える。

EXAMPLES

Our staff are real professionals; they never make any big mistakes.
我々のスタッフは本物のプロなので, 決して大きなミスは犯しません。

There is a big difference in how the two countries react to the same problem.
その同じ問題に対する二国の対応には, 大きな違いがありました。

Hokkaido is the largest prefecture in Japan.
北海道は日本で一番大きな都道府県です。

There has been a great deal of interest in the housing sector since the end of last year.
昨年末以降, 住宅産業へ大きな関心が寄せられています。

The company adopted a major revision to its work-life policies.
その会社は, 仕事と生活に関する方針について, 大きな改定を行いました。

Small size firms account for the majority of corporations in Japan. 日本では, 小規模企業が法人の大部分を占めています。

Only small [little] animals such as dogs and cats are allowed into the hotel.
犬や猫のような小動物だけが, ホテルへの持ち込みを認められています。

I remember seeing the file in one of the little drawers on the left.
左にある小さな引き出しのどこかで, そのファイルを見た覚えがあります。

With a few minor improvements, performance may be enhanced dramatically.
少し細かな改良をすることによって, 業績は劇的に向上するかもしれません。

付録

多い ⇔ 少ない

単語	意味	言い換え
many	数が多いこと	多数の
much	量が多いこと	多量の
a lot of	数・量が多いこと	たくさんの〔多数の, 多量の〕
large ⇔ small	総数・総量が多い〔少ない〕こと	多数の〔少数の〕, 多量の〔少量の〕
few	① 数がほとんどないこと	ほんの少数しかない
	② (a few で) 数が少ないこと	少数の
little	① 量がほとんどないこと	ほんの少量しかない
	② (a little で) 量が少ないこと	少量の

FOCUS

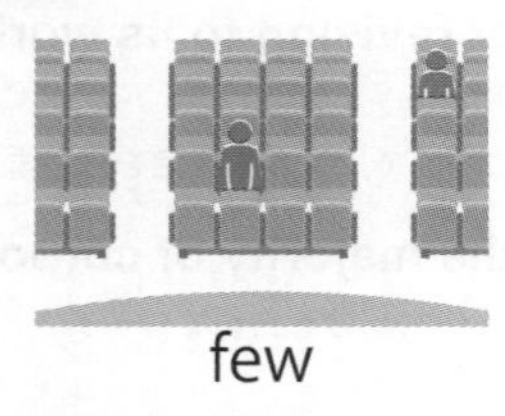
few

little

- **many** は可算名詞の「数が多い」こと, **much** は不可算名詞の「量が多い」ことを表す。どちらもやや堅い語で, 疑問文や否定文で用いられることが多い。
- **a lot of** は many, much のどちらの代わりにも使える万能な表現。特に話し言葉や肯定文では a lot of がよく用いられる。
- number (数), amount (量), family (家族), population (人口) など数量や集合体が多い〔少ない〕ことを表す場合は, **large [small]** を用いる。例えば「大人数の一家」は a large family。many families のように many を用いると, 「たくさんの (複数の) 家族」という意味になることに注意。

▶ **few** は many の反意語で，可算名詞の「数が少ない」ことを表す。**little** は much の反意語で，不可算名詞の「量が少ない」ことを表す。

▶ **a few** と **a little** は「少しはある」という肯定的な意味で，a をつけない **few** と **little** は「ほとんどない」という否定的な意味になることに注意。p.284 でも扱っているので参照のこと。

EXAMPLES

Not many medical records have been digitized yet.
医療カルテのデジタル化はまだあまり進んでいない。

The government does not offer much choice to the citizens.
政府は市民にそれほど多くの選択の余地を与えていません。

The museum has a lot of works by famous European artists on display.
その美術館はヨーロッパの有名芸術家による多くの作品を展示しています。

We still need a lot of time to finish the project.
そのプロジェクトを完了させるのに，まだ多くの時間が必要です。

A large audience showed up for the latest performance.
その最新のパフォーマンスには多くの観客が集まりました。

Only a small number of people pay attention to TV commercials. テレビ CM に注目する人はほんのわずかです。

Few users seem to realize the importance of regular updates.
ほとんどの利用者が，定期更新の重要性を認識していないようです。

We cannot close yet; there are still a few customers in the shop.
まだ閉店できません。店内にまだ数人のお客さんがいます。

We need to place an order for copy paper; there is little [not much] left.
コピー用紙を注文する必要があります。ほとんど残っていません。

I'm afraid I need a little time to collect credible data.
申し訳ありませんが，信頼できるデータを集めるのに少し時間が必要です。

付録

高い ⇔ 低い

単語	意味	言い換え
high	① 位置が高いこと	高いところにある
	② 数値・質・程度・価値などが高いこと	高い
tall	縦に細長く高いこと	背が高い
low	① 位置が低いこと	低いところにある
	② 数値・質・程度・価値などが低いこと	低い
short	人の背が低いこと	背が低い

FOCUS

▶ **high** は表に挙げた例のほか，価格・温度など日本語の「高い」に当たる意味を表すのに幅広く使える語。物理的な高さを表す場合は「位置が高い」ことを表し，山や天井，飛行機の高度のようなものに用いられる。

▶ **tall** は下から上まで一続きの高さを見上げるイメージで，「横幅に比べて高さが標準より高い」ことを表し，人の身長や木，建物など細長いものに多く用いられる。

▶「高いビル」と言う場合，普通は tall を使うが，「地上からの高さ」だけを意識する場合は high を使うこともある。

▶ **low** は high の反意語で，high と同様に「位置の低さ」や，さまざまものについて「程度が低い」ことを表せる。また，建物や木が低いと言う場合 tall の反意語として low が多く用いられるが，「人の身長」には **short** を使う。

EXAMPLES

All our products are of the highest possible quality.
当社のすべての製品は最高級の品質となっております。

The design team has high expectations of customer satisfaction with the product range.
設計チームはその製品領域に関する顧客満足度に高い期待を抱いています。

A tall chimney adorns one side of the house.
高い煙突が，この家の１つの面を魅力的に見せています。

He is a genius who prefers to keep a low profile within the company.
彼は天才ですが，社内では控えめ〔低姿勢〕でいることを好みます。

We are focusing on clothes for women who are shorter than average.
当社は平均より背が低い女性向けの衣服に注力しています。

TIPS 値段が高い〔安い〕に関する表現

「値段が高い〔安い〕」という意味を表すには，**expensive** [⇔ **inexpensive**] が最も一般的かつ客観的な表現です。他に，特定のニュアンスを含むいくつかの表現があります。

□ **at a high price [cost]**：高値で（値段が高いために入手困難）
□ **at a low price [cost]**：安値で（値段が安いために入手しやすい）

⇒ *expensive price [cost]* という言い方は間違いです。通例 expensive の後ろには，dress や fare のようなお金を出して買う品物や運賃などが続きます。

□ **reasonable**：あまり高くない，手ごろな
□ **affordable**：手ごろな，求めやすい，良心的な

⇒ reasonable は reason（根拠，道理）から「筋の通った，妥当な」の意味があり，そこから「妥当な金額で，あまり高くない」ことを表します。afford は「物を買う余裕がある」ことを表し，affordable は「購入しやすい」ことを表します。なお，**cheap** は「質が低い」というニュアンスを含む語です。「安くてお得」とアピールする場合に cheap を使うのは避けましょう。

A well-documented antique can be sold at a high price.
（きちんと鑑定済みのアンティークなら，高く売れます。）

High-speed internet connections have become really affordable.
高速のインターネット接続が本当に手頃になりました。
※近年では Internet が普通名詞化し，小文字で表記されるようになってきている。

付録

強い ⇔ 弱い

単語	意味	言い換え
strong	① 体力・精神力・影響力・競争力などが強いこと	頑強な，強固な
	② 色彩・光・感情・味覚などの程度が強いこと	強烈な，濃い
powerful	影響力・効力などが強いこと	強力な
tough	人・物が丈夫で頑丈なこと	たくましい，頑丈な
weak	① 体力・精神力・影響力・競争力などが弱いこと	虚弱な，もろい
	② 光・音などが弱いこと	わずかな
powerless	影響力・効力などがないこと	頼りない，無力な
soft	① 性格・体がひ弱なこと	弱腰な，軟弱な
	② 光・音などが柔らかいこと	穏やかな

FOCUS

- **strong** は物理的・精神的に強いことを表す最も一般的な語で，人や物事の持つ力・感情・光などさまざまなものに使える。関係・きずなといった結びつきの強さや信念の強さなど「強固な」という意味でも用いられる。
- **powerful** は，人や社会に与える影響力や，物に与える効果が強いことを表す語で，機械・コンピューターなどの「威力が強い，パワーがある」といった意味でも用いられる。
- **tough** は人が肉体的・精神的にたくましいことや，物が丈夫なことを表す。
- **weak** は strong の反意語で「弱い」という意味で最も広く使われる。
- **powerless** は powerful の反意語で to *do* や against とともに多く用いられ，「…する〔～に対する〕力がない」という意味を表す。
- **soft** は tough の反意語で，「柔らかい，やわな状態」を広く表し，くだけた言い方で性格が弱腰なこと，体がなまった状態などを表す。光・音など物理的な弱さも表せる。

EXAMPLES

He made some strong arguments in favor of the merger.
彼はいくつかの強い主張を掲げて，その吸収合併を支持しています。

Since we changed the brand, the coffee has become strong [weak]. ブランドを変えたので，コーヒーが濃く〔薄く〕なりましたね。

Social media are a powerful force for rather inexpensive advertising.
ソーシャルメディアは，かなり安価な広告のための大きな力となっています。

The PC case, made of durable aluminum, is three times tougher than its predecessor.
耐久性の高いアルミニウムで作られたこのパソコンケースは，旧バージョンの3倍の強度があります。

We were lucky enough to find a weak spot in the competitor's strategy.
その競合他社の戦略に弱点を発見できたのは幸いなことでした。

I feel powerless against the recent turn of events.
私は最近の状況の変化に対して無力だと感じます。

Soft lighting and music accentuate the cozy atmosphere throughout the boutique.
柔らかい照明と音楽が，ブティック全体の居心地の良い雰囲気を引き立てています。

付録

TIPS 「強み」「弱み」を表す表現

「強み，長所」「弱み，短所」は下記のような対応で用います。「弱点」の意味ではweak spot，より堅い言い方としてshortcoming(s)という表現もあります。「利点」の意味ではp.324で解説しているadvantageやmeritという表現もあります。

strength ⇔ weakness　good point ⇔ bad point　strong point ⇔ weak point

なお，「〜の強みは…です」と言う場合，〈one of the [*one's*] ＋複数名詞〉（〜の1つ）とします。例えば下の文を *Her good point is …* とすると，「それくらいしか良いところがない」という皮肉のように聞こえてしまうので要注意です。

One of her good points is her sociability.
彼女の長所は社交的なところです。

One of the strong points is that the company is well-known.
その会社は，知名度が高いことが強みです。

はやい ⇔ おそい

単語	意味	言い換え
early	① 時間・時期が早いこと	早い，早期の，早めの
	② 予定・定刻より早いこと	早い
quick	瞬間的な動作が速いこと	速い，機敏な，短時間の
fast	持続的な運動のスピードが一定して速いこと	速い，短時間の
rapid	変化が速く急激なこと	急速な，急激な
prompt	間を置かずにすばやく，遅れずになされること	即座の，すばやい
late	① 時間・時期が遅いこと	遅い時間の，遅めの
	② 予定・定刻より遅いこと	遅れた
slow	動作・進行などが遅いこと	ゆっくりとした

FOCUS

▶ **early** が時期や時刻の「早さ」を表すのに対し，**quick, fast, rapid, prompt** は動作の「速さ」を表す。

▶ **quick** は瞬間的できびきびした動きを表し，時間をかけず，仕事や返事をパッと完了させるイメージがある。

▶ **fast** は人や物の動くスピードが一定して速いことを表す。quick，fast は「短時間の〔でなされる〕」という意味ではほぼ同様に使うことができる。

▶ **rapid** は主に物の成長，増加，反応などの変化が速いことを表し，急激な動きにも，継続的な速い動きにも用いられる。

▶ **prompt** は行動，支払い，返答などが間を置かずに，あるいは遅れることなく行われる状態を表す。

▶ **late** は early の反意語で「時期や時刻が遅い」ことを表す。

▶ **slow** は fast，quick の反意語で，「動作や進行の速度が遅い」ことを表す。

▶ early, fast, late は形容詞と副詞が同じつづりで，それ以外は -ly をつけて副詞にする。

EXAMPLES

I prefer to get to the office early in the morning.
朝早く出社するほうが好きです。

Can I have a quick word with you about the issue?
その件についてちょっとお話しさせていただいても良いですか。

The year 2020 has seen an unexpectedly fast growth rate in the service sector.
2020 年はサービス分野が思いがけないほど急成長しています。

The hydrofoil is the most reliable and rapid link to the island.
水中翼船は確実性があり，その島へ最も速く移動できます。

Her e-mail replies are always prompt and unambiguous.
彼女のメールの返信はいつも迅速かつ明瞭です。

Let's call it a day. I don't want to be late for the train.
今日の仕事はここまでにしましょう。電車に乗り遅れたくないので。

Let's opt for the slow food bistro that serves local food.
地元料理を提供するスロー・フード（※）のレストランにしましょう。
※ fast food（ファスト・フード）の反対。ゆっくり食事を楽しむこと。

TIPS 「進捗」を表す表現

「はやい」「おそい」に関連して，進捗を表す表現を押さえましょう。なお，too early [late] を使う際は要注意です。「早〔遅〕すぎる」の意味になり，「遅すぎて…できなかった」のような良くない結果を暗示することになります。

□予定に間に合う：**meet the deadline / in time**
□予定通りに：**on time / on schedule**
□予定より早く〔遅く〕：**ahead of [behind] schedule**
□A より早く〔遅く〕：**earlier [later] than A**　※ earlier は sooner でも可。

I completed the task earlier [sooner] than I had expected.
私は予想していたよりも早くその仕事を終えました。

I heard the meeting will start 30 minutes later than usual.
その打ち合わせはいつもより 30 分遅く開始されるそうです。

The arena was completed too late for the national competition to be held there.
その競技場は，全国大会を開催するには完成が遅すぎました。
（＝完成が遅すぎたため，そこで全国大会を開催できなかったことを暗示。）

Column 11

単語は意味だけでなく，使い方をチェック！

英単語を調べるときは，意味だけでなく使い方を必ず確認しましょう。日本語と英語では，文の作り方や語句の使い方が異なるため，日本語をそのまま英語にすると不自然な文になってしまうからです。

例えば「そのカードの有効期限は来年２月末です」と言いたいとき，和英辞典で「有効期限」と調べると the term of validity が見つかりますが，以下のように考えてしまう間違いがよくあります。

「有効期限」→ the term of validity
「～は…です」→ is
「来年２月末で」→ at the end of February next year
↓
誤：*The term of validity of the card is at the end of February next year.*
正：The card is valid until the end of February next year.

カードや書類の有効期限欄に the term of validity: February 28th のように書かれることはあっても，「有効期限は～です」を *the term of validity is at ...* とは言いません。「～まで有効である」は be valid until ～ を使って表すのが自然だからです。

「自分の英文が自然かどうか」を確認するのはなかなか難しいですが，自然な英文を話す･書くためのテクニックとしておすすめなのが，**相手の使っているフレーズを参考にする**ことです。

例えば，資料をメールに添付する際，いつも **I have attached ～.**（～を添付しました。）と書いていた人が，ネイティブスピーカーがよく **Here is [are] ～.**（こちらが～です。）と書いてファイルを添付してくるので，その表現も使うようになったそうです。普段のやり取りからも多くのことを学べるのだ，と意識して英語に触れることが，上達の近道です。

間違いやすい前置詞

～に（at / on / in）

単語	意味	例
at	①（時刻・時点）に	at 7:00 P.M., at noon
	② 特定の地点に	at the station
on	①（日付・曜日・特定の日）に	on May 13th
	②（場所）に接して	on the wall
in	①（世紀・年・季節・月など）に	in 2020, in spring
	②（空間）の中に	in the room

FOCUS

- **at** は時や場所の「1 点」を表す。時に関しては，at 7:00 P.M. のような時刻や，at that time のような特定の時点には at を用いる。場所についても，meet at the station（駅で落ち合う）のように特定の地点を表すのに用いられる。
- **on** は「接している状態」を表す。on the desk（机の上に）のように「～の上に」と訳されることもあるが，on the wall（壁に接して），on the ceiling（天井に接して）のように，上とは限らない。
- 時に関しても，**on** はカレンダーの特定の日付や曜日の上に，予定がポンと乗っていることをイメージすると良い。なお，「毎週金曜日」は on Fridays または every Friday と表す。
- **in** は at よりも広い「時間や空間の内部」を表す。そのため，in the 19th century，in 2020 のような比較的長い期間には in を用いる。場所についても，「～の中に〔で〕」と言う場合に用いる。
- 「午前中」は **in** the morning だが，特定の日の「午前中」は，**on** the morning **of** Friday（金曜日の午前中）と on を使って表す。this morning（今朝），tomorrow morning（明日の朝）などには前置詞は不要。morning の代わりに afternoon，evening を使う場合も同様。

EXAMPLES

We are going to visit Ms. Harris at 1:00 P.M. on September 6th.
9月6日の午後1時に，ハリスさんを訪問する予定です。

A regular meeting is held at 10:00 A.M. on Thursdays.
定例会は，毎週木曜日の午前10時に開催されます。

Information Technology has made much progress in the 21st century.
情報技術は21世紀に大きく発展しました。

It would be convenient for you to meet at Tokyo station in the morning.
午前中に東京駅でお会いするのが，あなたにとって都合が良いでしょう。

I put the report on your desk as you were out.
外出されていたので，あなたの机に報告書を置いておきました。

Please wait a few minutes in the meeting room.
会議室で少々お待ちください。

TIPS　時間・場所を表す際のポイント

時間を表す at と in は比較的使い分けのルールが明確ですが，場所を表す **at** と **in** の使い分けは，空間に対する感覚が関係します。

例えば，下の例文では，「カフェで待っている」という「今いる場所（=**地点**）」を表すのには at を使っていますが，「カフェのある場所（=**空間**）」を表すのには in を使っています。at の表す「地点」は，地図上にピンを立てるイメージで考えるとわかりやすいでしょう。

What time can you come here? I am waiting at a cafe in the station.
何時にこちらに来られますか。駅にあるカフェで待っています。

なお，時間や場所が複数ある場合，「小→大」の語順が自然なので，上記は「カフェ→駅」の順番になります。場所と時間をあわせて伝える場合は，〈場所→時間〉の順番が好まれます。例えば EXAMPLES の4つ目では，*in the morning at Tokyo station* よりも at Tokyo station in the morning となることが多いです。

付録

～まで（by / until）

単語	意味
by	（期限）までに
until	（ある時点）までずっと

FOCUS

- **by** は「期限」を表す。by tomorrow（明日までに), by Thursday（木曜日までに）のように，「それまでに動作を行う」という期限・締め切りを示すのに用いる。
- by the end of A で「Aの終わりまでに」という意味を表し，by the end of today（今日中に）， by the end of the week（今週中に）のように頻繁に使われる。
- **until** は「継続の終点」を表す。until tomorrow（明日までずっと），until Thursday（木曜日までずっと）のように，「それまでずっとその状態が続く」ことを示すのに用いる。

EXAMPLES

Could you get the accurate figures by tomorrow morning?
明日の午前中までに正確な数値を出していただけますか。

I will send you a draft of the report by the end of this month.
今月中には報告書の草案をお送りします。

This trend will last until at least next year.
少なくとも来年まではこの傾向が続くでしょう。

He is away on a business trip until the 5th.
彼は5日まで出張で不在にしています。

～の間（for / during）

単語	意味
for	（いくらかの期間）の間ずっと（続く）
during	（特定の期間）の間に（…する）

FOCUS

- **for** は for two hours（2時間），for a week（1週間），for three years（3年間）のように，期間の長さを表す語句とともに用いる。現在形・過去形・完了形など，さまざまな時制で使うことができる。
- **during** は during the trip（旅行中に），during the event（イベント中に）のように，特定の期間を表す語句とともに用いる。
- **for** は「どれくらい続くか」という期間の長さに着目するのに対し，**during** は「いつ…するか」という時期に着目する。

EXAMPLES

I have been in this section for about three years.
私はこの部署に3年間ほどおります。

These series has been selling well for many years.
このシリーズは長年にわたりよく売れています。

More than twice as many people as usual come to the store during the sale.
そのセール期間中は，通常の2倍以上の人々が来店します。

We should have noticed the flaw during the design phase.
私たちは設計段階のうちにその不備に気づくべきでした。

付録

～から（from / since）

単語	意味
from	（ある点）から（始まる）
since	（ある時点）から（基準時まで）ずっと

FOCUS

- **from** は「～から」という起点・始まりを表す。時に限らず，場所やその他の概念について起点を表すことができる。「A から B まで」は from A to B で表す。「A から B まで一続きで」と言う場合には from A through B が用いられることもある。
- **since** は「～からずっと」という継続の始点を表し，現在完了形の文で多く用いられる。現在完了形の場合，「ある時点から現在まで（その状態が続く）」という意味を表す。since yesterday（昨日から）のような前置詞の用法と，since he retired（彼が退職してから）のように後ろに SV が続く接続詞の用法がある。

EXAMPLES

The coupon is valid for 30 days from January 1st.
この割引券は，1 月 1 日から 30 日間有効です。

We are looking for a partner who can support from development to sales of our product.
当社は，製品の開発から販売までを支援してくださる提携先を探しています。

The store is open from 8:00 A.M. to 7:00 P.M. from Monday through Friday.
その店は，月曜日から金曜日の午前 8 時から午後 7 時まで営業しています。

She has been away on business since last week.
彼女は先週からずっと出張に出たままです。

Mr. Benson and I have been known each other since I started this business.
ベンソンさんと私は，私がこの商売を始めたときからの知り合いです。

～後に，～以内に（in / after / within）

単語	意味
in	（今から）～後に
after	（ある時点から）～後に
within	～以内に

FOCUS

- **in** は in a few days（数日後に），in a month（1 カ月後に）のように，「今から～後に」という意味を表す。
- **after** は a few days after the event（イベントの数日後に）のように，「今から」ではなく「ある時点から～後に」という意味を表す。
- **within** は within a few days（数日以内に）のように，期間の長さを表す語とともに用いて，期限や範囲を表す。時だけでなく，場所の範囲にも使われる。

EXAMPLES

Can I call you back in 10 minutes?
10 分後に折り返し電話しても良いですか。

We will send you a questionnaire a few days after the seminar.
セミナーの数日後に，アンケートをお送りします。

We will answer your inquiries within two business days.
お問い合わせには 2 営業日以内にお応えします。

索引

英語索引

D

E

索引

F

G

H

I

N

O

P

T

日本語索引

か

き

く

け

こ

索引

ろ

わ

MEMO

Patrick Horckmans
静岡県浜松市在住。ベルギー出身。ルーベン・カトリック大学（KU Leuven）法学部卒業・同大学院修士課程修了。TOEIC スコア 990，英検 1 級。平成元年に英仏会話教室の「アバンティ」を設立し，自ら英仏会話講師を務める傍ら，中高一貫校の非常勤講師としても勤務している。
長年にわたり，Z 会キャリアアップコース「英文ビジネス E メール講座」の添削指導を担当。『TOEIC® TEST 速読速聴・英単語 STANDARD 1800 ver.2』，『英文ビジネス E メール実例・表現 1200［改訂版］』（Z 会）など，TOEIC・ビジネス英語関連書籍の執筆実績も多数。

【執筆・校閲協力】
（執筆）　高橋知子，岡崎恭子
（校閲）　日和加代子，
　　　　　堀田史恵（株式会社にここにこ）

書籍のアンケートにご協力ください

抽選で図書カードをプレゼント！

Z会の「個人情報の取り扱いについて」はZ会 Web サイト（https://www.zkai.co.jp/home/policy/）に掲載しておりますのでご覧ください。

ビジネス英語 Word Choice ［類語・類似表現 700］

初版第 1 刷発行 ……… 2020 年 3 月 10 日
著者 ……… Z 会編集部　Patrick Horckmans
発行人 ……… 藤井孝昭
発行 ……… Z 会
〒 411-0033　静岡県三島市文教町 1-9-11
TEL 055-976-9095
https://www.zkai.co.jp/books/
装丁 ……… 萩原弦一郎（合同会社 256）
イラスト ……… 松沢ゆきこ（松ぼっくり工房）
DTP ……… 株式会社 デジタルプレス
印刷・製本 ……… シナノ書籍印刷株式会社

© Z 会 CA 2020　★無断で複写・複製することを禁じます
定価はカバーに表示してあります
乱丁・落丁はお取替えいたします
ISBN978-4-86290-312-9　C0082